Luchtkussen

Van Astrid Harrewijn zijn verschenen:

*Ja kun je krijgen**
In zeven sloten
Luchtkussen

* Ook in POEMA POCKET verschenen

Astrid Harrewijn

Luchtkussen

SIJTHOFF

© 2009 Astrid Harrewijn
en uitgeverij Luitingh ~ Sijthoff B.V., Amsterdam
Alle rechten voorbehouden
Omslagontwerp: Marry van Baar
Omslagfotografie: Getty Images
Foto auteur: Amke de Kievit

ISBN 978 90 218 0169 8
NUR 300

www.astridharrewijn.nl & www.boekenwereld.com

I

Het was stil in het cafeetje. Aan een klein tafeltje bij de wc zat een oude man een krant te lezen. Verder was er niemand. Ik keek nog een keer op mijn horloge. Roos was laat. In gedachten roerde ik in mijn kopje koffie. Een jaar geleden was ik gescheiden maar ik was er nog steeds niet aan gewend om in mijn eentje in een café te zitten en volgens mij zou ik er ook nooit aan wennen. Het was het toppunt van kijk-mij-eens-alleen-zijn. Iets waar de oude man geen enkel probleem mee scheen te hebben. Ik bekeek hem eens goed, alsof ik zijn geheim wilde ontdekken. Misschien moest ik ook een krant gaan lezen.

Ik keek nog een keer op mijn horloge en wilde al mijn mobieltje pakken toen de deur openging en Roos als een wervelwind naar binnen kwam stormen. Roos, mijn beste vriendin. We kenden elkaar al sinds de middelbare school en er ging geen week voorbij zonder dat we elkaar even spraken. Haar lange blonde haren wapperden vrolijk rond haar gezicht. In haar hand droeg ze haar grote paarse, lakleren tas van Mulberry, die altijd gevuld was met de vreemdste dingen. Ik vermoed dat Roos de enige persoon in de wereld is die dagelijks een wasknijper, een nietmachientje, wat hondenbrokjes en een *Wat en Hoe Deens* met zich meesleept, naast alle andere dingen die voor ons vrouwen zo onontbeerlijk zijn om de dag mee door te komen. Gehaast liep ze op me af.

'Zit je hier al lang?' Ze keek me verontschuldigend aan en hijgde een beetje.

'Nee joh, ik heb nog maar één kopje koffie op,' zei ik lachend. En probeerde mijn opluchting omdat ze er eindelijk was te verbergen.

'Wat klonk je paniekerig door de telefoon. Wat is er aan de hand?' vroeg Roos bezorgd.

'Ik ben net bij de bank geweest.' Ik keek Roos aan en probeerde een glimlach op mijn gezicht te toveren.

'En?'

'Mijn beleggingen hebben niet helemaal het rendement opgeleverd waar ik op gehoopt had, maar resultaten in het verleden geven nu eenmaal geen garanties voor de toekomst.' Met zware stem deed ik de man van de bank na en ondanks het feit dat er niks te lachen viel, begon ik een beetje te giechelen.

'En?' Roos keek niet alleen superbezorgd, maar klonk ook zo.

'Ik heb geen geld meer.' Ik begon weer te giechelen.

'Weet je dat jij de bewonderenswaardige gave hebt om altijd te gaan lachen als je metersdiep in de shit zit?'

Ik knikte slechts.

'En nu?'

Ik haalde alleen maar mijn schouders op. 'Kopje koffie?'

'Hoe kan dat nou?' vroeg Roos verbaasd.

'De meneer van de bank heeft het ietsjepietsje risicovoller belegd dan verstandig was.'

'Maar dat kan toch niet zomaar? Je leeft al tien jaar van de rente van die erfenis. Het was niet veel, maar het was iets. Het is toch niet te geloven dat je nu opeens zonder geld zit.' Roos keek me boos aan alsof het mijn schuld was dat mijn inkomstenbron opgedroogd was.

'Het is zoals het is, Roos. Dit soort dingen gebeuren. Het heeft weinig zin om er al te lang bij stil te staan. Ik vrees dat ik zo snel mogelijk een baan moet zien te vinden. Weet jij nog wat?'

Roos keek me stomverbaasd aan, er verscheen een merkwaardig agressieve blik in haar ogen en ze snauwde de vrien-

delijke serveerster af met de opmerking dat er zo snel mogelijk twee cappuccino's en taart op tafel moesten komen. Het
was zo'n grappig gezicht dat ik bijna weer begon te giechelen.
'Het lijkt mij tijd dat je die enorme oelewapper van een ex
eens bij zijn lurven grijpt. Een baan! Ben je nou helemaal besodemieterd, Lieke. Meneer de ex zit een beetje de miljonair
in Spanje uit te hangen met die blonde huppelkut van twintig.
De hufter van het ergste soort heeft tien jaar lang op jouw zak
geleefd. Tien jaar lang leefden jullie zo'n beetje onder de mi-
nimumgrens terwijl meneer de ene na de andere belachelijke
uitvinding deed waar geen drol mee viel te verdienen met als
dieptepunt het...' Ze keek me onderzoekend aan. 'Hoe heette
dat stomme ding ook alweer?'
'Het neusventieldopje.'
'Juist ja. Het neusventieldopje!' Ze kookte bijna van woede. 'En vervolgens gaat hij ervandoor met de oudste dochter
van een vriend en vraagt patent aan op een nog veel stomme-
re uitvinding...' Ze keek me weer vragend aan.
'Een bejaardentamtam.'
'Precies, een waardeloze uitvinding waar hij belachelijk veel
geld mee verdient waardoor hij nu in luxe en weelde leeft en
niet meer omkijkt naar zijn ex-vrouw en dochter!' Uitzinnig
van woede wierp ze onder het slaken van een verwensing haar
handen in de lucht.
De oude man keek verbaasd op en de serveerster riep nerveus dat de taart er zo aankwam. Ik begon keihard te lachen.
'Lach niet! Ik vind het echt erg.' Er verschenen bijna tranen
in haar ogen. 'Je verdient beter!'
De oprechte verontwaardiging van Roos ontroerde me.
Hoewel ze het nooit zo tegen me had uitgesproken, wist ik dat
ze mijn huwelijk met Bas nooit had begrepen. Bas was mijn
jeugdliefde geweest en zou waarschijnlijk altijd de grote liefde
in mijn leven blijven, ondanks het feit dat hij een egoïstisch
mannetje was dat kinderlijk veel aandacht nodig had. De schei-

ding was niet mijn keuze geweest en er ging eigenlijk geen dag voorbij dat ik niet aan hem dacht en me niet verdrietig voelde. Gelukkig beschikte ik inderdaad over het fantastische talent om altijd te gaan lachen als de situatie eigenlijk om een stortvloed van tranen vroeg.

'Het gaat prima met me. Dit is alleen even een kinkje in de kabel,' zei ik en probeerde er niet al te veel bij te grijnzen.

'Een kinkje in de kabel? Dat lijkt me een understatement. Een kinkje in de kabel! Een kabelbreuk met een stroomstoring voor tienduizend huishoudens, ontdooiende vrieskisten...'

'Nou, Roos, overdrijven is ook een vak.'

'En je moeder? Kan die je niet helpen?'

Het scheelde niet veel of ik was weer gaan lachen. Mijn moeder! Mijn moeder was na het overlijden van mijn vader gaan cruisen. Elk jaar drie maanden, en dat tien jaar lang! Dertig maanden had ze op exotische wateren doorgebracht in de hoop dat ze daar een leuke man tegen zou komen. Dat was helaas niet gelukt. Een halfjaar geleden had ze haar huis verkocht en had ze haar intrek genomen in een huurhuisje en al mopperend leefde ze nu van haar AOW. Nee, van de kant van mijn moeder viel weinig te verwachten. Ik keek Roos spottend aan.

'Oké, je moeder slaan we over,' zei Roos gelaten. 'En dat baantje dat je vroeger had bij het museum?'

'Je bedoelt als gids bij het Van Goghmuseum waar ik bussen vol toeristen heb rondgeleid?'

'Ja, kan je daar niet meer terecht?'

'Tegenwoordig lopen de toeristen met koptelefoons door het museum en krijgen ze in hun eigen taal tekst en uitleg. Mij hebben ze niet meer nodig.'

'Wat kun je eigenlijk?' vroeg Roos en het schaamrood steeg haar naar de wangen toen ze zich realiseerde dat het een behoorlijk gênante vraag was. 'Ik bedoel, kun je niet iets doen met je studie?'

Ik schudde mijn hoofd. Ik was eenentwintig toen ik mijn nu

dertienjarige dochter Merel had gekregen. Nog één jaar had ik te gaan om mijn studie kunstgeschiedenis af te ronden. We hadden geen geld voor mijn studie en het was een heel gedoe om rond te komen met zo'n kleintje. Toen mijn vader overleed besloten we om van de rente van de erfenis te gaan leven zodat Bas zich kon storten op zijn passie: uitvinden. Uiteindelijk was het er niet meer van gekomen om mijn studie af te maken en werd ik opgeslokt door het moederschap, het bijbaantje in het museum en de grillen van een uitvinder.

'En het schilderen dan? Er hangt toch af en toe iets van jou bij een galerie?'

Ik knikte en trok een gek gezicht. 'Ja, lieve schat. Zo af en toe hangt er iets bij een galerie maar er wordt zelden iets verkocht. De markt voor naakten is niet zo groot.'

'Dat is niet waar! De markt voor naakten is bijzonder groot, maar dan hebben we het wel over vrouwelijk naakt.'

'Precies, en ik schilder mannelijk naakt. Abstract. In zwartwit. Of, zoals de dame van Galerie Besognes mij liet weten: "Het lijkt wel op een knotwilg." Dus ik vrees dat ik daar mijn brood niet mee ga verdienen.'

'Oké.' Roos hield afwerend haar handen voor zich uit. 'Oké, maar leg mij nog eenmaal uit waarom jij niet bij je ex aanklopt. Hij zwemt in het geld. Jij hebt hem al die jaren geholpen. Het is toch niet meer dan normaal dat hij nu ook voor jou en Merel zorgt.'

Ik keek Roos droevig aan. Bas was het enige onderwerp waar ik niet om kon lachen. 'Toen hij de deur uit liep met zijn koffer heeft hij mij laten weten dat hij niets meer met ons te maken wil hebben. Hoe kan ik dat aan Merel uitleggen? Een vader die zijn eigen kind niet meer wil zien! Dat kan ik haar toch niet aandoen? Merel is in de veronderstelling dat het voor mij te pijnlijk is om contact met hem te hebben. En ik laat dat zo. Altijd beter dan dat zij erachter komt dat hij haar niet meer wil zien.'

'Maar je kunt hem toch opbellen en zeggen dat je geld nodig hebt? Dat hoeft Merel toch niet te weten?'

'Kom op, Roos. Hij heeft niets meer van zich laten horen. Hij is naar Spanje vertrokken met die vriendin van hem en hij heeft nooit meer gebeld. Dat is toch onbegrijpelijk! Dat hij mij niet meer hoeft te zien, kan ik nog begrijpen, maar Merel? Je eigen kind? Heus, geloof me, Merel en ik zijn beter af zonder hem.'

'Maar al dat geld! Daar heb jij toch ook recht op.'

'Ongetwijfeld heb ik er recht op maar ik hoef zijn geld niet. Het enige wat ik moet hebben is een baan zodat Merel niets tekortkomt en dan komt alles goed. Echt!'

Met haar grote groene ogen bleef ze me bezorgd aankijken. Ze begreep er niets van; mijn liefste en hipste vriendin, die altijd gekleed ging volgens de laatste mode, die nog nooit een dag in haar leven zonder geld had gezeten, die over meer creditcards beschikte dan ik over schone onderbroeken.

Ik klopte geruststellend op haar hand en zuchtte opgelucht toen de serveerster eraan kwam met een dienblad met twee grote stukken chocoladetaart.

2

'Wat is er, mam?' Mijn dochter van dertien keek me vragend aan. Er was een lieve blik in haar ogen. Een blik die razendsnel kon veranderen in de ongeïnteresseerde blik van de prepuber als je niet oppaste.

'Heb jij je huiswerk af?' Ik hoorde het mezelf vragen. Stomme vraag! Een vraag die resoluut zou worden afgestraft waarna ik onverbiddelijk te horen zou krijgen dat ik me met mijn eigen zaken moest bemoeien.

'Ja!'

'Thee?' vroeg ik poeslief. Ik haatte het puberterrorisme en deed er alles aan om die lieve blik weer terug te krijgen.

Ze haalde ongeïnteresseerd haar schouders op, plofte neer op de bank, krulde haar benen onder haar kont en legde haar hoofd op mijn schouders om vervolgens een duim in haar mond te stoppen.

'Waarom heb jij eigenlijk geen vriendje?' Ze zei het lispelend en bijna onverstaanbaar en ik vroeg me af waarom ik eigenlijk slotjes op haar tanden liet zetten om haar van een onweerstaanbare Hollywoodglimlach te voorzien als ze er tegelijkertijd alles aan deed om die aandoenlijke voortandjes weer scheef te zetten door dat hopeloze geduim.

'Je mag niet duimen. Dat vindt de orthodontist niet goed.'

Ik grijnsde. Wat voelde het goed om die kale neptandarts de schuld te geven en mezelf vrijuit te laten gaan.

'Waarom heb je geen vriendje?' Ze herhaalde de vraag en keek me blij aan met haar grote groene ogen. Haar hele gezicht zat onder de sproeten en haar rode haren krulden om haar gezicht.

Vanaf haar tiende had ze me de kop gek gezeurd of ze haar sproeten mocht bleken, en haar haren mocht blonderen. Mijn vraag of ze dan ook nog blauwe lenzen wilde bleek uitermate onhandig. Sindsdien stonden ook gekleurde lenzen op het verlanglijstje. Merel wenste een heel ander uiterlijk dan waar ik haar genetisch mee had opgezadeld.

'Nou?' drong ze aan.

'Ik weet niet. Het is er niet van gekomen.' Ik ontweek haar blik.

'Je moet gaan daten. Dat is goed voor je.'

'Hoezo?' vroeg ik verontwaardigd.

'Van zoenen blijf je langer leven. Kijk, dat staat in de *Cosmogirl*.' Ze sprong van de bank om haar lijfblad erbij te pakken. 'Hier, zie je.' Ze duwde de bladzijde met de onontbeerlijke kennis onder mijn neus. 'Zoen en leef langer!!!!'

'En nu ben je bang dat ik vroeg doodga?' Ik keek haar spottend aan.

'Je moet het zelf weten, hoor. Het is maar een tip.' Ze kroop tegen me aan, stak de duim weer in haar mond en sliste dat ze best een kopje thee lustte.

Terwijl ik het water opzette, mompelde ik tegen mezelf dat ik niet eens meer wist hoe ik moest zoenen. Zo zag mijn leven er dus uit. Drieëndertig, geen cent te makken en met een dertienjarige dochter die zich zorgen maakte of haar moeder niet vroegtijdig het loodje zou leggen wegens gebrek aan kleffe tongcontacten. Het gerinkel van de telefoon rukte me uit mijn lichtelijk depressieve gedachten.

'Lieke, ik heb een baan voor je,' gilde Roos enthousiast door de telefoon.

'Dat meen je niet.'

Binnen een kwartier zat Roos naast me op de bank en had ik Merel naar boven gestuurd met de opmerking dat je huiswerk ook vooruit kon maken. Het had me een zeldzaam dodelijke blik opgeleverd.

Roos keek me aan met gloeiende wangen van opwinding. 'Dit is niet te geloven. Lieke, dit is echt perfect. Toeval bestaat niet! Je kunt volgende week woensdag om halftwee komen voor een gesprek.'

Ik keek Roos aan en probeerde zo enthousiast mogelijk te doen, maar het leek me toch op zijn minst belangrijk om te weten wat het werk inhield. Voor hetzelfde geld had ze een baantje als receptioniste geregeld bij de kale neptandarts die torenhoge facturen stuurde voor het rechtzetten van kindergebitjes en dan zou ik haar toch echt moeten teleurstellen. Voor kale mannen wenste ik niet te werken. Ik had zo mijn principes.

'Roos, waar is het en wat moet ik doen?'

'Ik heb je toch wel eens verteld over die personal shopper

waar ik af en toe gebruik van maak?'

Ik haalde verbaasd mijn wenkbrauwen op. 'Goh Roos, niet om het een of ander, maar ik wil best wel af en toe een middagje met je de stad in. Ik bedoel, als je een vriendin nodig hebt...'

Ze keek me geschokt aan. 'Nee joh, ik ga niet met haar mee shoppen. Zij koopt lingerie in en dan bekijk ik dat thuis. Ik heb gewoon geen zin om uren in zo'n rottig paskamertje beha's te moeten passen. Daar word ik zo chagrijnig van!'

'Ga door.'

'Nou, zij liet me weten dat een van de directrices van het bedrijf waar ze werkt met zwangerschapsverlof gaat. Ze zoeken een assistente, een rechterhand of hoe je het ook maar wilt noemen. Toeval...'

'Bestaat niet,' vulde ik voor haar aan.

'Het is echt een hartstikke leuk bedrijf. Het heet Personal Whatever. Ze leveren allerlei diensten aan dames.'

'Diensten? Noemen ze dat zo tegenwoordig?' Ik haalde vragend mijn wenkbrauwen op.

'Niet dat soort diensten, gekkie.'

Ik wist dat het niet het juiste moment was, maar ik barstte in lachen uit. 'Wat voor diensten dan wel?' vroeg ik hinnikend van de lach. 'Het klinkt als een uitvinding van Bas!'

'Nou ja, zeg.' Roos keek me verontwaardigd aan. 'Ik heb begrepen dat ze goed betalen en al een tijdje op zoek zijn. Het lijkt me echt een kans die je niet mag laten lopen.'

'Wat zoeken ze dan precies?' Ik probeerde mijn lachaanval te onderdrukken.

'Het bedrijf levert dus allerlei diensten,' zei Roos weer en ze keek er een beetje beledigd bij. 'Ze hebben allerlei disciplines in huis; personal shoppers, personal trainers, personal weightwatchers, personal van alles en nog wat. Je hebt een ondersteunende functie. Je moet overal een beetje kunnen inspringen. Dat is toch fantastisch?'

'Ja, heel leuk.' Ik probeerde de spottende ondertoon in mijn stem te onderdrukken. Roos deed tenslotte ontzettend haar best voor me.

'Nou, vind je niet dan?'

'Ja, maar lieve Roos, wat moet ik daar nou? Die hele Prada-parade is toch niks voor mij? Ik heb geen verstand van shoppen, ik heb nog nooit een gymzaal vanbinnen gezien en van diëten heb ik al helemaal geen verstand. Wat heb ik nou te bieden? Ik kan toch niks personalachtigs! Of word ik geacht om een personal tour met een verveelde huisvrouw in het museum te gaan maken?'

Roos sloeg dramatisch haar ogen ten hemel. 'Bekijk nou eerst eens de site en als het je wat lijkt dan heb je nog een week de tijd om je voor te bereiden. Ik denk dat je gewoon van alle markten een beetje thuis moet zijn. Dat lijkt mij althans de beste ingang om daar binnen te komen.'

'Door wie wordt het bedrijf geleid? Weet je daar iets van?'

'Daar kan ik je uiteraard alles over vertellen.' Roos keek me triomfantelijk aan.

Ik kon een glimlach amper onderdrukken. Die Roos! Het was mij een raadsel hoe ze altijd alles wist. Informatie vergaren, zo noemde ze het en je kon haar niet kwader krijgen dan haar te beschuldigen van roddelen.

'Het bedrijf wordt geleid door Suus van der Schoon en Karlijn Moersteen. Briljante zakenvrouwen maar privé helaas doodongelukkig. Suus schijnt half makelarend Nederland al tussen haar lakens te hebben gehad en Karlijn Moersteen is nu acht maanden zwanger. Vader onbekend. Nou ja, ik neem aan dat ze zelf wel enig idee heeft. Karlijn Moersteen gaat een paar maanden naar een vriendin in Friesland. Ze wil daar in alle rust bevallen en de eerste maanden binding krijgen met haar kindje. Dat zijn haar eigen woorden. Zoiets kan ik niet bedenken.'

'Moet je daarvoor naar Friesland? Wat een flauwekul.' Het

flapte er uit voor ik er erg in had.

'Suus heeft dus hulp nodig en zoekt een rechterhand,' zei Roos en keek mij doordringend aan alsof ze niet goed wist wat ze met me aan moest. 'Denk er gewoon even over na en laat me morgen weten wat je wilt. Oké?'

Ik knikte slechts en gaf haar een dikke kus op de wang. 'Je bent een schat, weet je dat?'

'Ja, ik ben echt onwijs lief.' Overdreven wiegend met haar kont liep ze naar de deur waar ze zich nog een keer omdraaide. 'En ook onwijs mooi...'

Giechelend schonk ik haar een handkus, waarna ik languit op de bank ging liggen. Wat moest ik hier nou weer mee? Dit was toch niks voor mij? Aan de andere kant, ik had wel een baan nodig en ik was nu eenmaal niet in een positie om al te kieskeurig te zijn.

Even later zat ik met de laptop op mijn schoot en surfte ik behendig naar www.personalwhatever.nl. Een gelikte, flashy site schreeuwde mij tegemoet. Een scala aan hippe en goedgeklede dames vloog over het scherm en liet me met een vrolijke glimlach weten dat ik hun diensten hard nodig had. Diensten, waarvan ik het bestaan niet eens wist.

'Zeldzaam, dat dit bestaat,' zei ik hardop en kon een glimlach om zo veel imponerende nonsens niet onderdrukken.

'Wat?' vroeg Merel, die nog steeds boos kijkend de woonkamer binnenkwam.

'O, ik zoek een baan,' zei ik op een manier die moest overkomen alsof het een volstrekt normale zaak was dat ik op zoek was naar betaald werk.

'Een baan?' vroeg Merel verbaasd.

'Ja, ik verveel me een beetje. Jij wordt al zo groot en je bent hele dagen op school en het leek me leuk om te gaan werken. En nu heeft Roos iets voor mij gevonden. Als het mij wat lijkt, kan ik volgende week woensdag voor een gesprek komen.'

Merel sprong meteen enthousiast naast me op de bank. 'Wat is het?'

'Het bedrijf heet Personal Whatever en het levert diensten...'

'Mam, dit is echt retegaaf.' Merels ogen vlogen al scannend over het beeldscherm. Met een snelheid die ik haar niet kon nadoen, klikte ze van het ene scherm naar het andere. 'Grutjes!' zei ze verbaasd. 'Wat moet je daar gaan doen?'

'Een van de directrices zoekt een rechterhand.'

'O.' Ze keek me even zijdelings aan en ik hoorde haar vaag iets mompelen over twee linkerhanden terwijl ze ondertussen het ene na het andere scherm open klikte.

'Weet je wel wat ze daar doen?' vroeg Merel en ik zag haar ogen glimmen van opwinding.

'Nee, leg mij dat eens uit,' zei ik spottend.

'Dit is een übergaaf hip bedrijf, mam. Als je bijvoorbeeld veel te veel geld hebt, maar je weet niet wat je moet aantrekken naar een feestje, dan bel je ze en dan komt er een overhippe dame en die gaat met je shoppen!' Bij het woord shoppen begonnen haar groene ogen helemaal te glanzen. 'Echt...'

'Retegaaf,' vulde ik voor haar in.

'Maar stel,' ging ze onverstoorbaar door, 'dat je bijvoorbeeld een onwijs dikke kont hebt en heel graag die leuke Pradabroek wilt, die ene die je personal shopper voor jou heeft uitgekozen, dan krijg je een eigen personal trainer! En dan ga je samen fitnessen! Vind je dat niet...'

'Ja, dat is helemaal te übergaaf, Merel.'

'Je kunt natuurlijk ook kiezen voor een streng dieet en dan komt er een personal weightwatcher bij je thuis. Die struint wat door je koelkast en...'

'Struint?'

'Ja, struint.'

Ik keek mijn dochter verliefd aan. Wat was het toch een schat. Dertien jaar en nu al het woord struinen gebruiken. 'Ga door, lieverd.'

'Nou, die graaft dan je hele koelkast omver en alles met te-veel aan calorieën flikkert ze zo je huis uit. Mooi toch?'

'Lijkt mij heel verhelderend. Echt iets waar de wereld op zit te wachten. Maar denk je dat deze baan iets voor mij is, Merel? Het lijkt me nou typisch iets waar ik niet zo veel verstand van heb.' Ik keek haar aan, maar Merel hoorde me niet. Ze klikte driftig van het ene naar het andere scherm.

'En ze willen jou hebben als rechterhand?' Ze keek me verbaasd aan. 'Dat vind ik toch eigenlijk best wel een eer.'

'Nou Merel, je doet net of ik hoogstpersoonlijk de leiding van Shell wereldwijd ga overnemen.'

'Ik vind het een heel stoer bedrijf, mam. Daar zou ik best willen werken.' In haar ogen flikkerde respect op een wijze die ik niet vaak te zien kreeg. Meer had ik niet nodig en ik besloot ter plekke om volgende week woensdag om halftwee op gesprek te gaan bij het meest overbodige maar hipste bedrijf dat ik kon bedenken.

3

Rond een uurtje of twee tolde ik doodvermoeid mijn bed in. Ik had de hele avond de site van Personal Whatever bestudeerd en één ding was mij inmiddels wel duidelijk geworden. Het bedrijf had een aantal zaken hoog in het vaandel staan. De core-business van Personal Whatever was fashion, design en life-style. Termen die mij niets zeiden.

Ik kon een zucht niet onderdrukken. Waarom zouden ze mij in hemelsnaam aannemen? Dit was een hartstikke leuke baan als je tenminste een beetje verstand had van geld en hoe je dat moest laten rollen. Het enige waar ik verstand van had, was hoe ik een dubbeltje zes keer moest omdraaien. In al die jaren met Bas was ik een meester geworden in het bezuinigen en ik vermoed dat mijn leven een stuk makkelijker was verlopen als ik mezelf in Guccibroeken en cabrio's had kunnen verplaatsen.

Wat moest ik met fashion, design en lifestyle? Ik was noch goedgekleed noch sportief en had al helemaal geen neus voor de mooie dingen in het leven. Dus wat moest ik in hemelsnaam bij Personal Whatever?

'Geld verdienen,' mompelde ik nuchter tegen mezelf.

'Maar ze zoeken vast een duizendpoot die van alle markten thuis is,' jammerde ik tegen mezelf terug.

'Dan bereid je je maar goed voor,' antwoordde ik met een zware bromstem.

'Tegen jezelf praten is een teken van gekte!' zei ik met een piepstem waarna ik verder mijn mond hield en de deken ver over mij heen trok.

Die nacht werd ik keer op keer zwetend wakker. De woorden fashion, design en lifestyle bleven maar door mijn hoofd razen. Rond drie uur zat ik rechtop in mijn bed en realiseerde ik me dat er in mijn kledingkast niets hing met ook maar enig label van formaat.

Rond vier uur schoot ik weer overeind om te concluderen dat ik niet eens wist wat design betekende.

Om vijf uur werd ik met hartkloppingen wakker. Hoe kon ik er een lifestyle op na houden als alleenstaande moeder met een negatief rekeningsaldo en een ex die op redelijk stijlloze wijze uit mijn leven was vertrokken?

Om zes uur rolde ik totaal hyper mijn bed uit. Had ik een keus? De stapel aanmaningen zou over een maand de hoogte van de toren van Pisa overtreffen. Binnen enkele weken zouden er saaie mannen met foute regenjassen voor mijn deur staan die beslag wilden leggen op Sul, de dertien jaar oude knuffelbeer van Merel. Ik had geen keus.

Om negen uur zat ik met Roos aan de telefoon. 'Oké, ik ga

voor die baan maar ik heb wel een paar probleempjes die ik nog even moet tackelen.'

'Ik kom eraan.' Het was het enige wat Roos zei en tien minuten later stond ze voor de deur met haar grote lakleren tas, bijpassende laarzen en een te gek petje op haar hoofd.

Ik keek haar aan en realiseerde me dat hier de perfecte rechterhand stond.

'Nou, wat is het probleem?' vroeg Roos streng.

'Bij Personal Whatever draait alles om fashion, design en lifestyle!'

'Ja, nou en?'

'Daar kan ik toch niks mee! Het enige waar ik verstand van heb is tweedehands uit de mode. Kijk dan wat ik aanheb!' Wijdbeens ging ik voor haar staan in mijn paarse zijden blouse, met daarop een rode kralenketting en een bruine, die ik zelf gemaakt had van koffiebonen, zwarte jeans en mijn gele leren laarzen. Ik trok woest mijn blouse uit en liet haar vol afschuw mijn gelige Hema-beha met totaal verlepte roosjes zien.

'Dit ding is al vijf jaar oud! En weet je wat ik onder mijn zwarte merkloze broek draag? Nou? Een knaloranje string met uitgelubberd elastiek. Ik moet mijn billen samenknijpen om te zorgen dat hij niet van mijn kont afglijdt! En er zit nog een heel klein stukje stof rond de gaten van mijn sokken,' riep ik er vertwijfeld achteraan.

Roos keek mij onverstoorbaar aan.

'En wat dacht je van design, Roos? Een tosti-ijzer is voor mij al te trendy.'

'Dat is niet waar, Lieke. Je vindt het gewoon veel lekkerder om kaastosti's in de koekenpan te maken. En dat is toch ook heerlijk!'

'Roos, jij hebt een wc-borstel in de vorm van een olifant. Jij denkt over dat soort dingen na en anders die gekke ontwerper wel van wie je het geval voor duizend euro hebt gekocht.'

'Oké, ik geef toe dat het misschien wat merkwaardig is dat

jij een plumeau naast de wc hebt staan maar jij kon toch ook niet weten dat je een plumeau voor iets heel anders gebruikt. Dat geeft toch niet? Het staat wel heel vrolijk in die grote gele emmer. Ik ga bij jou heel graag naar de wc!'

'Ik heb zelfs geen vibrator, Roos. Op mijn nachtkastje staat een glaasje water en geen trotse, zwarte totempaal op batterijen, met zeven verschillende trilbewegingen, ingebouwde lcd-lampjes en naar eigen wens in te stellen paringsgeluiden. In mijn huis is niets te vinden met een handleiding!'

Roos keek me wat meewarig aan, alsof deze ontboezeming toch een heel nieuwe dimensie aan onze vriendschap toevoegde.

'Lieve schat, dat hoeft toch geen belemmering te zijn. Voor niet al te veel geld kun je tegenwoordig het nieuwste modelletje vrouwenspeelgoed aanschaffen en anders neem je toch een abonnementje op de *Viva*; dan krijg je hem gratis. Met een beetje goede wil kun jij je prima handhaven in het wereldje van fashion, design en lifestyle. Je moet het alleen willen!'

Ik keek Roos hoofdschuddend aan. Ze miste het punt en dat was toch wel echt een probleem.

'Kom, we gaan de stad in.' Roos pakte me resoluut bij de arm. 'Ik trakteer je op een nieuwe outfit plus alle glossy's die maar te koop zijn. Vanavond ga je die bestuderen en dan meld je je volgende week in je nieuwe kleren bij Personal Whatever en dan komt alles goed.'

Ik wilde van alles en nog wat tegenwerpen maar de resolute blik in haar ogen zei voldoende. Elke tegenwerping zou kansloos zijn.

Rond één uur lieten we ons totaal uitgeput in de trendy loungestoelen van de hippe brasserie neervallen en het kostte me zeker tien minuten van zeldzame overredingskracht om Roos ervan te overtuigen dat ik haar nu echt op een heerlijke lunch ging trakteren.

'Laat me nou,' zei ze verongelijkt.

'Laat me nou? Ben je helemaal besodemieterd. Je hebt zojuist een fortuin aan mij uitgegeven! Ik betaal je terug, als je dat maar weet!' Ik keek haar streng aan. 'En als ik al die rotglossy's uit heb, kom ik ze hoogstpersoonlijk bij je afleveren en de dag erop ga ik je overhoren! Heb je dat begrepen?'

Roos keek me aan en begon zo hard te lachen dat de tranen over haar wangen liepen. Ik giechelde zachtjes mee maar realiseerde me donders goed dat ik het afgelopen rotjaar nooit zou hebben gered zonder deze gouden vriendin.

'Jo, mam, hoe kom je aan al die glossy's?' Merel keek me verbaasd aan. In haar hele bestaan had ik nog nooit één glimmend modemagazine aangeschaft en nu lag de vloer bezaaid met elke denkbare editie.

'We eten vanavond pizza en we gaan lezen.' Ik wierp haar een glimlach toe.

'Übergeil!' Het was het enige wat ze zei, waarna ze naast me neerplofte met de laatste editie van *Miljonair*.

Ik keek haar verbaasd aan en besloot dat ik toch echt eens een gesprek moest hebben met De Jong, haar leraar Duits. Ik vond het volstrekt onbegrijpelijk dat ze maar een zes had met zo'n fantastische uitspraak.

Tegen tien uur dirigeerde ik Merel naar bed en had ik zelf nog zo'n acht glossy's te gaan. *Linda*, *Catherine* en *Felderhof* lagen gezellig naast elkaar op de grond en keken me smekend aan om gelezen te worden. Wonen, reizen, mode. Op elk denkbaar gebied hadden de bladen wel iets te melden; van vijverspecials met kortingsbonnen voor koikarpers tot bijlagen over veganistische sushi's voor trendy alternatievelingen. Ik ging een lange avond tegemoet.

'Ongelooflijk!' mompelde ik even later zachtjes tegen mezelf, opgekruld op mijn bank. 'Een Rondo-kattenhuisje van Catinteriors, 699 euro. Gelukkig wel verkrijgbaar in diverse kleuren en materialen, zoals vilt, leer of rotan.' De kop van

een chagrijnige poes straalde mij vals toe vanuit een tunnel-
achtig mandje op een poot. Ik had inmiddels een halfuur lang
door *Eigenhuis & Interieur* gebladerd en was tot de conclusie
gekomen dat het meest overbodige voorwerp toch wel de Swa-
rovski Lockin USB-stick was voor 148 euro. Ook nog eens zeer
functioneel dankzij de ruime opslagcapaciteit. Tja zeg, je
mocht toch hopen dat het met stukken glas versierde geval gegevens kon opslaan?

Verbaasd over het feit dat er klaarblijkelijk mensen waren
die hier hun geld aan uitgaven sloeg ik weer een bladzijde om
en stuitte op poef Jan van Gewoon, die zijn naam eer aandeed.
Het poefje van minieme omvang was opgebouwd uit laagjes
vilt en kostte slechts 650 euro.

Zuchtend bladerde ik verder, nam een slok cola en worstelde
me door een interview met twee Nederlandse ontwerpers.
Geïnteresseerd keek ik naar de foto. Twee casual uitziende
ego's, die poseerden op een monumentale trap, hun handen
losjes in de zij, hun haren semirommelig geknipt en gestyled
met net-uit-bed-mousse. Ze keken serieus. De een was afge-
studeerd op een lamp, de ander op een tafelpoot. Het interview stond bol van nietszeggende frasen en semi-interessante
details die nergens over gingen. Over hoe ze elkaar toevallig
tegen het lijf waren gelopen in Milaan, op een terras een goed
gesprek hadden gehad en tot de conclusie waren gekomen dat
ze geestverwanten waren! Ze hadden hun wederzijdse talen-
ten samengevoegd en waren zo tot een verrassend ontwerp gekomen. Een stoel van spijkers. Niet om op te zitten, wel mooi
om naar te kijken.

'Dit soort mensen is echt om de pest over in te krijgen,' mopperde ik. Als ik al iemand tegenkwam dan was dat bij de Etos,
terwijl ik net een voorraad tampons in mijn mandje donderde. Tot een goed gesprek kwam het zelden of nooit, laat staan
dat ik iets samenvoegde.

Ik zuchtte eens diep. Welkom in de wereld van het design

en zijn bijbehorende ontwerpers. Deze mannen konden een bankstel omschrijven als warm minimalistisch; toegankelijk, niet afstandelijk. Het enige wat ik mijzelf toewenste was een warme minimalistische en toegankelijke man en dan nam ik een doorgezakte bank op de koop toe.

Vermoeid van al het glossy-geweld pakte ik de *Linda*. Verbaasd las ik een interview met een bekende Nederlander, van wie ik overigens nog nooit gehoord had, die een beautybudget tussen de vijf- en zevenhonderd euro per maand had. Makeup, massages en lymfedrainage. Ja natuurlijk, een lymfedrainage!

Een gevoel van wanhoop overviel mij. Ik had niets met draineren, renoveren en uitputtende fitness. Ik zag mezelf nog geen kleren kopen die slechts drie maanden in de mode waren en waar een beetje gezin een maand van kon eten. Wat had ik te zoeken in een wereld waar vrouwen zich in totale paniek voor de spiegel afvroegen, wijdbeens op hun poefje Jan van Gewoon, of hun doos nog wel voldeed aan de strenge eisen van de Playboygleuf?

Precies op dat moment kwam Merel naar beneden. In haar superlieve oude K3-nachthemd stond ze voor me. Haar haren wild alle kanten op piekend, een slaperige blik in haar ogen.

'Mam, ik heb zo raar gedroomd.'

'Waarover?'

'Dat we helemaal geen geld meer hadden en dat ik alleen nog maar kleding had van het Leger des Heils en dat ik op school gepest werd.' Ze haalde even gierend adem om vervolgens verder te gaan. 'En dat we niks meer te eten hadden, alleen maar broodjes pindakaas. Ook met Kerstmis. Echt een kutdroom, mam!'

Ik schoof de glossy's aan de kant, deed de lichten uit en zei: 'Kom, we gaan slapen.' Ik pakte haar bij de arm en nog geen tien minuten later kroop ik tegen haar aan in het grote tweepersoonsbed. Het grote en o zo lege bed waar Merel alleen in mocht slapen als ze heel verdrietig was. Het laatste waar ik aan dacht voor ik mijn ogen dichtdeed, was dat ik deze baan absoluut moest hebben.

4

Om zes uur stond ik al naast mijn bed om voor Merel een heerlijk lunchpakket te maken. Broodjes kaas met tomaat en komkommer, een mandarijntje en een lief briefje waarin ik haar alle succes wenste. In mijn ochtendjas zwaaide ik haar uit. Haar veel te grote boekentas, volgepropt met make-upjes, hing zwaar aan haar schouder.

Ik gaapte. Ik had weer een doorwaakte nacht achter de rug, die ik overigens goed had besteed met het maken van een plan de campagne. Om voor deze baan in aanmerking te komen moest ik mij met bovenmenselijke inspanning gaan inleven in de werkzaamheden van de personal whatever. Te beginnen met die van de personal trainer.

Ik slurpte van mijn dubbele koffie en belde met een aantal sportscholen in het Gooi om wat afspraken te maken voor proeflessen. Nadat ik heel efficiënt de hele dag had ingepland om mezelf af te matten, ging ik eerst maar eens een trainings-outfit aanschaffen.

'Honderdvijftig euro?' Ik keek de verkoopster verbaasd aan terwijl ik het minieme lapje stof door mijn handen liet gaan.

'Het is het materiaal.'

'O.'

'Het ademt, net als je huid. Dus je blijft lekker droog en dat is toch wel belangrijk als je intensief wilt sporten. Het is echt heerlijk, fijn, prettig, comfortabel.' In een noodtempo liet de verkoopster de woorden uit haar mond rollen en ze keek me trots aan.

'En die heerlijke, fijne, prettige, comfortabele bijbehorende broek. Hoe duur is die?'

'Driehonderd euro. We verkopen dit merk echt heel veel.' Weer die trotse blik in haar ogen.

'Laat ik dat dan maar niet doen. Om nou in iets te gaan lopen waar iedereen in loopt...' Met een glimlach drukte ik het ultradunne lapje stof in haar handen. Verbaasd keek ze me aan.

Vijf minuten later stond ik in een te klein pashokje van Perry Sport en perste ik mijzelf in een behoorlijk ordinaire combi van gifgroen en zwart. Zorgwekkend staarde ik naar mijn te dikke bovenbenen en dito kont. Echt vet was ik niet, maar de rek was er wel uit en het lubberde een beetje. 'Gadver!' Ik staarde chagrijnig naar mezelf in de spiegel en begon al bijna te hyperventileren bij de gedachte dat ik de rest van de middag in onfris ruikende sportscholen moest doorbrengen, zwetend in gifgroen en zwart.

'Een leuk setje. Daar krijgt u vast geen spijt van,' zei het jonge meisje achter de kassa enthousiast. 'Kan ik u nog ergens anders mee van dienst zijn?'

'Nee!' Het kwam er akelig bitchy uit.

Uit mijn humeur over de overtollige kilo's die als fietstassen op mijn bovenbenen geplakt zaten, bestelde ik een paar minuten later een broodje gezond bij de buren van Perry Sport.

'O, mevrouw, toch maar niet,' riep ik naar de serveerster, die zich zuchtend omdraaide. 'Doet u toch maar twee kroketten op witbrood,' zei ik, en keek er zo onschuldig mogelijk bij. Voordat ik me in de wereld van de glitter en glamour ging storten, wilde ik nog één keer het ultieme Febo-gevoel ervaren.

'Dat weet mevrouw heel zeker?'

'Ja.'

'Héél zeker?' Ze keek me streng aan.

'Ja, héél zeker!' deed ik haar na.

Ze wierp me nog een minachtende blik toe, draaide zich op haar hakken om en gaf vervolgens hard gillend aan de keuken mijn bestelling door.

Even later hapte ik tevreden in het troostvoer voor de personal trainer in spe.

Dit was niet te geloven! Geschokt staarde ik naar mijn fitnessadviseur. Over twee dagen moest ik ook zo'n uitstraling hebben; superfit, supergezond en geen grammetje te veel. Het Indisch uitziende mannetje had zijn kleine kontje in een ademend elastisch broekje à honderdvijftig euro gestopt. Mijn ogen bleven maar afdwalen naar zijn kruis. Zo plat als een dubbeltje. Waar was het gebleven?

'Dus u wilt aan uzelf gaan werken?'

Ik knikte. Ik kon tenslotte moeilijk zeggen dat ik bij hem de kunst ging afkijken en dat het heel goed zou kunnen dat we over een paar dagen collega's zouden zijn.

'En welke rol kan ik daarin spelen?' vroeg hij vriendelijk.

Ik schudde mijn hoofd. Wist ik veel, het was zijn werk. Ik begreep er niets van. Waar was zijn ieniemieniepiemeltje gebleven? Weggeademd door het broekje of was het weggetraind? Kon dat? Maar hield ik dan nog wel borsten over als ik elke dag ging fitnessen?

'Worden je borsten ook kleiner als je gaat trainen?'

Hij trok zijn wenkbrauwen op. 'Alleen als u dat wilt. U moet het zo zien: alles is mogelijk.'

'Alles?'

'Alles! Met de trilplaat kunnen we echt heel efficiënt iets doen aan vetmassa's op plaatsen waar we dat niet wensen.'

Ik moest onmiddellijk denken aan de fietstassen op mijn bovenbenen, de putjes in mijn armen en mijn slappe borsten. Nu ik er zo eens over nadacht, was mijn hele lichaam eigenlijk een in elkaar gezakte pudding.

'We kunnen u van alles bieden; van persoonlijke aandacht tijdens een individueel trainingschema tot een groepsgebeuren en natuurlijk de trilplaat en zonnebank met extra zuurstofimpuls.'

'Laten we maar eens beginnen met wat persoonlijke aandacht,' zei ik vrolijk. Tien minuten later had ik al spijt als haren op mijn hoofd.

'Dat groepsgebeuren is misschien meer iets voor mij,' zei ik hijgend, maar het strakke ventje keek me slechts spottend aan en zette het enge fitnessapparaat nog een standje hoger.

Het zweet gutste van mijn voorhoofd zo mijn decolleté in en ik begon nu pas echt de voordelen in te zien van het prijzige setje waar je zo lekker droog in bleef. Mijn string ging akelig knellen in mijn doos en tussen mijn billen zweette het dat het een lieve lust was.

Verbeten klemde ik mijn kiezen op elkaar. Ik was er inmiddels wel achter dat je beter personal trainer kon zijn dan dat je zelf personal getraind werd. Klusje van niks, zo'n op afroep beschikbare gymleraar. Gewoon in een strak broekje iemand een rotuurtje bezorgen. Met je handen over elkaar toekijken en het apparaat in een hogere versnelling zetten op het moment dat je paniek ziet in de ogen van degene die je ruimschoots voor al dat gemartel betaalt. Wat dit mannetje kon, kon ik ook. Het enige wat ik niet had, en mijn Indische vriendje wel, was dat kleine kontje.

'Zo, dat voelt lekker, hè?'

Mijn zicht was totaal vertroebeld door het zweet en als ik de energie had gehad, had ik hem een enorme dreun gegeven. Kreunend liet ik mij van het apparaat glijden.

'Zo, dan gaan we nu iets aan de buikspieren doen. Héél belangrijk!'

Voor ik het in de gaten had, lag ik in een ongemakkelijke houding op een matje en hield mijn trainingsbeul mijn enkels vast, waarbij hij een waanzinnig uitzicht had op mijn kruis. Ik

27

moest mij, met gevaar voor een hernia, tot zitstand opheffen. Met veel gehijg en gesteun kwamen mijn schouders slechts een paar centimeter van de vloer. Het was zinloos.

Het ventje kwam steeds dichterbij in een poging om mij aan te moedigen en zat inmiddels met zijn hoofd tussen mijn knieën. Elke keer als ik kreunend een stukje omhoogkwam, keek ik recht in zijn blije hoofd waaruit hij enthousiast 'Yes!' brulde. Mijn hoofd was vuurrood, ik glibberde bijna uit mijn gifgroen-zwarte combi en door alle spanning op mijn buikspieren zou het nog slechts luttele seconden duren voor ik een enorme scheet zou laten.

'Zo, dat lijkt me wel voldoende voor vandaag. U krijgt een advies thuisgestuurd maar ik wil wel vast een tipje van de sluier oplichten. U heeft buikspieren maar ik raad u dwingend aan deze te gaan trainen.' Een lange stilte volgde waarin hij mij streng aankeek. Net toen ik het benauwd kreeg van zijn starende blik en mij wilde omdraaien, ging hij verder: 'Iedereen heeft vetmassa, dus u ook, maar u moet er wat aan doen om het kwijt te raken.'

Ik keek hem aan en zei niets, omdat ik ervan uitging dat hij nog een opmerking wilde maken over mijn Perry Sport-combi, maar hij zei niets meer. Het enige wat hij deed was opbeurend knikken.

Honderd euro lichter en met pijn in mijn hele lijf hees ik mij in mijn oude auto op weg naar de volgende sportschool.

Rond een uurtje of vier was ik weer thuis. Eigenlijk stond ik al om halfvier voor de deur van mijn huis, maar het kostte me een halfuur om mezelf uit de auto te laten rollen en mezelf naar binnen te slepen.

Kreunend liet ik mij in bad zakken en daar bleef ik heel zachtjes piepend liggen. De enige handeling die ik verrichtte was het af en toe opendraaien van de warmwaterkraan.

Mijn nek rustte op een zacht kussentje en ik vroeg me verbaasd af hoe het toch mogelijk was dat al dat idiote gefitness zo razend populair was. Zo leuk was het echt niet en ik hoopte één ding; dat ik bij Personal Whatever niet als personal trainer aan de slag hoefde. Al dat gezweet, gehijg en gesteun was niets voor mij, ook niet om naar te kijken.

Ik sloot mijn ogen en probeerde mijn pijnlijke spieren te ontspannen. Na de uitputtingsslag met mijn Indische vriendje was ik naar de volgende sportschool gereden waar ik me had ingeschreven voor een lesje Body Vive; een low-impact-training geschikt voor de actieve volwassene in de leeftijd van veertig tot en met zestig. Ik leefde helemaal op. Wat zag ik er opeens goed uit! Uitdagend zwaaiend met mijn kont voelde ik me de koningin van de gymzaal. Dat duurde maar vijf minuten want toen werd mij vriendelijk verzocht om achterin plaats te nemen, omdat ik met een te enthousiaste zwaai van mijn arm een eind vijftiger een blauw oog had bezorgd.

Nog maar net op tijd was ik vervolgens in Naarden aangekomen bij de derde sportschool voor een lesje Bosu; een volstrekt belachelijke bezigheidstherapie waarbij een hele groep dames een beetje idioot stond te doen op een halve skippybal.

Ik nam een hap water in mijn mond en spoot het zo ver mogelijk uit, waarna ik mijzelf onder water liet glijden. Langzaam kwam ik weer naar boven en kon de neiging amper weerstaan om er nog wat warm water bij te doen.

'Ik moet dit bad uit,' mompelde ik tegen mezelf. Mijn vel zag er wit en gekreukeld uit en als ik nog langer bleef liggen zou ik als een verschrompelde badparel oplossen in het water.

Het liefst was ik zo vanuit het bad mijn bed ingerold, maar omdat ik het Merel niet kon aandoen om haar met slechts een broodje pindakaas naar bed te sturen, strompelde ik al kreunend naar de keuken. Zo goed en zo kwaad als mijn stijve lijf het toeliet, bereidde ik een pasta met zalm voor ons tweetjes.

Rond zes uur belde Merel op. Of het goed was dat ze bij Pien bleef eten.

'Prima schatje.' Ik zei het nog net niet kreunend.

Met mijn bord op schoot belde ik Roos om haar te vertellen van mijn vorderingen op het gebied van fashion, design en lifestyle.

'Kind, ik ben trots op je!' riep Roos enthousiast door de telefoon.

'Alles doet me zeer, Roos. Er is geen spier in mijn lichaam die niet is uitgerekt, in lengte is verdubbeld of in tweeën gescheurd.'

Roos begon keihard te lachen. 'Toch ben ik trots op je.'

'Morgen ga ik nog een laatste diepte-investering doen. Ik heb een afspraak bij een trendy kapper en daarna laat ik mijn gezicht fatsoeneren. En o ja. Ik moet me ook nog een beetje verdiepen in de wereld van het afslanken.'

'Fantastisch, Lieke. Als je niet oppast ben je nog overgekwalificeerd voor deze baan,' giechelde Roos.

Na nog wat prietpraat hing ik op en kroop de trap op naar mijn bed. Om negen uur kwam Merel thuis. Zachtjes sloop ze mijn slaapkamer binnen.

'Slaap je al, mam?'

'Bijna, ik ben doodop,' murmelde ik.

'Wat heb je gedaan dan?'

'Gefitnest! Ik moet toch een beetje weten wat de klanten van Personal Whatever doen als ze een personal trainer over de vloer krijgen.'

'Arme mam, nu al gevloerd door de keiharde wereld van de trilplaten en de rek-en strekoefeningen.' Ze drukte een zachte kus op mijn wang en trok het dekbed tot aan mijn kin omhoog.

5

Zenuwachtig draaide ik rond voor de spiegel. De knip- en visagiewerkzaamheden hadden een resultaat opgeleverd waar ik nog niet helemaal een mening over had gevormd. Ik herkende mezelf in ieder geval niet meer terug. Mijn oogopslag had iets treurigs gekregen ondanks de vrolijke gouden glittering van de Chanelkleurstoffen. Mijn jukbeenderen hadden een Estée Lauder-effect ondergaan waardoor ze pront de wereld instaken en mijn lippen waren bedekt onder een Diorglans. De visagiste alleen al had me een vermogen gekost en ik hoopte maar dat ik met mijn Miss Helen-collectie dezelfde chique uitstraling kon bewerkstelligen.

'Waarom doe ik dit in hemelsnaam?' Ik keek streng naar mezelf in de spiegel. 'Omdat er morgen wel eens enge mannen voor de deur kunnen staan, zwaaiend met dwangbevelen en dan is het verdomd handig als je terug kunt zwaaien met een arbeidscontract.' Ik knikte mezelf bemoedigend toe en liep weer terug naar de eettafel waar mijn pc stond.

De afgelopen dagen had ik me drie slagen in de rondte voorbereid. Ik moest en zou die baan bij Personal Whatever krijgen. Ik had alle denkbare fitnesstechnieken in de praktijk gebracht, met totaal uitgerekte spieren door Laren, Bussum, Blaricum en Hilversum gesjokt en mijzelf een nieuwe outfit laten aansmeren. Verder had ik de nieuwste diëten uit mijn hoofd geleerd en datzelfde hoofd professioneel van alle mee-eters laten ontdoen. Als laatste had ik mij in een knipclinic gestort: een drie uur durende kwelling waarbij een te vrolijke homo mijn haren stylede. Krul was uit. Als ik een beetje mee wilde doen moest ik steil haar hebben en om vier uur 's ochtends opstaan om een glad resultaat te bereiken.

Aandachtig bekeek ik nogmaals de website van Personal Whatever. Ik was er bijna klaar voor. Het enige wat ik nog moest doen was de huizenmarkt in het Gooi in kaart brengen en me inleven in de wereld van de Coach Advice Electronic Device. Met mijn tong half uit mijn mond las ik geconcentreerd de tekst over de werkzaamheden van deze handige hulp in de huishoudelijke apparatuur.

Wat kan deze coach voor u betekenen? Heel simpel, ze helpt u een weg te vinden in de doolhof die elektronica heet. Haal het maximale uit uw elektronica, zonder uw kostbare tijd te verdoen aan het lezen van de ingewikkelde handleidingen. Behoort u tot de categorie vrouwen die zich afvraagt welk koffiefilterzakje in het espressoapparaat moet? Dan is de hulp van deze coach voor u absoluut onontbeerlijk!

Mijn ogen deden pijn van het ingespannen turen naar de trendy letters. Hoe werkte een espressoapparaat eigenlijk? Had je daar van die koffiepads voor nodig? O shit, dit ging nooit wat worden! Ik had hier echt geen verstand van. Waarom ging ik niet voor een of ander callcenter werken? Telefonisch verzekeringen verkopen. Ik had best een leuke stem.

Coach Advice Electronic Device! Het woord alleen al deed een enorme dosis paniekhormonen door mijn lichaam gieren, maar omdat ik mijn nieuwe kapsel en overdadig aangebrachte foundation niet al te erg in de war wilde brengen met mijn gehyperventileer, stootte ik ritmisch een aantal oerkreten uit. Volgens een artikel in de *Happinez* over evenwicht en rust was dit uitermate geschikt om jezelf weer snel in balans te brengen. Er gebeurde weinig en mijn hart begon alleen maar sneller te bonken. Verdorie, volgens het artikel werkte het voor iedereen! Totaal geconcentreerd deed ik nog een keer het geluid van een koe in nood na op het ritme van 'Twee emmertjes water halen'. Niets!

'Laat maar, Lieke. Waarschijnlijk dien je iets van een basis aan happinez te hebben om dit te laten werken,' mompelde ik tegen mezelf.

Plotseling herinnerde ik me dat Roos nog niet zo lang geleden een ingenieus koffiezetgeval had aangeschaft bij een klein zaakje dat gespecialiseerd was in espressomachines. Misschien kon ik me daar laten informeren. De iPod, Tomtom en Blackberry kwamen wel een andere keer, koffiedrinken deed je tenslotte de hele dag door. Als ik niet eens wist hoe het zat met de hedendaagse koffiecultuur was de kans wel erg groot dat ik never nooit door het strenge sollicitatiegesprek zou komen.

Ik liep zo snel mogelijk naar de winkel om me uitgebreid te laten adviseren over de rituelen van het koffiezetten. Ik was niet de enige. Een wat verveeld uitziende vrouw stond gelaten te wachten op haar beurt terwijl een klein mannetje een klant plus drie draken van kinderen een lesje in het hoogste genot van koffiedrinken gaf.

'Waar gaat uw voorkeur naar uit; een alles-in-een of de variant met een piston?'

'Doet u maar de duurste van Isomac, die heeft mijn buurman ook,' riep de klant op luide toon tegen de verkoper die naast hem stond. Beiden waren gekleed in een rode broek. De vrijetijdsoutfit van de zichzelf respecterende Gooise man.

'Dat is een heel goede keuze, al zeg ik het zelf. Ik heb hem ook. Ik neem hem zelfs mee op vakantie,' zei de verkoper goedkeurend.

Verbaasd luisterde ik op een afstandje mee. Mee op vakantie! Met je espressomachine op de achterbank richting Italië?

Binnen een paar minuten was de dure koop gesloten en propte de man de grote doos en de drie kinderen in zijn op het fietspad geparkeerde SUV. Nu was het de beurt aan de verveelde vrouw en het was onmiddellijk duidelijk dat er geen enkele chemie was tussen de verkoper en de dame.

'Ik heb hier vorige week een espressoapparaat gekocht, maar ik krijg de melk niet lekker opgeschuimd.'

'Heeft u de handleiding gelezen die ik u per e-mail heb gestuurd?' vroeg de verkoper streng.

'Ja, die heb ik gelezen. Hoewel ik die eigenlijk gewoon liever op papier krijg.'

'Dat moet u niet willen.' Er was diepe afkeuring te lezen op het gezicht van de verkoper.

'En waarom niet?' vroeg de dame strijdlustig.

'Omdat die van mij vele malen beter is.'

'Nou, dat mag dan zo zijn, maar ik heb geen lekkere opgeschuimde melk en dat verwacht ik toch echt wel van een apparaat van achthonderd euro.'

Ik slikte even. Wow, dat was een hoop geld.

'Hoe doet u het?' De verkoper keek de vrouw met veel minachting aan.

'Gewoon.' Ze liep vastberaden naar het apparaat dat ze thuis ook had staan en met een enorme snelheid deed ze het proces uit de doeken.

'En hoeveel bar?'

'Dertien.'

'Dat is mooi, dat is heel mooi. Want dat is belangrijk. Altijd kijken naar het metertje. De koffie moet gezet worden met dertien bar. Zit je eronder, dan zit je fout!'

Ik luisterde aandachtig. Wat een gedoe voor een kopje koffie!

'Dan tap ik wat water af en ga ik opschuimen,' ging de vrouw onverstoorbaar door.

'Aha,' zei de verkoper triomfantelijk. 'Dan moet u eerst wachten tot u op twee bar zit. Melk moet je opschuimen bij twee bar. Altijd kijken naar het metertje. Dat staat ook in mijn handleiding.' Hij keek de dame zelfvoldaan en iets te lang aan. 'Dus dat moest u dan maar eens proberen thuis. Ik zeg altijd maar zo: altijd de handleiding lezen, dat voorkomt een hoop overbodige vragen.'

'Kan ik u ergens mee helpen?' Hij keek me doordringend aan.

'Nou, eigenlijk drink ik decafé. Kan dat met zo'n apparaat?'

'Uiteraard.' Hij haalde zijn schouders hoog op alsof ik een volstrekt overbodige vraag had gesteld.

'Tja, ik vraag het maar.'

'Vragen staat vrij. Daarom ben ik hier. Het is mijn vak om de mensen te adviseren. Wilt u een kopje koffie?'

Ik knikte.

Hij liep naar een groot apparaat, maalde wat bonen, gooide de koffie in een houder en stampte het maalsel aan, schroefde de houder ergens aan vast en drukte op een knop. Als een kind zo blij keek hij naar de dikke, zwarte koffie die langzaam en stroperig uit de machine droop.

'Alsjeblieft, zo drink ik hem het liefst.'

Het was duidelijk dat hij mijn opmerking over decafé niet erg serieus had genomen want het kleine kopje zwarte prut was een absolute klap in mijn gezicht.

'Ik heb jarenlang mijn grote vriend, de bekende ontwerper uit Naarden, van koffie voorzien.' Hij keek me vragend aan. 'Je weet wel.'

Ik had geen idee over wie hij het had, maar ik knikte ter bevestiging.

'Jarenlang. Decafé. Hij kocht hier zijn eerste apparaat, en zijn laatste. Zijn vrouw wilde opeens Nespresso.' Hij keek wat somber voor zich uit. 'Nog steeds een goede vriend hoor, Jan, daar niet van. We mogen graag samen een sambucaatje drinken.'

'Ik las ergens dat het tegenwoordig weer helemaal in is om op de ouderwetse manier koffie te zetten. Met water opgieten en zo. Dat scheelt je een hoop bagage in de auto als je op vakantie gaat,' zei ik enthousiast, en ik besloot de toevoeging dat ik al jaren zo mijn koffie zette achterwege te laten.

Hij keek me nietszeggend aan. 'Wilt u een alles-in-een of een piston?'

Ik wilde geen van beide, maar dat ging ik hem nu nog niet uitleggen. Een halfuur later verliet ik doodmoe het winkeltje. Ik wist alles over koffie, boontjes en met hoeveel geweld het maalsel door een paar gaatjes heen geperst moest worden om een behoorlijk kopje koffie te krijgen.

Thuis schudde ik een zakje cafeïnevrije oploskoffie in een grote mok en ging met goede moed het huizenbestand in het Gooi bestuderen. Ik glimlachte, ik was goed bezig.

Diep weggezonken in de kussens van mijn bank droomde ik weg bij de gigantische villa's die over mijn scherm gleden. Ik zag mezelf al rondlopen in de waanzinnige tuinen met zwembaden en een overdaad aan rododendrons. Aan de rekening van het tuincultiveringscentrum voor de welgestelden durfde ik niet te denken. Waarschijnlijk het driedubbele van de jaarlijkse rente op mijn minivermogen – in de tijd dat ik nog een minivermogen had.

'Fuck zeg!' Met grote ogen keek Merel mij aan. Ik had haar niet eens binnen horen komen, zo verdiept was ik in het aanbod van huizen met minimaal drie badkamers.

'Fuck,' zei ze weer en wees op mijn haren.

Ik wierp haar een boze maar educatief verantwoorde blik toe waarmee ik haar zonder woorden duidelijk wilde maken dat haar taalgebruik mij niet aanstond.

'Konijnen! Wat heb jij met je haar gedaan?'

'Vind je het niet mooi?' vroeg ik onzeker.

'Werelds! Zeker bij die homo van het Haarpuntje geweest? Die gozert krijgt alles strak. Echt alles.' Ze draaide zich om en liep de kamer weer uit terwijl ze riep dat ze bij Pien haar huiswerk ging maken.

'Gozer, Merel. Het is gozer, zonder t! Het wordt tijd dat ik eens een gesprekje ga voeren met jouw docente Nederlands,' riep ik haar na.

Met een olijke grijns op haar gezicht stak Merel haar hoofd om de hoek van de deur. 'Mevrouw Bennebroek is overspannen. Zij kont onze lol niet zo hebben.'

6

Stikzenuwachtig stond ik op de ochtend van mijn sollicitatiegesprek in alle vroegte naast mijn bed. Ik had minstens een uur nodig om mijn haar glad te strijken en vroeg me vertwijfeld af hoe lang ik dit vol kon houden. Het zou mooi zijn als Linda de Mol morgen op de cover van haar blad met een kop vol krulspelden zou verschijnen. Dan kon ik tenminste weer een paar uur langer in mijn bed liggen.

Onzeker keek ik naar mezelf in de spiegel. Ik weigerde om mijn sproeten weg te werken onder een laag foundation waardoor ik eruit bleef zien als een Pippi Langkous op leeftijd. Mijn lange, donkere plukken hield ik in bedwang met de dure zonnebril die ik van Roos had geleend, en die voor de rest van de dag geen enkele functie zou hebben omdat er bewolking en een hoop regen was voorspeld.

Binnen tien minuten bracht mijn oude autootje mij naar Bussum, waar Personal Whatever een etage huurde in een kapitale villa. Onder de indruk van de allure van het pand, drukte ik bedeesd op de bel.

Een vriendelijke maar vooral hippe secretaresse liet me binnen, nam mijn jas aan, liet me plaatsnemen in de chique ontvangstruimte en bood me een kopje koffie aan.

Met een prachtige Gooise glimlach ging ik zitten en sloeg mijn in skinny jeans en kalfsleren laarzen gestoken benen elegant over elkaar. Af en toe duwde ik nonchalant een pluk haar achter mijn oor zodat het merkje van mijn zonnebril prominent glinsterend naar voren kwam.

Een bewonderende blik verscheen heel even in de ogen van de secretaresse. Ik haalde opgelucht adem. Gelukkig; ik zag er dus goed uit. Alleen had ik mijn zenuwen nog niet helemaal onder controle.

'U mag verder komen hoor,' riep de secretaresse, en ze wierp me een stralende glimlach toe.

Aan een grote ronde tafel zaten de twee eigenaressen van Personal Whatever op mij te wachten. De tafel was leeg, op een enorme vaas met verse bloemen na. Er stond een grote sculptuur van een naakte man tegen een spierwitte muur en aan de andere kant stond een knalroze bureau met een grote zilverkleurige bureaulamp en een laptop. Verder niets.

Verbaasd over de leegte van deze arbeidsplek liep ik op de twee dames toe.

'Suus van der Schoon.' Een kleine, blonde vrouw stond op en stak me vriendelijk de hand toe. De ander bleef zitten en keek me slechts doordringend aan. Door haar acht maanden zwangere buik zat ze ongeveer klem in haar stoel. Ik liep naar haar toe en gaf haar een hand.

'Karlijn Moersteen. Kon je het makkelijk vinden?' vroeg ze.

Ik geloof niet dat ze echt geïnteresseerd was in mijn antwoord, want ze vroeg in één adem door of ik nog een kopje koffie wilde.

Na wat beleefdheden over en weer, waarbij ik uitgebreid de locatie van hun kantoorpand roemde, gingen we gelukkig over tot de kern van het gesprek.

'Zoals je ziet is Karlijn hoogzwanger en zij vertrekt binnenkort naar een vriendin van ons in Friesland om te bevallen. Ik heb dus dringend een rechterhand nodig,' zei Suus.

Karlijn knikte bevestigend. 'Ik vind het heel erg belangrijk dat er hier iemand is op wie ik kan vertrouwen tijdens mijn afwezigheid.' Ze keek me weer zo raar van onder haar wenkbrauwen aan alsof ik die persoon in ieder geval niet was. 'Je zult je misschien afvragen waarom ik helemaal naar Friesland ga, maar daar woont een dierbare vriendin. Bij haar op het platteland hoop ik de rust te vinden om op natuurlijke wijze mijn kindje te krijgen. Ik vind een natuurlijke bevalling erg belangrijk en dus ga ik voor de Treedelivery.'

'Treedelivery?'

'Boombevalling.'

Ik knikte geïnteresseerd, maar vroeg me af of ze wel goed bij haar hoofd was.

'Ik had eigenlijk al alles geregeld met een goede cliënte, inmiddels dierbare vriendin van mij, die een fantastisch huis heeft hier in Bussum, met een enorme boomgaard. Haar echtgenoot vond het op het laatste moment toch niet zo'n goed idee.'

'Goh, wat jammer,' zei ik zo serieus mogelijk.

'Wist je dat in de jungle veel zoogdieren in een boom bevallen? Het is namelijk veilig in een boom en het is goed om de zwaartekracht zijn werking te laten doen.'

'Ga je aan een tak hangen?'

'Zo moet je het niet zien. De achterliggende gedachte is dat een oeroude boom kracht en houvast geeft. En dat is héél belangrijk.' Ze keek me aan met een blik waarin ze zich afvroeg of het me nu wel duidelijk was.

'Dus je gaat in een boom zitten?' Lieke, houd je mond, gonsde een stemmetje in mijn hoofd.

'Ja, en dan kies je een boom die bij je past. Dat is echt heel erg belangrijk; dat de boom past bij je karakter. Helaas hebben mijn vrienden in Friesland geen boomgaard, dus ik moet eerst even kijken of de kastanjeboom achter in de tuin wel voldoet. Je moet natuurlijk wel een goed gevoel bij de boom hebben.' Ze keek me zorgelijk aan en ik knikte haar bemoedigend toe.

'Ik heb ook nog even overwogen om te gaan walvissen.'

'Walvissen?'

'Ook een natuurlijke manier van bevallen, maar dan in het

water. Wist je dat walvissen gewoon doorzwemmen als ze baren en dat de nieuwe boreling dan heel natuurlijk meteen meezwemt? Zo achter zijn moeder aan! In haar slipstream!'

'Ik vermoed dat vroeger de bosjesvrouwen ook gewoon doorrenden als er een tijger aankwam, maar ik weet niet of het nou zo gezond is om al bevallend de marathon van New York te lopen,' zei ik, en probeerde mijn gezicht in de plooi te houden.

'Interessante theorie,' zei Karlijn bloedserieus.

'Karlijn is binnenhuisarchitecte,' kwam Suus tussenbeide. 'Ik verwacht niet van jou dat je die rol van haar gaat overnemen, maar intakegesprekken, het aansturen van de freelancers en het af en toe inspringen als iemand niet kan, gaan wel tot je takenpakket behoren. Denk je dat je dat aankan?'

'Dat lijkt me geen enkel probleem. Ik moet me natuurlijk inwerken en de tijd nemen om iedereen te leren kennen, maar ik vermoed dat ik aan een week voldoende heb.'

'Dat zou fantastisch zijn,' riep Suus enthousiast uit.

Karlijn knikte, maar bleef kritisch kijken.

'Ik geloof dat wij het wel met elkaar kunnen vinden.' Suus keek me net iets te blij aan en even was ik bang dat ze me om de hals zou vliegen.

Karlijn stond moeizaam op. Ze was gekleed in een designzwangerschapsjurk, maar ze was zo opgeblazen dat ze net zo goed een jutezak aan had kunnen doen. Haar wangen stonden bol, haar enkels ploften bijna uit haar pumps en ze hield zo veel vocht vast dat het een wonder was dat ik haar niet hoorde klotsen.

'Nou, dan kan ik dus met een gerust hart naar Friesland. Je zult het vast wel goed doen. Ik ben zo terug, ik moet even plassen.' Ze schommelde als een eend de deur uit.

'Enig hè, vind je ook niet, die Treedelivery? Dat is nou het leuke van ons vak. Op alle gebieden kennen wij de laatste trend. Die boombevalling staat nog echt in de kinderschoenen, maar gaat het helemaal maken!'

'Zit haar man dan ook in die boom of staat hij beneden om het op te vangen?' vroeg ik schijnheilig.

'De vader is een beetje uit beeld.' Suus keek me zuinig aan. 'Een junglezoogdier doet het waarschijnlijk ook in haar eentje. Toch?'

'Ja, precies,' zei Suus, blij dat die kwestie ook weer was beantwoord. 'Ik denk dat wij het samen wel kunnen vinden,' zei Suus, en klopte even op mijn hand. 'Het is echt belangrijk dat Karlijn de tijd neemt om te genieten van haar kindje. Binding is zo belangrijk. Echt, als je niet de tijd neemt voor binding dan kom je geheid in de problemen als het kind in de puberteit komt. Bernadette, onze mental coach, is daar ook heel stellig in. Binding: je kunt er niet vroeg genoeg mee beginnen.'

Ik knikte. 'En dat bindingsproces vindt ook in Friesland plaats?'

'Ja, onze vriendin Christel woont daar met haar man Pim. Ze runnen een zeilschool en Karlijn trekt een tijdje bij ze in.'

Op dat moment kwam Karlijn weer binnen schommelen en wierp me een blik toe waar ik enigszins nerveus van werd 'Weet je wat wij voor onze cliënten betekenen?'

Ik schudde mijn hoofd.

'Maakbaarheid. Wij staan voor maakbaarheid. Wij kunnen alles realiseren. Ons credo is: kan niet, bestaat niet; wat je wilt, kun je bereiken.'

Onbewust trok ik een wenkbrauw omhoog.

'Ben je het niet met me eens?' vroeg ze op felle toon.

'Nee, ik bedoel natuurlijk ja,' haastte ik mij te zeggen. 'Alles wat je wilt valt te bereiken, maar er zijn natuurlijk wel grenzen.'

'Zoals?'

'Liefde is niet maakbaar.'

Er viel een dodelijke stilte. Shit, dacht ik bij mezelf. Waarom heb ik mijn mond niet gehouden. Misschien hebben deze twee vrouwen net zo'n beroerd liefdesleven als ik en dan gooi ik uitgerekend tijdens het sollicitatiegesprek een pot zout in de open liefdeswonden. Lekker handig.

'Ja, dat is waar,' zei Suus zachtjes, 'maar al het overige is gelukkig wel maakbaar.'

'Absoluut,' zei ik vrolijk.

'Wanneer kun je beginnen?'

'Morgen?'

'Dat zou fantastisch zijn, want dan kan Karlijn je ook nog even inwerken. Zaterdag vertrekt ze naar Friesland.'

Karlijn zat erbij en knikte slechts. Ze was allang niet meer aanwezig; het enige wat haar nog bezighield was het barings-proces van het junglezoogdier. Ik had met haar te doen en ik vroeg me af of ze me nog naar diploma's zouden vragen of dat ik me op een andere manier zou moeten kwalificeren voor de-ze baan.

'Ik wil nu nog even een aantal belangrijke zaken met je door-nemen. Wij houden hier van elke cliënte een elektronisch dos-sier bij. Zo heeft iedereen meteen een goed overzicht. En het is natuurlijk handig voor het geval er meerdere personals be-zig zijn met een cliënte. Voor de rest mag het duidelijk zijn dat iedereen die voor PW werkzaam is een geheimhoudingsverkla-ring tekent.'

Ze sprak PW langgerekt en op zijn Engels uit en ik moest moeite doen om niet in lachen uit te barsten.

'Behalve de geheimhoudingsverklaring vinden wij het abso-luut belangrijk dat er discreet met de informatie over onze cliënten wordt omgegaan. Ook intern. Dat betekent dat zeer ernstige en privacygevoelige info niet in het dossier komt. Wel wordt zo'n dossier gemarkeerd met een x.'

Ik keek haar vragend aan.

'Gewoon shift-x op de eerste bladzijde waar de persoonlij-ke gegevens staan. Heel simpel. Mocht je van mening zijn dat een andere personal over deze privacygevoelige informatie moet beschikken, dan markeer je het dossier met een x en de naam van die personal. In een persoonlijk contact kun je hier iets over zeggen. Begrijp je dat?'

Ik knikte onzeker.

'We hebben een keer een vrouwtje gehad en die liep elke keer weer het Kruidvat uit met de zakken van haar bontjas vol met nagellakjes in de meest vreemde kleuren, zonder te betalen.'

'Daar hoeft niet iedereen kennis van te hebben,' voegde Karlijn er streng aan toe.

'Voor een personal trainer is zoiets niet belangrijk om te weten. Maar voor de personal shoppers is het wel heel belangrijk. Het gaat nu een stuk beter met haar. Wist je dat, Karlijn?'

'Steelt ze niet meer?'

'Geen idee, maar inmiddels gaat ze naar de Douglas. Dat vind ik dan toch een hele vooruitgang. Waar waren we gebleven? O ja, verder is het zo dat wij elke maandagochtend om negen uur een walk-in hebben. Even een kopje koffie om bij te praten. PW bestaat voornamelijk uit freelancers uit allerlei disciplines. Om toch dat speciale PW-gevoel over te brengen vinden wij het belangrijk om regelmatig samen te komen. Elke laatste vrijdag van de maand hebben we ook een borrel. Morgen hebben we er ook een en ik zou het op prijs stellen als je er dan ook bent. Dan gooi ik er vandaag even een mailtje uit om aan iedereen te laten weten dat jij bij ons komt werken en vanaf morgen te bezichtigen bent.'

Ik knikte weer en ik vroeg me verbaasd af of ze me nog slimme vragen zouden stellen over mijn vakkennis voor deze baan.

'Uiteraard is er nog een ander punt dat ik met je wil bespreken en dat betreft de diensten die wij bieden. Karlijn, kun jij daar iets over vertellen?'

'Wij hebben kennis op elk denkbaar vlak in huis. En dat is uniek. Elk probleem en elke vraag kunnen wij tackelen. Fa-

shion, design, lifestyle. Dat hele brede scala hebben wij in huis.'
Ze keek me vermoeid aan.

'Het is geen luxe wat wij bieden.' Suus nam weer het woord.
'Het is pure overleving. Denk niet dat het eenvoudig is om elke dag weer de juiste keuzes te maken uit het enorme assortiment dat de hedendaagse maatschappij ons te bieden heeft.'

De woorden rolden zonder enige hapering uit haar mond.
Ik keek haar aan. Haar ogen twinkelden en even meende ik dat het ook heel goed mogelijk was dat ze zichzelf absoluut niet serieus nam, maar op perfecte wijze deze rol speelde.

Ze keek me glimlachend aan. 'En dan nu de ultieme test.
Vraag maar raak, maar ik waarschuw je: wij hebben alle disciplines in huis.'

Vragend keek ik Karlijn en Suus aan. Hier had ik niet op gerekend.

'Doe maar een gok. Waar zou jij behoefte aan hebben?'

Het zweet begon me aan alle kanten uit te breken en ik voelde nare zweetplekken onder mijn Gucci-oksels verschijnen.

'Schiet maar raak,' zei Suus vrolijk.

'Een groenconsulent?' zei ik onzeker.

'Denk jij dat we behoefte hebben aan een tuinman?' vroeg
Karlijn, en ze keek me merkwaardig aan.

'Nee, ik bedoel een spaarlampadviseur.'

Zwijgend keken ze me aan, hun monden een beetje open.

Shit, dacht ik bij mezelf. Tot nu toe was ik probleemloos door het sollicitatiegesprek gerold, maar op het laatste moment wist ik het dus nog even te verknallen.

'Ik bedoel...' stotterde ik, 'ik bedoel iemand die kan helpen bij al die vragen over groene stroom.'

Ze bleven me schaapachtig aankijken.

'Biologisch voedsel, kinderarbeidvriendelijke kleding, dat soort werk...' Ik kon mezelf wel voor mijn kop slaan. Wat zat ik nou toch voor onzin uit te kramen! Alsof een komkommer geteeld op onbespoten klei en een natuurzuivere katoenen peuterskinny items waren waarover *tout* het Gooi zich druk maakte.

'Geniaal!'

'Briljant. Groenconsulent. Echt fantastisch,' juichte Suus.

'Het is echt geweldig,' gilde Karlijn. 'Kinderarbeidvriendelijke kleding, hoe kom je erbij! Waanzinnig, dit is echt waanzinnig.' Karlijns ogen begonnen helemaal te glanzen. 'Dit moet je oppakken. Dit moet jij echt hélemaal oppakken!'

'Nou ja, vijftig spaarlampen in een kroonluchter is natuurlijk niet echt sfeerverhogend,' zei ik met een verontschuldigend lachje in de hoop ze te overtuigen dat dit toch niet zo'n goed idee was. Afval scheiden en niet overal de lampen laten branden vond ik volstrekt vanzelfsprekend, maar echt verstand van zaken over het groene gebeuren had ik nou ook weer niet.

'Kind, wat zijn wij blij met jou.'

Met die woorden in mijn achterhoofd stapte ik even later totaal uitgewrongen in mijn oude milieuonvriendelijke Barrel. Waar was ik aan begonnen en wat stond mij in hemelsnaam allemaal nog te wachten bij dit bedrijf?

7

'Pizzaparty,' gilde ik toen ik thuiskwam. 'We hebben vanavond een pizzaparty!'

Met een fronsend hoofd kwam Merel de trap af. 'Mam, we eten wel vaak pizza de laatste tijd.'

'Ik ben aangenomen!' Ik drukte een kus op haar wang. 'Vind je het niet geweldig?'

Ze knikte me somber toe.

'Hé, wat is er met jou aan de hand?'

Droevig keek ze me aan. 'Het is uit met Thijs.'

'Ach gut, schat. Wat erg voor je.'

Wie was Thijs? Ik kende helemaal geen Thijs!

'We hebben het in de pauze uitgemaakt en tien minuten later stond hij in de gang te kleffen met dat lelijke mokkel uit 2c.'

'Hoe lang had je al...' Ik durfde amper de vraag te stellen, bang als ik was dat ik haar zou beledigen.

'Zevenentwintig uur en dertig minuten! Dat is lang, mam! Grutjes! Het is toch niet te geloven dat je dan al na tien minuten met een ander zit te zoenen. De lul, hij neemt niet eens even de moeite om over onze relatie heen te komen.'

'Wie heeft het nu eigenlijk uitgemaakt?'

'Pien.'

'Pien?'

'Ja, Pien. Wie anders. Hallo, ik heb nog wel een beetje gevoel in mijn donder. Als ik het een ander voor mij laat uitmaken dan laat ik dat toch echt wel door mijn beste vriendin doen!' Met een verontwaardigd gezicht pakte ze de trommel met koekjes die ze vervolgens een voor een ongeïnteresseerd wegkauwde.

'Proost,' zei ik triomfantelijk en hief mijn wijnglas in de lucht.

'Op je nieuwe carrière,' zei Roos, en tikte met haar glas tegen het mijne.

'Op mijn nieuwe moeder.' Merel knalde net iets te hard met haar glas cola tegen dat van Pien, die daar van de weeromstuit heel hard om moest lachen.

'Fijn dat jullie er allemaal zijn.' Ik keek Roos glimlachend aan en liet mijn glas zachtjes tegen die van Merel en Pien botsen. 'Roos, bedankt. Zonder jou had ik deze baan bij Pie Double You nooit gehad.' Ik sprak de naam van het bedrijf met een deftig Engels accent uit.

Ze lagen dubbel over de tafel.

'Praten ze daar echt zo, mam?'

'Ja, lieverd. En vanaf nu ga ik ook zo praten.' Ik gaf Merel een dikke knipoog.

'Ik ben supertrots op je, Lieke. Ik weet zeker dat deze baan je op het lijf geschreven is.' Roos hief haar glas nog een keer.

'Ja, er is alleen nog een klein probleempje.'

Roos, Merel en Pien keken me verschrikt aan.

'Ik heb mezelf vandaag tot groenconsulent gebombardeerd.'

'Groenconsulent!' riepen ze in koor.

'Ja, en nou weet ik ook niet zo heel goed wat ik daarmee aan moet. Alsof ik verstand heb van groen!'

Pien keek Merel verbaasd aan. 'Jouw moeder is echt knettergek, wist je dat?'

Merel knikte slechts. 'O, en mam, we hebben een nieuwe buurman. Ik zag hem vandaag lopen.'

'Proost,' zei Roos nogmaals.

Mijn eerste werkdag begon met een kater. Ik had nog tot diep in de avond met Roos wijntjes gedronken. Daarna was ik achter mijn pc geschoven om zo veel mogelijk informatie over energiezuinige maatregelen op te slokken. Geeuwend had ik de milieuwijzers doorgenomen. Van warmtewijzers tot afvalscheidingswijzers. Ik wist nu wel waar ik de zonnebril van Prada in moest gooien als hij uit de mode was.

Knikkebollend had ik alles over spaarlampen gelezen en verbaasde ik me over verduurzamende maatregelen zoals douchewarmteterugwinning. Dat we jaarlijks zo'n achtentwintig miljard liter water konden besparen als we met z'n allen één minuut eerder stopten met douchen, vond ik ook zo'n fantastische wetenswaardigheid. Maar samen douchen met je geliefde – voor degenen die over zo'n waardevol bezit beschikten – leek me dan toch effectiever en gezelliger. Ik noteerde het meteen als tip van de groenconsulent.

Ik keek in de spiegel. Mijn ogen stonden vermoeid van het

nachtbraken, mijn gezicht was pafferig en mijn donkere krullen sprongen wild rond mijn gezicht. Het kostte me een halfuur om mijn gezicht een beetje een frisse uitstraling te geven en het laatste waar ik tijd voor had was een gevecht met mijn krullende haren.

Ik besloot een knalgroene sjaal in mijn haar te binden, trok een strak en verantwoord zwart jurkje van Filippa K aan, gekocht in een tweedehandswinkeltje voor weinig, en vond dat mijn rode hippielaarzen daar prima bij pasten. Tenslotte mocht een groenconsulent best een beetje alternatief zijn.

Ik keek nogmaals in de spiegel en knikte mezelf bemoedigend toe. De gruwelijke onzekerheid was gelukkig niet zichtbaar. Het was een fashion-façade. Ik haalde diep adem, stapte in mijn oude Barrel en ging op weg naar mijn eerste werkdag als rechterhand en groenconsulent.

'Kind, wat zie je er beeldschoon uit. Zo apart ook,' riep Suus enthousiast uit. 'Karlijn is er nog niet, die is altijd een beetje later 's ochtends en met die dikke buik al helemaal, maar ik zal je haar kamer laten zien. Na het weekend mag je haar kamer nemen en het wat persoonlijker maken, maar nu moet je er maar niet te veel aan veranderen. Dat is wat pijnlijk voor Karlijn. Snap je zeker wel, hè?'

De kamer van Karlijn was groot en breed met openslaande deuren naar een balkon. Het plafond was fantastisch versierd met allerlei ornamenten en door het glas-in-lood scheen diffuus licht naar binnen. Ik keek goedkeurend rond en zag mezelf al zitten in deze luxe directiekamer. Er stonden een groot bureau en een vergadertafel met vier grote stoelen met zachte kussens. Behalve wat kleine sculpturen van boompjes was het verder leeg.

'Ik stel voor dat je begint met de elektronische dossiers door te nemen. Dat geeft je meteen een beeld van ons cliëntenbestand. Rond elf uur zal Karlijn er wel zijn. Dan drinken we gezamenlijk koffie en kunnen we ons cliëntenbestand doornemen. Nadja, onze secretaresse, helpt je wel even met het opstarten en openen van de dossiers.'

Fris, vrolijk en perfect in de kleren kwam Nadja binnenlopen. Met een druk op de knop toverde ze het cliëntenbestand tevoorschijn en vroeg of ik soms zin had in een latte macchiato. Ik knikte, ik had geen idee wat het was maar ging ervan uit dat het onschuldig was en zonder drank.

Een blik op het scherm was voldoende om te zien dat PW een flink cliëntenbestand had. Het ging om zo'n honderd dames. Dat viel helemaal niet tegen van het duo Suus en Karlijn. Mijn ogen scanden de namen en vooral de dossiers die gemarkeerd waren met een x hadden mijn aandacht. In vrijwel alle gevallen was de x geplaatst door Tanja, de diëtiste, en ik vroeg me af over wat voor geheimzinnige informatie deze Sonja Bakkeraar beschikte. De keuze tussen prei en spruitjes leek mij niet bepaald privacygevoelige informatie.

PW had een efficiënt systeem aangelegd. Elk dossier begon met een verslag van het intakegesprek en persoonlijke informatie. Daarnaast kon je zien hoeveel personals de cliënte tot haar beschikking had en de status van elke personal opvragen. Aan de hand van de opmerkingen kreeg ik al snel een aardig beeld van de vrouwen die voor PW werkten. Van doelgerichte, bondige notities tot uitbundige verhalen. De laatste waren overigens van Suus zelf.

Vooral grappig waren de opmerkingen van Feline, de personal shopper. Mevrouw Stijffels: 'Een chagrijnige kop vol puisten boven een Ralph Lauren-polo.' De daaropvolgende opmerking van de visagiste was minstens zo leuk: 'De puisten heb ik weggewerkt maar ze bleef chagrijnig. Er is dus geen oorzakelijk verband.'

Genietend van mijn hippe koffie bladerde ik door de elektronische dossiers en voor ik het in de gaten had, was het elf uur en stonden Suus en Karlijn in de kamer.

'En?' vroeg Suus geïnteresseerd.

49

'Ik ben helemaal onder de indruk. Ik wist niet dat jullie zo veel cliënten hadden.'

Karlijn zei niet veel en keek me slechts onderzoekend aan. Ik kreeg de zenuwen van haar. Het leek wel alsof ze dwars door me heen keek en doorhad dat al mijn kennis over fashion, design en lifestyle via de laatste glossy's tot mij was gekomen. Alsof ze rook dat ik financieel aan de grond zat en deze baan hard nodig had om mijn dochter van Nikes te voorzien. Ik was dolblij dat Karlijn morgen wegging om in een boom te gaan hangen, want ik was op dit moment domweg niet in staat om haar doordringende blik koeltjes te kunnen pareren.

'Ik heb straks een gesprek in Laren,' zei Suus. 'Vind je het leuk om mee te gaan?'

'Ja, graag,' zei ik enthousiast.

'Dan ga ik alvast mijn kantoor leeghalen,' zei Karlijn, en ik vroeg me af wat er op te ruimen viel. Ik had zelden een leger kantoor gezien. 'Ik zal alle namen en bedrijven met wie ik werk op papier zetten. Mocht er dan een vraag zijn op het gebied van interior design dan kun je altijd een beroep doen op een van die professionals. Normaal gesproken ben ik natuurlijk de expert, maar tijdens mijn afwezigheid kun je ook wel vertrouwen op hun goede smaak.'

Ik wilde nog wat zeggen maar op dat moment kwam Nadja binnen en liet aan Suus weten dat Tanja er was. Voor ik het in de gaten had, verliet Suus de kamer. Ik was eigenlijk wel benieuwd hoe die Tanja met al die geheime x-informatie eruitzag, maar ik kon moeilijk achter Suus de kamer uit lopen. Plotseling zat ik alleen met Karlijn in haar veel te lege werkkamer.

'Ik neem aan dat je de beeldjes van de boompjes meeneemt naar Friesland?' Ik kon echt geen betere vraag verzinnen.

'Nee, die laat ik staan. Ze horen hier. Ik vond je er gisteren, eerlijk gezegd, beter uitzien dan vandaag.' Ze keek afkeurend naar mijn wilde krullen, die onder de sjaal vandaan piepten.

'Ik wilde een groene uitstraling creëren. Ik vind het belangrijk dat wat je wilt zeggen tot uitdrukking komt in je persoonlijkheid.'

'Vandaar die groene sjaal?'

'Ja, ik heb vanochtend heel wat energie bespaard door mijn haar niet te stylen.' Ik grinnikte zachtjes.

'Ik vind je eigenlijk net iets te bijdehand, weet je dat?'

Ik was even van slag door haar opmerking en een fractie van een seconde wist ik niet wat ik moest antwoorden. Gelukkig herstelde ik me snel. 'Ik ben blij dat je zo openhartig bent om dat tegen me te zeggen. Als ik te bijdehand ben dan moet ik daarop letten. Het is echt fijn dat je dit met mij wilt delen. Ook voor mij is deze nieuwe baan een leerproces.'

Ze keek me onderzoekend aan, alsof ze niet helemaal wist hoe ze mijn woorden moest interpreteren, maar plotseling brak er een glimlach door op haar gezicht. 'Als je maar goed voor Suus zorgt, dat vind ik eigenlijk het allerbelangrijkste.'

Ik knikte slechts.

'Daar ben ik weer.' Suus kwam binnengestuiterd en keek ons verwilderd aan. 'Zullen we nog een kopje koffie nemen of hebben we al voldoende gehad? Gaan we nog iets bespreken of niet? Hè, hè, even rustig zitten, hoor.' Vervolgens stootte ze haar kopje om en begon daar heel hard om te lachen.

Verbaasd keek ik haar aan. Wat had die nou weer?

'Je zou samen met Lieke naar mevrouw Berenstein gaan, weet je nog?' zei Karlijn.

'O ja, natuurlijk. Laten we dan maar gaan. Wat ga jij doen, Karlijn?'

'Mijn kamer opruimen.'

'O ja, natuurlijk. Dom van mij. Dat had je gezegd. Ga je mee, Lieke?'

Een paar minuten later scheurden we de parkeerplaats af in haar snelle BMW.

'Waar moesten we ook alweer naartoe?' Ze rolde merkwaardig met haar ogen.

'Naar mevrouw Berenstein in Laren.'

'O ja.' Ze gooide abrupt haar stuur om, waardoor we bijna frontaal tegen een vrachtwagen klapten, gaf vol gas en riep: 'Op naar madame Berenstein.'

Verlamd van schrik wist ik geen woord meer uit te brengen. Door het snelle accelereren bonkte mijn hoofd naar voren en gleed de dure zonnebril van Roos zo op mijn neus. Ik liet hem zitten. Als ik de dood in de ogen moest kijken dan liever door getinte glazen.

Gedurende de helse rit naar Laren kakelde Suus aan één stuk door. Ik luisterde amper, mijn hart bonkte in mijn keel en ik stelde ongerust vast dat niemand wist of ik gecremeerd of begraven wilde worden.

8

Zachtjes zoefde het gietijzeren hek open, waarna Suus met hoge snelheid de oprijlaan opreed om met gierende remmen haar kekke autootje onder een grote kastanjeboom te parkeren.

'Zo, we zijn er. Mevrouw Berenstein is een lastig mens. Ik stel voor dat je alleen maar luistert, dan doe ik het woord wel.'

Ongerust liep ik achter Suus aan. Het leek me dat haar wilde gedrag niet echt bevorderlijk was om een lastige dame te tackelen, maar aangezien ik nog maar net in dienst was, vond ik dat ik beter mijn mond kon houden.

Nog voordat Suus op de voordeurbel kon drukken, zwaaide de deur al open. Een klein dametje van ongeveer vijftig jaar, gekleed in een knalrood vestje met daaronder een donkergrijze rok, stond in de deuropening. Aan haar voeten droeg ze grote berensloffen wat er uiterst merkwaardig uitzag. Om haar heen keften drie afschuwelijke Chinese naakthondjes. Om de paar plukjes haar die ze nog hadden zaten idiote strikjes.

Zonder wat te zeggen slofte ze voor ons uit naar een grote eetkeuken met openslaande deuren naar de tuin. Overal stonden zijden bloemen in de meest vreemde kleuren en het was zo'n kakelbont geheel dat het me bijna pijn deed aan mijn ogen.

'Hoe gaat het nu met u, mevrouw Berenstein?'

'Slecht. Het is vandaag precies drie weken geleden dat mijn man is overleden en ik had toch echt wel verwacht dat ik mijn leventje weer een beetje op orde zou hebben.'

'U moet dat toch echt even wat tijd gunnen, mevrouw Berenstein. Er is veel gebeurd.'

'Zeg dat wel.' Ze zuchtte dramatisch en het viel me nu pas op dat ze in haar pikzwart geverfde haren twee speldjes in de vorm van een lieveheersbeestje droeg. Ik kreeg op slag medelijden met deze kleuter van middelbare leeftijd.

'Ik heb Lieke meegenomen. Zij gaat mij helpen tijdens het zwangerschapsverlof van Karlijn. Lieke is groenconsulent.'

Ik schrok even overeind. Ik was nog niet helemaal gewend aan mijn nieuwe status van energiebezuiniger.

'Dat is mooi. Iedereen houdt tenslotte van bloemen. Dat komt omdat ze zo lekker ruiken, dat heeft een heilzame werking op ons welbevinden. Tja...' Ze zuchtte weer diep.

Het leek me op dit moment niet zo zinvol om mevrouw Berenstein uit te leggen dat ik meer verstand had van spaarlampen dan van gladiolen, dus knikte ik haar maar vriendelijk toe.

'Wat heeft u hier prachtige bloemen staan.'

'Die zijn van mijn man. Hij importeerde ze uit China. Mijn hele huis staat al jarenlang vol met die bloemen die nergens naar ruiken. Elke vrijdag kwam mijn man weer met zo'n rotboeketje aanzetten. Die dingen verwelken niet, dus je begrijpt...'

'Waar is uw man aan overleden?' vroeg ik meelevend, maar kreeg onmiddellijk een enorme trap onder de tafel van Suus. Haar puntschoen kwam akelig hard aan op mijn scheenbeen en ik kon een kreet van pijn nog maar net onderdrukken.

'Mijn man is getroffen door een hartstilstand in China, terwijl hij bezig was met een zijdewerkster uit een van zijn fabrieken.'

'Wat was hij dan aan het doen?' vroeg ik belangstellend, wat mij op een nog veel hardere trap kwam te staan op precies dezelfde plek.

'Mijn man neukte alle zijdewerksters.'

Ik hield verder mijn mond.

'Waarom wilde u een afspraak, mevrouw Berenstein?' vroeg Suus poeslief. Ze was weer wat rustiger geworden, maar knipperde nog wel af en toe wat vreemd met haar ogen.

'Ik heb iemand nodig.'

'Wie had u in gedachten?'

'Ik wil dat al die rottige bloemen onmiddellijk uit mijn huis verdwijnen en bij het graf van mijn man gezet worden.'

'Geen enkel probleem, mevrouw Berenstein. We zullen ervoor zorgen dat we hier vanmiddag met een busje zijn om alle bloemen in te laden. En wat vindt u ervan om daarna fijn met Lieke verse bloemen te gaan kopen om gezellig een middagje te bloemschikken. Is dat niet leuk?'

Ik keek Suus stomverbaasd aan. 'Suus, ik doe in spaarlamp...'

'Even wachten, Lieke. Ik geloof dat mevrouw Berenstein nog wat wil zeggen.'

'Dat is goed, maar ik heb ook een probleem met mijn bubbelbad. Gisteravond heb ik een uur in bad gelegen met van die harde stralen tegen mijn achterste en elke keer als ik op het knopje drukte, ging het alleen maar harder. Ik kreeg hem helemaal niet meer uit!'

'Ik zal zorgen dat onze Coach Advice Electronic Device morgenochtend even bij u langskomt.'

Ik keek Suus stomverbaasd aan. We konden nu toch wel even kijken naar dat bubbelbad?

'Is dat hetzelfde vrouwtje dat mij ook zo goed heeft geholpen met mijn wekkerradio?'

'Ja, die.'

'Fijn. Jullie zijn niet goedkoop maar o zo waardevol. Kopje thee?'

Suus schudde haar hoofd en er bewoog geen haartje in haar kapsel. Haar natuurlijke look werd waarschijnlijk door een halve bus haarlak in bedwang gehouden. 'Helaas moeten we nog naar een aantal andere cliënten, maar de volgende keer maken we graag gebruik van uw aanbod.'

We reden weer met een noodgang de oprijlaan af. Perfect getimed scheurde Suus net langs het automatisch opengaande hekwerk. Ik hield even mijn adem in.

'Kopje thee bij de Prinsemarij?'

'Lekker, maar was het niet socialer geweest om dat kopje thee te drinken bij de verbitterde en bedrogen weduwe?'

'Als ze het bij een kopje thee zou laten zou ik daar volstrekt geen problemen mee hebben.'

Ik wilde vragen wat ze bedoelde, maar op dat moment gooide Suus behendig haar auto tussen het verkeer en negeerde volkomen het getoeter van de andere weggebruikers. Ik dook een beetje weg in mijn stoel, zo schaamde ik me voor haar asociale rijgedrag.

Op de bomvolle parkeerplaats naast de Prinsemarij gooide ze met een wilde beweging de auto in zijn achteruit en zette razendsnel haar auto op een net vrijgekomen plekje. Dat er een bejaard echtpaar in hun nieuwe Peugeootje klaarstond om te parkeren ontging Suus volledig of het interesseerde haar helemaal niks dat ze gewoon ordinair aan het voorkruipen was. Zonder op of om te kijken liep ze het restaurant binnen. Bijna alle tafeltjes waren bezet en het zachte geroezemoes van de dagelijkse roddels vulde de zaak.

'Wil je iets bij de thee?' vroeg Suus, die nerveus met haar ring op de tafel tikte.

'Nee, dank je.'

Er viel een stilte en ik keek om me heen. In het restaurant zaten voornamelijk dames van middelbare leeftijd, afgewisseld met echtparen die elkaar niets meer te melden hadden en zwijgend hun gebakjes naar binnen werkten.

'Wat vond je ervan?' vroeg Suus.

'Van mevrouw Berenstein?'

'Ja, van wie anders.'

'Ik vond haar zielig. Heb je gezien dat ze speldjes in de vorm van een lieveheersbeestje in haar haren had gestoken?'

'Ja, leuk hè? Dat is een tip geweest van onze styliste.'

'Pardon? Dat kun je toch niet maken. Infantilisering van een bejaarde!'

'Lieke, je zult je moeten realiseren dat je met sommige mensen helemaal niets kunt. Toch willen we ze graag als klant houden. Mevrouw Berenstein is typisch zo'n geval. Het is een kreng van een mens, zo zuinig als de pest en het enige wat ze wil is aandacht. Die krijgt ze van ons. Klaar. Jij zorgt er vanmiddag voor dat je zo lang mogelijk met haar aan het bloemschikken bent. Hoe langer, hoe beter; hoe hoger de factuur.'

'Maar ik wil helemaal niet bloemschikken. Ik kan helemaal niet bloemschikken!'

Suus begon steeds nerveuzer met haar ring op de tafel te tikken. Plotseling stond ze op met de mededeling dat ze even naar het toilet moest. Na tien minuutjes kwam ze weer terug en keek me vrolijk aan. 'Kom, we nemen gewoon een lekker gebakje. Dat kunnen we wel gebruiken. Om de hoek zit trouwens In den Gouden Gerbera, een schattig bloemenwinkeltje. We kopen daar eigenlijk alles. Ga daar vanmiddag met mevrouw Berenstein naartoe. Je kunt er op rekening kopen, wij krijgen altijd korting en we rekenen de volle mep weer door aan mevrouw Berenstein.' Suus haalde even diep adem en ratelde weer door. 'Vervolgens ga je nog even naar Glaswerk om een hippe vaas te kopen....'

'Het lijkt me dat ze genoeg vazen heeft,' viel ik Suus in de rede.

'Vazen heeft ze genoeg, maar aandacht niet; dus koop je met haar bij Glaswerk iets leuks. Dan komt ze ook nog even onder de mensen. Daarna ga je lekker met haar bloemschikken. Het maakt niet uit dat je er geen verstand van hebt, ze doet toch precies wat ze zelf wil. Dus als ze mocht besluiten om alle blaadjes van de stengels te halen dan laat je haar gewoon! Geef haar complimenten, zeg dat stengels zonder blaadjes nou precies de laatste trend is, ook al is dat niet waar, en zorg dat je er zo lang mogelijk blijft. Stel geen vragen. Is dat duidelijk? Je stelt nooit vragen maar je babbelt er gewoon lustig op los. Het hoeft nergens over te gaan. Begrepen?'

Ik knikte. 'Suus, zeg nou eens eerlijk. Vind je mevrouw Berenstein echt niet een beetje zielig? Het is toch afschuwelijk als je man je bedriegt met een fabriek vol zijdewerksters?'

'Lieve schat, het is nooit zoals je denkt. Meneer Berenstein was een van onze eerste cliënten. Huilend zat hij aan mijn bureau. Zijn vrouw weigerde het huwelijk te consumeren, zoals hij het zo mooi noemde. Hij dacht dat het aan hem lag en wilde een leuke man voor haar regelen. Voor één keer. Ik heb hem snel uit de droom geholpen, want dergelijke diensten zitten niet in ons pakket. Er zijn grenzen.' Ze kneep haar ogen even samen alsof ze nadacht of het niet toch verstandig was om een lekkere gigolo in dienst te nemen, maar ging weer verder met haar verhaal. 'Uiteraard hebben we toen onmiddellijk aangeboden om het huis te restylen en met haar te gaan shoppen.' Ze haalde weer even haastig adem. 'Dat vond hij prima; waarschijnlijk hoopte hij dat een nieuw interieurtje en een nieuwe garderobe de lusten van zijn vrouw zouden opwekken. Dus we doen al vanaf het begin van PW zaken met ze.'

'En?'

'En wat?'

'Heeft het haar lusten opgewekt?'

'Geen idee, ik vermoed van niet, anders was hij niet dood boven op een zijdewerkster neergevallen.'

Om één uur precies belde ik weer aan bij mevrouw Berenstein. Ik had het gehuurde busje onder de kastanjeboom geparkeerd en de creditcard van de zaak brandde in mijn zak.

Met een zwaai werd de deur opengedaan en ik werd onmiddellijk besprongen door de drie afschuwelijke hondjes. Wat een valse rotkoppen hadden die krengen.

'O, wat zijn ze lief, mevrouw Berenstein.'

'Och kind, houd jij van honden?'

'O, ik vind ze fantastisch. Honden, ik ben er gek op. Hoe heten ze?'

'Anne-Katherina, Belle-Fleur en Jacky Kennedy.'

'Leuke namen. Echt leuk,' kirde ik, helemaal in mijn rol. Ik liep achter haar aan naar de keuken. Een van de mormels hing met haar akelige tandjes in mijn hielen. Ik weet niet precies welke het was, maar ik vermoedde Jacky Kennedy. Ik bedacht me geen moment, draaide me om en gaf het beest een enorme rotschop. Zo met de punt van mijn schoen tegen het keeltje. Een doffe piep klonk, het beest keek me verschrikt aan en ging onmiddellijk op zijn naakte ruggetje liggen.

'Ach poekie toch, ga jij zo lief voor me liggen?' riep ik enthousiast.

'Nou ja, dat doet ze anders nooit. Wat een nederigheid. Jij moet wel een heel speciale band hebben met honden.' Mevrouw Berenstein keek me verrukt aan. Ik had het helemaal bij haar gemaakt.

Ze schonk een kopje thee voor me in en sneed een veel te groot stuk appeltaart voor me af. Zonder dat ik er iets tegen in kon brengen, duwde ze Jacky Kennedy in mijn handen, die trillend van ellende in de mouw van mijn Filippa K-jurkje probeerde weg te kruipen.

De appeltaart was stokoud; keihard, gortdroog en zurig. Ideaal voedsel voor Chinese naakthonden en heel onopvallend liet ik elke keer wat op de grond vallen. Ze gromden en knorden. Gelukkig was mevrouw Berenstein niet alleen klein en lelijk, maar ook nog eens hartstikke doof.

'Is het lekker, mijn kind?'

'Heerlijk.'

'Fijn. De honden zijn ook dol op mijn appeltaart, maar ze mogen het absoluut niet hebben, want ze raken er vreselijk van aan de diarree en dan poepen ze mijn bed onder.'

Ik trok mijn neus op. Gadverdamme, lagen die beesten bij haar in bed? Snel propte ik nog een veel te groot stuk taart bij Jacky naar binnen. Ze stikte er bijna in. Het met veel glitter bezette halsbandje rolde over haar nekje heen en weer, zo amechtig hijgde het beestje.

'Kijk haar nou toch. Ze is helemaal opgewonden, zo leuk vindt ze je,' riep mevrouw Berenstein enthousiast uit.

Tien minuten later liep ik niezend van ellende naar het busje met in mijn armen bossen vol stoffige, zijden bloemen. Ik moest zeker zes keer heen en weer lopen voordat ik alles in het busje had. Mevrouw Berenstein keek slechts toe.

'Mevrouw Berenstein, is het niet een beetje te veel van het goede om dit allemaal op het graf van uw man te leggen?'

'Bedolven onder de zijden bloemen, zo zal hij er voor eeuwig bij liggen,' zei ze verbeten en ze stapte in het busje.

Van begraafplaatsen werd ik altijd een beetje treurig, maar daar had mevrouw Berenstein absoluut geen last van.

'Moet je eens kijken, die is ook niet oud geworden.' Al grafstenen lezend liep ze voor me uit op weg naar het verse graf van haar man. 'Zo, we zijn er, gooi ze hier maar neer.'

Ik liet de bloemen uit mijn handen vallen. Slordig lagen ze her en der over het graf. 'Zullen we ze netjes om het graf leggen? Dat ziet er misschien wat leuker uit,' vroeg ik.

'Ben je mal. Meer dan dit verdient hij niet. Ik ben blij dat ik er vanaf ben.'

Ik vroeg me af of ze alleen op de bloemen doelde. Enigszins ontdaan over het leed van de heer Berenstein liep ik heen en weer tussen auto en graf, mijn handen vol bloemen, die ik elke keer boven zijn graf uitstortte. Het werd er niet fraaier op.

Toen we klaar waren, reden we naar In den Gouden Gerbera. Stilletjes keek mevrouw Berenstein voor zich uit. Ik vroeg me af of het bezoek aan het graf van haar man toch meer indruk op haar had gemaakt dan ze had verwacht, of dat ze zat te mijmeren over de verse bloemen die zo dadelijk haar huis zouden opfleuren.

Even later liepen we de trendy bloemenwinkel binnen, waar in vitrines boeketten werden tentoongesteld alsof het kunst was. In een hoek van de winkel stonden de verse bloemen in goudkleurige emmers. Ondanks de belachelijk hoge prijzen was het de best lopende bloementoko van het Gooi. Dit kwam ongetwijfeld ook door de eigenaar die als twee druppels water op Leco van Zadelhoff leek en daardoor als de bloemenvisagist van Belangrijk Nederland door het leven ging. Elke keer als hij vroeg of er anders nog iets was waar hij mevrouw Berenstein mee kon bekoren, stond ze alweer te kirren naast een andere gouden emmer met groen.

'Wilt u dat ik er mooie boeketten van maak,' vroeg hij met een enorme glimlach. Het was zo'n smile die je deed vergeten dat rozen verwelken en liefdes vergaan. Twee blonde dames, uitgedost volgens de laatste mode, keken opgewonden toe. Ik weet niet waar ze waren met hun gedachten, maar in ieder geval niet bij de tulpen en de fresia's.

'Nee, nee, mijn vriendin en ik gaan fijn samen een middagje bloemschikken.' Ze greep me hartstochtelijk bij de arm alsof we met enige regelmaat middagjes knutselend doorbrachten.

Na nog een bezoek aan Glaswerk, waar ze zich uitgebreid liet informeren over alle aanwezige vazen en uiteindelijk de goedkoopste uitkoos, sjouwde ik een uurtje later haar huis weer in met mijn armen vol bloemen. Gretig, als een kind in een snoepwinkel, had ze bossen rozen, tulpen en Joost mocht weten wat nog meer ingekocht. Ik kreeg al hoofdpijn bij het idee dat ik de hele middag met deze aandacht trekkende dame bloemen in vazen moest zetten en ik bedacht me dat ik er geen enkel probleem mee zou hebben als ik binnenkort een gouden designkist voor haar mocht uitzoeken.

'Oké, mijn kindje, jij mag alles in vazen zetten. Ik ga zelf een heel speciaal boeketje maken. Gezellig, vind je niet?'

In hoog tempo knutselde ik een aantal boeketten in elkaar. Knipte de rozen heel kort af en liet ze in glazen schaaltjes ronddrijven. Deed iets creatiefs met de tulpen door het bosje te omwikkelen met raffia waar ik een satéprikker doorheen stak. Zo moeilijk was het vak van bloemenvisagist nou ook weer niet. Ik kreeg er bijna lol in.

'Zo, ik ben klaar!' Enthousiast keek ze me aan met haar kraaloogjes. Trots liet ze me een piepklein boeketje zien dat nergens naar leek.

'Prachtig, mevrouw Berenstein, wat kunt u dat goed.'

'Je moet niet zo overdrijven, mijn kind. Het is leuk gedaan, maar niet prachtig.'

'Waar komt het te staan?'

'Kun je een geheim bewaren?' Ze keek me onderzoekend aan.

Ik knikte. Natuurlijk kon ik een geheim bewaren. De vraag was alleen of ik het wilde.

'Het is me niet ontgaan dat jij een fantastische band hebt met mijn hondjes. Daarom mag jij het weten, maar het blijft ons geheimpje.' Ze kneep me in mijn wang en liep vervolgens met het boeketje in de lucht voor mij uit, gevolgd door haar keffende rothondjes.

Ze zwaaide een deur open en riep: 'Daar ben ik weer. Nee, Anne-Katherina, Belle-Fleur en Jacky Kennedy, jullie mogen niet naar binnen. Jullie tijd is nog niet gekomen.'

Ik stapte over de drempel en dacht even dat ik een hartstilstand kreeg. Ik kon geen woord uitbrengen.

'En? Wat vind je ervan?'

De woorden bleven in mijn keel steken. Ik werd grimmig aangekeken door twintig opgezette Chinese naakthondjes. Ze zaten op de bank, ze lagen op kussens en eentje stond er zelfs met zijn pootje omhoog tegen een bonsaiboompje. Ik moest een gil onderdrukken.

'Dit zijn al mijn lievelingen.' Ze keek me triomfantelijk aan. 'Wil je de namen weten?' Ze wachtte mijn antwoord niet af, maar ik hoorde niet eens meer wat ze zei. Vol afschuw staarde ik naar de opgezette dieren. '... en dit was de laatste die heenging. Baron von Piers tot Piers. Hij plaste echt tegen elke boom.'

Ik slikte een paar keer.

'Hier ben ik elke dag. Dan ga ik tussen ze zitten en ben ik één met mijn lievelingen. Soms neem ik Brechtje op schoot, dat was altijd zo'n knuffelaar. Om haar velletje, ook al is het koud, tegen mijn blote huid te voelen, doet mij zo goed. Het voelt zo intens intiem om hier naakt tussen mijn hondjes te zitten. Er zijn maar weinig mensen die dat kunnen begrijpen, maar volgens mij begrijp jij mij wel.'

Ik keek haar geschokt aan. Ik was er nu wel klaar mee. Berensloffen, lieveheersbeestspeldjes in het geverfde haar, slapen met drie van die rothondjes in je bed! Dat kon ik allemaal nog net hebben, maar om nou in je blote kont tussen twintig dode Chinese naakthonden te gaan zitten, ging me echt te ver.

'Ik moet helaas gaan, mevrouw Berenstein. Het spijt me, er wacht een volgende cliënt op mij.'

Op het moment dat ik de voordeur uit liep, zag ik nog net Jacky Kennedy met een benauwd hoofd in een hoekje van de bank zitten. De appeltaart verliet in een gierende rotvaart haar lijfje.

Het was stil op kantoor. Nadja was haar nagels aan het lakken en Suus staarde met doffe ogen voor zich uit. 'Ik ga nog even wat aantekeningen maken in het dossier, daarna ga ik naar huis.'
Suus knikte en ze keek me ongeïnteresseerd aan. Ik vroeg me af of ik moest vragen of er iets aan de hand was, maar de blik in haar ogen was zo uitdrukkingsloos dat het me verstandiger leek om haar met rust te laten.
Ik vermeldde keurig in het dossier wat ik allemaal had gedaan, vulde nauwgezet het uren- en onkostenformulier in en besloot met een glimlach om het dossier een x mee te geven. Tenslotte had ik een geheim.
'Tot morgen, Suus en Nadja. Een fijne avond,' riep ik vriendelijk. Opgelucht verliet ik het pand. Ik was blij dat mijn eerste werkdag erop zat. Diep in mijn hart was ik een beetje teleurgesteld. Ik had niet bepaald met een zilveren vorkje chique patisserie met marsepeinen roosjes naar binnen gewerkt, maar wie weet wat de dag van morgen ging brengen.
Ik had nog één ding te doen voor ik naar huis kon. Ik startte mijn auto en ging op weg. Het was stil op de begraafplaats en het begon al wat te schemeren. Resoluut ging ik aan het werk. Na een halfuurtje bekeek ik goedkeurend mijn werk. Het zag er mooi uit. Alles op kleur en prachtig rond het graf gedrapeerd.
'Een groenconsulent waardig,' mompelde ik met een glimlach op mijn gezicht. Met snelle passen liep ik weer naar mijn auto en keek niet meer om.

9

'Hoe was je eerste werkdag, mam?'

Merel stond met een verhit hoofd boven de pannen. De schat had besloten om het avondeten klaar te maken en had in haar blinde enthousiasme bedacht om een driegangenmenu op tafel te zetten.

'Ik snap niet hoe jij die gehaktballen zo rond krijgt. Bij mij vielen ze meteen uit elkaar.'

Op de bodem van de pan lagen rulle stukjes gehakt naast elkaar zwart te worden.

'Als toetje hebben we chocolademousse.' Haar prachtige groene ogen begonnen te glanzen en ze streek verlekkerd met haar tong over haar lippen.

'Heb je dat helemaal zelf gemaakt met opgeklopte eiwitten?' vroeg ik blij verrast.

'Nee, ik heb de chocola gesmolten en daarna in twee champagneglazen gedaan. Het staat nu in de koelkast. Lekker joh.'

Shit, wanneer ging ik haar vertellen dat we dat nooit meer uit die glazen zouden krijgen!

'Nou, vertel. Hoe was je dag?'

'Bizar. Ik was op bezoek bij een dame met wel twintig Chinese naakthonden.'

'Gaaf!'

'Opgezet.'

'Creepieeee.'

'Daarna heb ik zijden bloemen op het graf van haar man gelegd.'

'Nou, dat valt me alweer mee.'

'Hoezo?'

'Voor hetzelfde geld had ze ook haar man opgezet. Je krijgt toch wel een beetje goed voor deze baan betaald, hè mam. Ik bedoel, als ze je van die rare dingen laten doen.'

Lachend ging ik aan tafel zitten en liet me de aandacht van Merel heerlijk aanleunen.

'Tomaat gevuld met garnalen. Daar beginnen we mee,' zei ze vrolijk. Na de eerste hap keek ze me verschrikt aan. 'Grutjes, zijn garnalen altijd zo hard?'

'Niet als je ze eerst pelt.' Ik kon een grijns niet meer onderdrukken en worstelde me daarna door keiharde aardappelen, snotterige bloemkool en verbrand gehakt. Zelden had ik meer van mijn dochter gehouden als die avond. Vermoeid doken we allebei al om negen uur ons bed in. Merel trots op haar kookprestaties en ik vol trots over mijn eerste werkdag.

Nadja rende alweer enthousiast in een fantastische outfit door het pand, dat heerlijk rook naar een combinatie van limoen en lavendel. Elke ochtend werd het pand om zes uur gezogen en gezwabberd en voorzien van lekkere geurtjes, waarna onze Roemeense werkster zich weer elders ging melden voor schoonmaakwerkzaamheden.

'Een latte, Lieke?' vroeg Nadja.

'Laten we gek doen, Nadja, doe maar een dubbele.'

Verbaasd stak Nadja haar hoofd om de hoek van mijn kantoor. 'Je bedoelt een dubbele espresso.'

'Nee, een double latte.'

'Ik zou niet weten hoe je dat moet maken. Zulke hoge glazen heb ik niet. Past ook niet onder de machine.' Ze keek me bezorgd aan. 'Weet jij hoe ik dat moet maken, Suus? Een double latte?'

Ik hoorde Suus wat mompelen. Zuchtend ging ik zitten. Ik had om halfzeven de wekker gezet en had vanochtend veel te lang voor de kast gestaan, niet wetend wat ik aan moest trekken. Het laatste wat ik wilde was vanmiddag tijdens de borrel uit de toon vallen tussen alle medewerkers van PW. Ik had een sexy wit overhemd aangetrokken, dat een vermogen had gekost. Een cadeautje van Bas voor ons twaalfde huwelijksfeest. Drie dagen later was hij vertrokken. Wat had hem bezield om mij zoiets te geven in de wetenschap dat hij me zou verlaten? Plotseling realiseerde ik me dat het vast voor die veel te blonde en te jonge vriendin met maatje 34 was geweest. Ze was er waarschijnlijk in verzopen. Dat ik dat niet eerder had bedacht! Ik had beter moeten weten; al die jaren huwelijk hadden niet veel meer opgeleverd dan een doosje Merci en een nepgouden ringetje van de plaatselijke schiettent. Bas was er mee weggekomen, omdat ik van hem hield.

Omdat ik op safe wilde spelen, had ik weer de geleende zonnebril in mijn haren gestoken. Voor de rest had ik me behangen met wat blingbling, dat er opvallend echt uitzag. Minstens een halfuur was ik bezig geweest met mijn onbeschrijfelijke haardos. Wat ik ook probeerde, ik kreeg de krul er niet uit.

Merel had voorgesteld om het met het strijkijzer glad te strijken, maar het vooruitzicht van een vette brandblaar op mijn wang stond me niet aan. Ik had nu al een paar ochtenden zo staan worstelen en ik vroeg me af hoe lang het zou duren voor ik een bloedhekel zou krijgen aan al dat fashiongedoe. Ik werd er in ieder geval hartstikke zenuwachtig van. Hoe deden Suus en Nadja dat? Wat was hun geheim? Hoe kreeg Suus het voor elkaar om haar kapsel als een helm op haar hoofd te dragen en zonder ook maar een kreukel in haar kleren de dag door te komen?

Met mijn enkele latte liep ik de kamer van Suus in. Ze zat wat stil voor zich uit te staren.

'Morgen Suus.'

'Hoi.' Ze keek niet op of om.

'Wat zijn je plannen voor vandaag?'

'Ik heb om tien uur een afspraak bij een cliënt.'

'Mag ik met je mee?'

'Prima,' zei ze vermoeid.

Ik kreeg de indruk dat het haar geen zier interesseerde.

'Moeten we nog iets extra's regelen voor bij de borrel, in

verband met het afscheid van Karlijn?' vroeg Nadja, die met haar notitieblokje binnen kwam zetten.

Suus keek mij vragend aan en ik knikte bevestigend.

'Iets wat met de komst van het kind te maken heeft?' vroeg Nadja weer.

'Wat dachten jullie van zwemvliezen en een touwladder?' zei ik lachend, maar Nadja en Suus keken me met een stomme blik in hun ogen aan. 'Baby Bells, van die kaasjes. Is dat wat?' Ik vroeg het aarzelend, bang om twee keer de plank mis te slaan.

Dat is nou echt een goed idee, Lieke,' zei Suus enthousiast. Ze keek Nadja aan en zei: 'Koop daar maar een stuk of honderd van. Is altijd leuk.'

Even later zat ik met Suus in de auto op weg naar Marijke de With. Ik was even bang dat het weer zo'n dodenrit zou worden maar dat viel gelukkig mee. Suus reed normaal, praatte normaal en keek normaal uit haar ogen.

'Wat gaan we doen bij Marijke de With?'

'Praten over haar openstaande rekeningen.'

Verbaasd keek ik Suus aan. 'Openstaande rekeningen?'

'Ja, van de buitenkant ziet het er allemaal prachtig uit, maar ook hier in het Gooi staat de teller soms op nul. Soms komen ze daar wat laat achter.'

'Hoeveel staat er open?'

'Twintigduizend euro.'

'Hallo!'

'Dat valt nog heel erg mee. Hele volksstammen in het Gooi leven bij de gratie van de bankdirecteur. Twintigduizend euro is echt helemaal niks.'

'Ik vind het anders een aardig bedrag. Waar bestaat het uit?'

'Het is de gezamenlijke rekening van onze personal shopper, visagiste en diëtiste,' zei ze vergoelijkend.

'Dat kan toch nooit zo hoog zijn?'

'Dat ligt eraan waar je je kleren koopt.'

'Die diëtiste, wat doet die eigenlijk?'

'Wat diëtistes over het algemeen doen. Uitleg geven hoe je het beste kunt afslanken. Kijk, als jij een leuk jurkje van Elie Saab aanschaft, waar je drie dagen later de show in wilt stelen, dan heb je de hulp van Tanja hard nodig.'

Elie Saab? Elie Saab! Hadden we het hier over een auto- en jurkenontwerper in één?

Inmiddels waren we een straat in gereden waar de prachtigste huizen stonden. Ik kon werkelijk niet geloven dat hier mensen woonden die achterstallige rekeningen hadden. Dit leek me toch niet echt het werkterrein van enge deurwaarders met brillantine in hun haar. De grote bomen en de imposante toegangspoorten met intercom straalden een rijkdom uit die bijna misselijkmakend was, en toen we de oprijlaan opreden van het huis van Marijke de With, slaakte ik een kreet van verwondering.

'Suus, wat een prachtig huis!'

'Zie je die rietgedekte garage daar net achter de bomen liggen? Die staat vol met oldtimers. Hobby van Frans de With.'

Het geweldige huis met zijn glas-in-loodramen en rieten dak leek zo uit een sprookjesboek te komen. Alles aan het huis was perfect. Het was typisch een huis waarin een voorbeeldig gezin woonde: een blond, lief meisje met een grote strik in haar haren, een beeldschoon jongetje dat met zijn vader voetbalde in de tuin, en een moeder die met haar bruine labrador voor de open haard zat. Zo'n huis.

De deur werd opengedaan door een lange, dunne dame, die mij met een kille blik van onder tot boven opnam. 'Kom verder. Koffie.'

Het was geen vraag, maar meer een bevel en ik durfde absoluut niet meer te zeggen dat ik liever een kopje thee wilde.

We namen plaats in de woonkamer, die spaarzaam was ingericht. Het was er koud en alles was er spierwit, van bankstel tot vleugel. Ik werd er bijna sneeuwblind van.

Zelden was ik meer opgelucht toen bleek dat ik geen koekje bij de koffie kreeg. Een kruimel van een chocoladebiscuitje was voldoende om de balans in deze woonkamer te verstoren en dat wilde ik niet graag op mijn geweten hebben. Marijke de With was zelf ook helemaal in het wit gekleed waardoor ze bijna wegviel in het interieur. Het was net of haar felrood gekleurde nagels door de ruimte zweefden. De afschuwelijke sfeer die hier in de lucht hing, benam mij bijna de adem, maar tot mijn grote verbazing had Suus hier totaal geen last van. Ontspannen hing ze in de enorme witte bank.

'Ik wilde even weten of je tevreden bent over onze diensten, Marijke,' vroeg Suus met een lieftallige glimlach op haar gezicht.

'Uiteraard. Anders zou ik het wel laten weten.' Marijke trok een zuinig mondje.

'Nou, het is niet zo'n vreemde vraag, want tot op heden heb je nog geen factuur voldaan, ondanks het feit dat we je drie aanmaningen hebben gestuurd.'

Ik vermoed dat Marijke enigszins bleek wegtrok, maar dat was iets wat in dit interieur niet al te erg opviel.

'Dan moet er iets mis zijn gegaan bij de bank. Ik weet zeker dat ik heb betaald. Ik ben toch al jarenlang cliënt van jullie en we hebben nog nooit wezenlijke problemen gehad. Dus het valt me een beetje tegen dat je nu aan mijn kredietwaardigheid twijfelt.'

'Lieve schat, ik heb helemaal niets gezegd over kredietwaardigheid. Ik vroeg alleen maar of je tevreden was.'

Marijke kreeg nu een vuurrood gezicht, wat lekker combineerde met haar nagels.

'Wie is dit eigenlijk?' Haar priemende vinger wees in mijn richting.

'Sorry, lieverd, wat onattent van mij dat ik je nog helemaal niet heb voorgesteld. Dit is Lieke. Ze gaat me helpen omdat

Karlijn met zwangerschapsverlof gaat. Liekes specialisatie is bezuinigingen, spaar...'

'Wat!' Als door een wesp gestoken sprong Marijke overeind. 'Je twijfelt dus wel aan mijn kredietwaardigheid. Hoe kun je? Hoe durf je! Nooit eerder in mijn leven ben ik zo door iemand beledigd. Vernederd tot op het bot!'

Even had ik het gevoel dat ik in een vreselijk foute film terechtgekomen was en dat zal dan ook wel de reden zijn geweest dat ik keihard begon te lachen. Het was in ieder geval voldoende om de verontwaardigde Marijke de With tot zwijgen te brengen.

'Wat is er zo grappig?' vroeg Suus, die bijna geheel verdween in de zachte kussens van de witte achtpersoonsbank.

'Er is nog niemand die heeft begrepen wat ik doe,' hikte ik van de lach. 'Ik heb al een middagje bloemschikken achter de rug. En nu denkt mevrouw De With weer dat ik van de cijfers ben, maar het enige waar ik verstand van heb zijn energiezuinige maatregelen. Spaarlampen, groene stroom, broeikaseffect, dat soort werk.' En eigenlijk heb ik daar ook geen verstand van, maar dat hoeven zij niet te weten, dacht ik erachteraan.

Suus begon zachtjes te grinniken en om de mond van de nog steeds verontwaardigde Marijke de With verscheen een miniem glimlachje.

'Ik en gladiolen? Ik en rentetarieven? Ik sta altijd rood!' Inmiddels lag ik bijna dubbel op de royale bank.

'Ik ook!' zei Suus lachend.

'Ik ook!' hinnikte Marijke gedecideerd.

Als verstijfd keken Suus en ik Marijke aan.

'Dan wil ik het daar toch even over hebben,' zei Suus op zakelijke toon. Van haar vrolijke lach was niets meer over. Ze keek bijzonder streng.

'Ach, wat heet. Een beetje maar,' sputterde Marijke tegen. 'Niet echt van die grote hoeveelheden. Net iets aan de verkeerde kant van de nul, zal ik maar zeggen.'

'Feline, onze personal shopper, koopt ook in bij particulie-
ren. Second Hand Rich. Is het een goed idee als ze van de week
even langskomt om door je kast te neuzen?'
'Dat is toch echt niet nodig,' sputterde Marijke tegen.
'Je wilt niet weten hoe snel kleding gedateerd is en zij heeft
de goede adresjes om het weer door te verkopen. Niemand
hoeft het te weten.'
Ik luisterde geïnteresseerd toe. Dit was wat voor mij. Ik kon
tenslotte niet elke dag in dezelfde outfit op mijn werk komen.
Van een nieuwe Elie Saab paste noch de jurk noch de auto binnen mijn budget.
Marijke draaide ongemakkelijk in de enorme witte fauteuil.
Ik had met haar te doen. Ik kreeg de indruk dat ze het liefst
wilde oplossen in haar witte ruimte, maar ze kon niet om ons
heen.
'Ik zal erover nadenken maar ik zou wel graag gebruik willen blijven maken van de diensten van Tanja.' Ze keek met
grote ogen naar Suus, die slechts minzaam knikte.
'Misschien kunnen we ook nog wat bezuinigen met spaarlampen?' vroeg ik enthousiast.
'Knappe jongen die in korte tijd twintigduizend euro kan
besparen op zijn energierekening, Lieke. Dit is een groot huis,
maar als je op die manier twintigduizend euro wilt besparen
moet je de Bijlmer een weekje in het donker zetten.'
Ik voelde weer een lachkriebel opkomen. Zo serieus mogelijk keek ik het slachtoffer van de koopgekte vriendelijk aan
en zei: 'Dan moeten we toch denken aan structurele verande-
ringen in het uitgavenpatroon. Zie je daar zelf nog mogelijkheden, Marijke?'
'Het is allemaal een beetje uit de hand gelopen sinds ik vorig jaar...' Benauwd keek ze ons aan, alsof ze niet wist hoe ze
het moest vertellen.
'Sinds je vorig jaar...' moedigde ik haar aan. Ik was inmiddels hartstikke nieuwsgierig.

'Sinds ik vorig jaar...'

'Zeg het nou maar. Wij zijn wel wat gewend,' zei Suus ongeduldig.

'Sinds ik vorig jaar door mijn man betrapt ben in de garage met zijn beste vriend.'

Ik trok mijn wenkbrauwen verbaasd omhoog.

'Zoenend,' zei ze schuchter.

'Zoenend?' vroeg ik.

'Met niet zo veel kleren meer aan.'

Voor mij doemde een tafereel op van een halfnaakte Marijke boven op de motorkap van de gerestaureerde oldtimer van manlief. Wat een stomme actie. Even flitste het door me heen dat het toch wel jammer was dat ik nooit van dat soort stomme acties had.

'Oké,' zei ik rustig. 'En toen?' Ik wist dat ik met mijn vragen de regels van PW overtrad, maar ik was nu eenmaal altijd nieuwsgierig en nu helemaal.

'Vanaf dat moment straft mijn man mij door mijn toelage in te houden. En hij heeft er zichtbaar genoegen in.' Boos keek ze ons aan alsof haar groot onrecht werd aangedaan. 'Ik kan dus niets meer kopen.' De wanhoop straalde van haar af.

'Kunnen jullie het niet uitpraten?'

'Nee, op de dag van vergeving wordt er weer gestort. Dat zijn de letterlijke woorden die hij sprak toen hij ons betrapte.'

'En wanneer komt die dag?' vroeg ik verbaasd.

Ze haalde haar schouders op.

'Er moet toch een oplossing te vinden zijn,' zei Suus, die zich waarschijnlijk realiseerde dat dit nog wel tien jaar kon duren, en ze dus al die tijd een behoorlijk spenderende cliënte moest missen.

'Gaat die man van jou nooit vreemd?' vroeg ik met een knipoog.

'Ja, dan zouden jullie weer quitte staan.' Suus klapte mij enthousiast op de schouder.

72

'Mijn man is zo trouw en monogaam als een papegaai. Die zal ik nooit zoenend in de garage aantreffen.' Ze keek ons verbitterd aan.

'Dat is toch eigenlijk wel heel fijn. Je mag jezelf wel gelukkig prijzen,' zei ik.

'Ja, maar daar koop ik dus niks voor.'

'Hij hoeft ook niet echt te gaan zoenen. Het is al voldoende als het lijkt alsof hij zoent. Dat beeld vastgelegd...' Suus keek ons aan met een samenzweerderige blik in haar ogen.

'Geen goed plan, Suus,' riep ik, maar zowel Marijke als Suus negeerde mijn woorden. Shit, dacht ik bij mezelf.

'Je bedoelt...' vroeg Marijke.

'Dat bedoel ik!' zei Suus.

'Dat ik daar zelf niet opgekomen ben. Dan kan ik weer alles doen!' zei Marijke op opgewonden toon.

'Ja, en ons betalen. Ik zou namelijk wel die achterstallige maanden erbij eisen. En natuurlijk de toelage wat verhogen. Het is tenslotte wel pijnlijk als je wordt bedrogen door je man.'

'Inderdaad. Hoe haalt hij het in zijn hoofd. We zijn al twintig jaar gelukkig getrouwd!'

Tot mijn grote verbazing was Marijke écht verontwaardigd.

'Jongens, dit kan echt niet,' riep ik.

'Wij regelen een hoerig geval en een fotograaf. Marijke, jij zorgt dat wij zo snel mogelijk een schema krijgen waar je man de komende maand uithangt. Dan komt alles goed.'

Vijf minuten later verliet ik stomverbaasd de riante villa. De zware eikenhouten voordeur viel met een dreun achter ons dicht.

'Perfect, Lieke. Als ik jou niet had. Je bent een waardevolle toevoeging voor Personal Whatever. Je stelt veel te veel vragen en dat moet je ook echt afleren, maar je hebt geniale ideeën.'

10

Nadja liep als een kip zonder kop door het pand van PW. Een tijdelijk afscheid en een welkom waren duidelijk te veel voor haar om te organiseren. Een studente, die in haar vrije tijd bij de cateraar werkte, had inmiddels ook al rode vlekken in haar nek staan, dus het leek me tijd om in te grijpen.

'Hé Nadja, gaat het goed?' riep ik vanuit de kamer van Karlijn.

'Néé...' En ze zoefde al weer richting keukentje.

'Moet ik helpen?'

'Néé...'

'Weet je het zeker?'

'Jáá...'

Ik kon amper een grijns onderdrukken en verheugde me nu al op de borrel. Ik was hartstikke nieuwsgierig naar al die personals. Rond een uur of vier was de hectiek compleet. De studente was al bijna een uur bezig om alle Baby Bells tot een leuke toren op te bouwen, maar elke keer als ze bijna aan de top was, donderde het hele zaakje om. Stoïcijns begon ze dan weer opnieuw. Nadja rende ondertussen heen en weer met allerlei schalen met hapjes en klapte om kwart over vier in volle vaart tegen de tafel met glazen, die met een knal omdonderde, waarna wij een huilende Nadja tussen vijftig gebroken wijnglazen moesten wegplukken.

'Geeft niets,' zei ik vrolijk. 'Scherven brengen geluk.'

Suus nam het allemaal wat minder luchtig op. 'Nou nou, wat een bende. Over een halfuurtje komen de eerste personals. We mogen wel opschieten.' Deze opmerking was voldoende om niet alleen Nadja, maar ook de studente in totale paniek te brengen zodat de Baby Bells voor de zoveelste keer omvielen.

'Ik ga nieuwe glazen halen. De kaasjes leggen we op de fruitschaal en jullie gaan even stofzuigen. Dan komt alles prima in orde,' zei ik vriendelijk, maar wel op een toon die geen tegenspraak duldde.

Naast de Blokker zat een Jamin en ik kon het niet nalaten om een zak vol smerige blauwe snoepjes te kopen in de vorm van mierzoete walvisjes, om Karlijn te pesten. Het was heel kinderachtig maar ik moest het doen.

Toen ik terugkwam waren de eerste PW'ers al gearriveerd. Nadja had haar tranen gedroogd, Suus liep al kirrend rond en heette iedereen welkom terwijl ze ondertussen kusjes uitdeelde, die ze ergens in de lucht plaatste. Ik bekeek het met verbazing.

Net toen ik de glazen keurig op de tafel uitstalde, voelde ik de schaduw van een enorm gevaarte over me heen glijden. Karlijn. Haar dikke buik priemde in mijn zij en ik schrok zo dat het niets had gescheeld of ik had voor de tweede keer richting Blokker kunnen gaan.

'Dit is toch geen kristal?' Ze pakte het wijnglas op en draaide het in het licht.

'Het was één euro vijftig per glas, dus ik neem aan dat het gewoon...'

'Wat is er met onze kristallen glazen gebeurd?' viel ze me bitchy in de reden.

'Daar heeft Nadja een ongelukje mee gehad.'

'Een ongelukje?' Ze keek me verontwaardigd aan.

'Gelukkig is Nadja nog helemaal heel.'

'Daar heb ik het nu even niet over. Weet je wel hoeveel die glazen hebben gekost?'

'Ja, daarom heb ik ze nu voor één vijftig bij de Blokker gehaald.'

Ze keek me woedend aan alsof ik hoogstpersoonlijk al haar kristallen glazen een voor een op de grond had gegooid. Vervolgens waggelde ze naar Suus en smoesde wat met haar, waarna die me ook heel verontwaardigd ging aankijken.

'Jullie hebben hier vast geen vissenkom,' vroeg ik aan Nadja.

'Jawel hoor. Toevallig staat er hier nog eentje. Karlijn heeft ooit een goudvis gehad. Beest ging al na twee weken dood. Zo zielig!'

Ik wierp haar een glimlach toe en gooide de walvissnoepjes in de kom.

'Waarom heb je geen kristal gekocht?' fluisterde Suus in mijn oor.

'Het leek me een beetje in de papieren lopen,' fluisterde ik terug.

'Dat kan de zakelijke rekening van PW wel hebben, hoor.' Ik voelde haar hete adem langs mijn oor glijden. Gelukkig viel een pas binnengekomen PW'er haar hartstochtelijk om de hals en kon ik me uit de voeten maken.

Rond een uurtje of vijf was iedereen gearriveerd en stonden ze met een chardonnay in het één-euro-vijftigglas gezellig met elkaar te praten. De hapjes gingen gretig naar binnen.

'Mag ik even het woord?' vroeg Suus. 'Zoals jullie weten is het vandaag een borrel met een welkom en een afscheid. Een tijdelijk afscheid, want over twee maandjes komt Karlijn natuurlijk weer terug. Ik ben dolgelukkig dat ik een rechterhand heb gevonden die mij de komende tijd gaat helpen. Mag ik een hartelijk applaus voor Lieke.'

Ik knikte de aanwezigen toe. Ingetogen, zoals Beatrix dat ook kon doen. Ik mocht dan zo stom zijn om lowbudgetglazen in te kopen, gracieus knikken kon ik als de beste.

Perfect opgemaakt, strak in de kleren en de lak sprak Suus de personals toe. Ik bekeek het met bewondering. Ik hield nooit langer dan tien minuten mijn kleren en mijn gezicht in de plooi. Suus bewoog subtiel haar keurig gemanicuurde handen om haar woorden kracht bij te zetten. Ze glimlachte minzaam. 'Gebruik deze borrel optimaal en maak allemaal even gezellig kennis met onze Lieke! Daarnaast wil ik even stilstaan bij het tijdelijke afscheid van Karlijn. Zoals jullie allemaal weten vertrckt Karlijn naar Friesland om daar te bevallen van haar kindje, maar we zullen haar snel weer terugzien in het Gooi.'

Er werd hard geapplaudisseerd.

'Ze gaat voor de Treedelivery,' zei een vrouw die naast me stond. Ze gaf me een knipoog.

'Dat heb ik gehoord,' zei ik lachend. 'Maar eerlijk gezegd heb ik er helemaal niets van begrepen.'

'Je bent niet de enige en ik vrees dat Karlijn ook nog niet helemaal in de gaten heeft waar ze aan begint. Ik zou niet weten hoe je hoogzwanger een boom in moet klimmen tenzij je een hoogwerker tot je beschikking hebt, maar gelukkig heeft ze ook nog de optie van het walvissen. Mocht ze voortijdig uit de boom donderen dan kan ze altijd nog al borstcrawlend haar kind gaan baren.' Ze keek me spottend aan.

'Dat zou toch knap zijn; de meeste vrouwen komen niet veel verder dan amechtig gehijg in de badkuip,' zei ik lachend.

'Ik heet trouwens Feline.' Ze stak me haar hand toe en lachte breeduit.

'Lieke.'

'Wat ga je doen voor Personal Whatever?' vroeg ze geïnteresseerd.

'Behalve de rechterhand van Suus ben ik groenconsulent.'

'O, leuk. Moet ik dan denken aan groene stroom en zo?'

'Nou ja! Jij bent echt de eerste die het goed heeft. Iedereen denkt dat ik iets leuks doe met bloemen en plantenbakken.'

'Goh, daar was ik nou nooit opgekomen, maar nu je het zo zegt ligt dat wel voor de hand. Wil je wat drinken?'

'Ik hoef nog niet aan de wijn. Ik heb eigenlijk wel zin in een kopje thee.'

'Gaan wij toch fijn een pot thee zetten.'

Even later stonden we met z'n tweetjes in het kleine keukentje.

'Wat doe jij voor Personal Whatever?' vroeg ik nieuwsgierig.

'Ik ben personal shopper. Gespecialiseerd in vrijwel alles, maar met name in lingerie.' Ze keek er olijk bij.

'Wat leuk!' Terwijl ik het zei realiseerde ik me opeens dat ik zelf hoognodig wat nieuwe setjes moest aanschaffen. Mijn laatste sexy setje had ik speciaal voor Bas gekocht. Niet dat het wat geholpen gehad.

'Groene thee?' Een grote grijns verscheen op Felines gezicht. Ik keek haar aan en we schoten allebei in de lach. Nog nagrinnikend liepen we weer naar Karlijns kamer waar alle dames druk met elkaar stonden te praten.

'Zeg, Feline, wie moet ik zeker leren kennen?'

'Dat is nog niet zo eenvoudig. Ik werk hier zelf ook nog maar een halfjaar en ik heb het ook nog niet helemaal in kaart gebracht. De meesten zijn lief, leuk en gezellig. Maar er zitten een paar vreemde vogels tussen. Volgens mij is de merkwaardigste van het hele stel wel onze diëtiste, Tanja.'

'Die zou ik inderdaad wel eens wat beter willen leren kennen. Ik ben eigenlijk heel nieuwsgierig waarom ze bij zo veel dossiers een x noteert.'

'Precies, dat is mij ook al opgevallen. Wat voor geheimzinnige informatie zou ze kunnen hebben? Misschien noteert ze een x bij de eetprobleemgevallen? Rijke dames die 's nachts kilo's kaviaar naar binnen werken en vervolgens weer uitkotsen?'

'Dat is toch niet echt geheime info. Het is toch heel trendy om een eetprobleempje te hebben?' zei ik verbaasd.

'Nee, dat is een beetje uit. Je bent echt een sukkel als je anno 2009 nog boven een wc-pot hangt. Maar het is tegenwoordig wel heel hip om te ontdekken dat je als kind ADHD had. In de tijd dat het nog niet bestond, zeg maar. En dat je dan nu van de daken mag schreeuwen dat je toch goed terecht bent gekomen en eindelijk gepermitteerd lekker druk mag doen.'

Op dat moment kwam Suus als een wervelwind voorbij.

'Gaat het goed, Suus?' vroeg Feline.

'Druk, druk, druk,' riep ze in het voorbijgaan.

'Misschien verstrekt die Tanja wel illegale Chinese dieetpillen. Wat dacht je daarvan?'

'Dat zou me niets verbazen. Volgens mij zitten er onder de clientèle van PW aardig wat dames die ook wel andere gezellige dingen slikken en door hun neusgat duwen. Het is ook niet eenvoudig om elke dag hip en trendy, goedgebekt en gekapt voor de dag te komen. Daar word je doodnerveus van.'

'Zeg dat wel.' Ik zuchtte wanhopig.

'Uiteindelijk gaat er niets boven een oude joggingbroek, vind je ook niet?'

'Ja, inderdaad. Zeg, denk jij dat Tanja ook in xtc, pillen en coke doet?'

We hingen met zijn tweetjes tegen de muur met ons kopje thee en namen Tanja van top tot teen op.

'Nee, Tanja is een healthfreak. Je kunt geen gesprek met haar beginnen of ze begint te zeuren over gezonde voeding, macrobiotische bloemkool en vitaminepreparaten. Als je verstandig bent dan blijf je uit haar buurt, want ze gaat je onmiddellijk proberen te overtuigen dat je geen dag langer kunt overleven zonder haar eetdagboekje. Vijftig euro voor een lullig ringbandje! De bedoeling is dat je elke hap en het waarom ervan noteert.'

'Dat lijkt me een slecht plan. Het laatste wat ik wil is mijn hoeveelheid weggewerkte chocoladerepen zwart op wit.'

Ik wilde nog wat zeggen maar Karlijn tikte op dat moment tegen haar glas. Het gaf een dof geluid en ze keek me misprijzend aan, maar het was voldoende om het gekakel tot bedaren te brengen.

'Mag ik even een momentje?' Haar stem sloeg een beetje over en ze nam snel een slok van haar witte wijn, wat ik een behoorlijk onverantwoorde actie vond van een zwangere.

'De kleine walvis moet zwemmen,' zei Feline op droge toon.

Ik probeerde serieus te blijven maar mijn hele lichaam schokte van de ingehouden lach.

'Ik zou graag nog even een woordje tot jullie willen richten. Het zal raar zijn als ik over een tijdje weer terugkom, samen met de kleine Frederik.'

'Frederik?' Ik keek Feline vragend aan.

'Pretecho.'

'Tuurlijk!'

Ondertussen zag ik dat Suus en Tanja samen stonden te praten. Tanja haalde wat uit haar tasje en overhandigde het aan Suus. Aandachtig probeerde ik te volgen wat er gebeurde maar op dat moment riep Karlijn mij naar voren.

'Beste Lieke. Je bent hier nog niet zo lang, maar ik hoop dat je het hier snel naar je zin zult hebben. Ik heb er uiteraard alle vertrouwen in.'

Ik keek haar aan en wist dat ze geen moer meende van wat ze zei. Ik knikte weer gracieus.

'PW is een apart bedrijf en het is niet eenvoudig om dat te runnen. Ik hoop dan ook dat je Suus waar mogelijk zult steunen.'

'Dat spreekt voor zich,' zei ik vriendelijk, maar vroeg me ondertussen af waarom ze dit voor de tweede keer zo uitdrukkelijk aan me vroeg.

'Voor de rest hoop ik iedereen zo snel mogelijk weer te zien!'

Er werd hard geapplaudisseerd en her en der werd haar succes toegeroepen.

'Weet je wie ook een gezellige dame is?' zei Feline, toen ik mij even later weer bij haar voegde.

Ik schudde mijn hoofd.

'Cato, een van onze personal trainers. Ze is echt te gek. Ze is dol op sporten maar je zult haar nooit zwetend in haar outfit aantreffen. Haar motto is: alles met mate, behalve dan chocola en mannen. Ze schijnt de beste personal trainer van Nederland te zijn. Als je bij haar traint ben je binnen de kortste keren in topconditie.'

Ik knikte en luisterde geïnteresseerd.

'En met Tess kun je ook wel lachen. Ze is een goede vriendin van Cato. Ze is een personal met een dubbele functie. Behalve visagiste is ze ook hondentrainster. Ze hangt de Gaustheorie aan en loopt de hele dag met zo'n clickerding te clicken.'

'Clickerding?'

'De Gausfanaten gebruiken bij gewenst hondengedrag een clicker. Dat maakt dan een klikkend geluid en daar schijnt zo'n beest op een gegeven moment op te reageren. Volgens mij is het gewoon een belachelijke hype. Bij haar eigen hond werkt het namelijk voor geen meter. Ze heeft zo'n zeldzaam onopgevoede Engelse buldog. En Tess maar clicken, maar het beest blijft gewoon op de bank liggen.'

Ik keek Feline lachend aan. Ze had humor. 'Wie is het grootste chagrijn van PW?'

'Dat is onze mental coach. Ze heet Bernadette en ze is echt de grootste zuurpruim die ik ooit in mijn leven ben tegengekomen.'

Feline wees naar een wat oudere dame die in haar eentje in een hoekje aan haar glaasje wijn zat te nippen. Ze was akelig dun en had ravenzwart haar.

'Ik neem aan dat ze haar bezemsteel buiten geparkeerd heeft?'

Feline begon keihard te lachen. 'Ze is inderdaad doodeng en een groot voorstander van spirituele hocus pocus. Een paar weken geleden is het met haar en een cliënte helemaal uit de hand gelopen.'

'Wat is er gebeurd?'

'Met een of andere maffe theorie, waar ze heilig in gelooft, heeft ze de vrouw van een transportondernemer weten te overtuigen dat de beleggingsportefeuille van haar man niet meer adequaat was. Dit alles aan de hand van de bietentheorie.'

Ik trok mijn wenkbrauw vragend omhoog.

'Je rolt een biet over de vloer en afhankelijk van de richting waarin de biet rolt moet je aankopen of verkopen.'

Met open mond keek ik Feline aan.

'Er staat nu dus ergens een enorme villa te koop. Suus is inmiddels op zoek naar een andere mental coach. Alleen Bernadette weet dit nog niet.'

Ik was even helemaal stil. Gezien de rijkdom van de cliënten kon ik me bijna niet voorstellen dat die zich in het dagelijkse leven lieten bijstaan door zo'n idiote dame.

Tegen acht uur hadden Nadja en ik iedereen het pand uitgezet, en ik moest eerlijk toegeven dat het nog heel gezellig was geworden. Cato was gaan cardiostrippen op de vergadertafel, wat ritmisch werd begeleid door Tess met haar clicker. Suus had rond zeven uur nog een vreselijk wild moment gehad waarbij ze weer raar met haar ogen had zitten draaien. Wij vonden het allemaal vreselijk grappig maar Tanja en Karlijn konden het niet zo waarderen. Uiteindelijk wisten we Suus te overtuigen dat het afscheidslied voor Karlijn niet helemaal zuiver klonk, maar toen hadden we al wel tien coupletten van 'I am a lumberjack' met eigen tekst achter de rug. Met hoge valse noten zong ze uit volle borst: 'I am a lumberjack, a very big wife. I climb in a tree and I give new life.'

Haar perfecte look bleek niet langer te handhaven toen ze het lied ging begeleiden met woeste bewegingen, die nog het meeste deden denken aan een paringsdans van een uitheemse diersoort. Suus ging helemaal los.

Dieptepunt van de avond was wel het moment waarop Bernadette ons uitnodigde voor een bezinningsmoment waarbij onze gezamenlijke positieve gedachten een warm welkom moesten vormen voor Frederik.

'Het lukt me niet,' piepte ik naar Feline, die naast me lag in de oncomfortabele houding, die volgens Bernadette juist zo bevorderlijk was om de energiebanen naar onze hersenen te activeren.

'Ik krijg last van mijn lies,' bromde Feline.

'Sorry!' Cato keek me verontschuldigend aan nadat ze in een poging om haar voet achter in haar nek te leggen hardhandig met haar teen in mijn oor had gepeurd. 'Gek, dit zou mij toch moeten lukken,' mopperde ze.

'Fijn ontspannen, dames,' zei Bernadette, die zelf rechtop bleef staan en als een commandant over de liggende troepen keek.

'Dit is heerlijk,' riep Karlijn, die tot mijn grote verbazing de enige was die haar been in haar nek kon leggen en in een halve lotushouding de buikademhaling toepaste.

'Krijg nou wat,' zei ik en wees naar Karlijn, waarop Feline zich hinnikend van de lach op haar buik liet rollen.

'Oké, dames. Dan gaan we nu een positieve wens uitstralen naar Frederikje.'

'Veel verder dan nieuwe voetbalschoenen voor Sinterklaas kom ik niet,' fluisterde ik naar Feline.

De gierende lach van Feline denderde door de vergaderzaal, gevolgd door een kreet van pijn. Kramp!

'Wat heb jij gewenst?' vroeg ik even later aan Feline.

'Een boomhut voor Frederik.'

Grinnikend keek ik haar aan.

'Mijn derde ex-man had een boomhut achter in de tuin. Daar had hij zijn kantoortje. Aan het eind van ons huwelijk zat hij daar hele dagen, maar dat even terzijde.'

'Derde ex-man?'

Ze gaf me een knipoog. 'Met mij valt gewoon echt niet te leven.'

Ik keek haar bewonderend aan. Eerlijkheid kon een mens soms sieren.

11

Rond een uurtje of negen voelde ik het warme lijf van Merel tegen me aangedrukt. In de weekenden was het altijd vaste prik dat ze bij mij in bed kroop en nog even lekker tegen me aanschurkte.

'Ben je wakker, mam?' fluisterde ze.

Ik veinsde een diepe slaap maar wist dat ze haar vraag net zolang zou blijven herhalen totdat ze antwoord kreeg.

'Ben je wakker, mam?' Iets harder en net iets dwingender.

'Een beetje,' murmelde ik.

'Ik wil je iets vragen.'

'Wat?'

'Mag ik vanavond bij Pien blijven slapen?'

'Waarom?'

'Piens ouders hebben een feestje en Pien wil niet alleen blijven.'

'Is het dan niet logischer als jullie hier slapen?'

'Wel logischer maar niet spannender,' giechelde ze.

Met een oerschreeuw kwam ik overeind en lachend kietelde ik haar net zolang totdat ze beloofde om voor de rest van haar leven haar oude moeder te verzorgen. Ook als ik zou gaan kwijlen en wegens incontinentie het prachtige marmer in haar paleiselijke huis zou bevuilen.

Met een koffertje achter op haar fiets vertrok ze. Het was pas elf uur maar een slaapfeestje kon nooit vroeg genoeg beginnen. Aldus Pien en Merel. Met een warme mok chocolademelk zat ik op de bank en ik realiseerde me plotseling dat ik over een aantal jaren hier voorgoed alleen op de bank zou zitten. Misschien ging Merel over vier jaar wel studeren in Maastricht. Dan zou ik pas zevenendertig zijn.

Hoe oud zou die Karlijn eigenlijk zijn? Ze zag eruit als veertig en kreeg nu pas haar eerste kindje. Ik had nog een heel leven voor me, ook al voelde ik me alsof mijn pensioengerechtigde leeftijd elk moment kon intreden. Ik schrok op van het harde gerinkel van mijn voordeurbel.

'Mereltje toch. Wat ben je nu weer vergeten behalve je voordeursleutel,' mompelde ik.

Met een zwaai opende ik de deur en kon nog net het 'hé warhoofd, wat ben je nu weer vergeten' inslikken. Voor mijn neus stond een mij totaal onbekende man.

'Hoi, ik ben Bram, je nieuwe buurman. Heb jij misschien een kopje suiker voor me?'

Een grote lange vent met blonde haren en blauwe ogen hing tegen de deurpost. In zijn hand had hij een gebloemd kopje dat net iets te vrouwelijk was voor zijn stoere uitstraling.

Ik begon te lachen. 'Wat ouderwets. Tegenwoordig vraagt nooit meer iemand om een kopje suiker.'

Een stralende glimlach viel mij ten deel en tot mijn grote verbazing bezorgde het mij een vreemde kriebel in mijn buik.

'Ik zou eigenlijk ook graag wat koffie willen lenen.'

'Melk?' vroeg ik.

Hij knikte en glimlachte.

'Koffiefilterzakjes?'

Hij keek me verontschuldigend aan en trok gelaten zijn schouders op.

'Wc-papier?'

'Nee, dat heb ik wel.'

'Nou, dat scheelt alweer. Misschien is het handiger als ik een kopje koffie voor je zet?'

'Nou, als dat zou kunnen.'

Glimlachend stak ik mijn hand uit. 'Ik ben Lieke. Kom verder.'

'Je moet toch wat gaan doen aan dat inkoopbeleid van jou,' zei ik, terwijl ik ondertussen koffiezette en hem doordringend aankeek alsof hij mijn jongere broertje was die weer eens te laat thuiskwam.

85

'Het is inderdaad niet zo handig om net te verhuizen terwijl het ook nog eens heel druk is op mijn werk.'

'Wat doe je voor werk?'

'Ik ben cameraman. Freelance. Dat betekent in de praktijk hollen of stilstaan.'

Ik lachte hem vriendelijk toe. 'Dat klinkt fantastisch, tenzij je natuurlijk net wilt stilstaan als er gehold moet worden en andersom.'

Een grijns trok over zijn gezicht. 'Dat beschrijft inderdaad wel zo'n beetje het dilemma van de eenpitter, maar voor de rest ben ik heel erg blij met mijn werk. En wat doe jij?'

'Ik werk bij Personal Whatever,' zei ik trots. Het was misschien wat kinderachtig maar mijn herwonnen onafhankelijkheid gaf me een machtig gevoel. 'Wij leveren diensten aan gefortuneerde dames in het Gooi.'

'Diensten? Noem je dat tegenwoordig zo?'

'Nee, niet zulke diensten,' zei ik lachend en legde hem uit wat PW zo allemaal deed.

'En wat behoort tot jouw takenpakket?'

'Ik ben de groenconsulent.' Ik zei het alsof het de gewoonste zaak van de wereld was.

'Groen?'

'Groen!' zei ik met enige stemverheffing. 'Van groene stroom, beter milieu, spaarlampen, gescheiden afval, uitloopkippen en spontaan gelegde eieren. Dat soort groen.'

'Ja, dat begrijp ik ook wel.' Hij haalde nonchalant zijn schouders op alsof hij niet begreep waar ik me zo druk over maakte.

'Wist jij dat ze bezig zijn om auto's op maisolie te laten rijden? En wist jij dat groene energie niet alleen staat voor windmolens maar dat we daadwerkelijk in staat zijn om energie uit de schillen van koffiebonen te halen?'

'Nee, dat wist ik niet, maar denk jij dat de wereld er beter uit gaat zien als de mensheid de hele dag liters koffie moet drinken om maar voldoende energie te krijgen om hun espresso-machine aan de gang te houden?'

Ik keek hem aan en ik moest een beetje omhoogkijken, zo lang was hij. Hij had vrolijke kuiltjes in zijn wangen en licht twinkelende ogen. Ergens klopte zijn redenering niet maar het kostte me moeite om na te denken. Hij gaf me een knipoog. Jeetje, ik had wel eens een beroerder exemplaar op mijn netvlies gehad.

12

Nadat Bram weer was weggegaan, douchte ik, smeerde ik me in met bodylotion, lakte mijn teennagels vuurrood en keek in mijn badjas naar een of ander stompzinnig praatprogramma op de televisie. Na een uurtje zielloos staren begon ik me te vervelen.

Het was stil in huis zo zonder het vrolijke gekwek van Merel. Ik moest iets gaan doen. Eigenlijk moest ik mijn moeder weer een keertje opzoeken, maar het idee stond me zo tegen dat ik het resoluut verwierp. Ik werd er over het algemeen niet vrolijker van als ik mijn moeder ging bezoeken. Ze was best een lief mens, maar haar superkritische blik en scherpe tong konden me totaal uit het veld slaan. Volgens mij voldeed ik niet helemaal aan haar verwachtingen, maar ik had nog nooit het lef gehad om te vragen waar ze dan wel op gehoopt had. Ik wilde er niet te lang bij stilstaan en probeerde mijn gedachten op iets anders te brengen.

'Een wandeling zal je goeddoen. Een beetje gezonde buitenlucht. Dat is de remedie tegen deprimerende weekendgedachten waar gescheiden vrouwen op zaterdagochtend nogal eens door geteisterd worden,' zei ik kordaat tegen mezelf.

Heel langzaam probeerde de zon de vrieskou te laten verdwijnen. Er hing al iets van een prille lentegeur in de lucht, maar het was nog knap fris. Ik werd links en rechts door joggers ingehaald, die met handschoenen aan en wollen mutsen op over de hei renden voor hun wekelijkse portie endorfine. Ik had ergens gelezen dat je blij werd van dat gehol en dat kwam door die endorfine. Daar hoefde je overigens niet voor te rennen. Seks zorgde ook voor een dosis blije hormonen. Zou ik daarom zo chagrijnig en triest zijn – een gebrek aan endorfine?

'Zoek een vent maar ga alsjeblieft niet in je gifgroene Perry Sport-combi over de hei hollen. Dan nog liever doodongelukkig!' mompelde ik tegen mezelf.

Een jonge moeder met een allterrainbuggy kwam me tegemoet. Ze duwde haar baby al rennend voor zich uit. De zwenkwielen en speciale vering van deze luxe kar moesten ervoor zorgen dat de baby geen hersenbeschadiging opliep als zijn moeder met een noodgang door het bos racete. Ik keek nog even om en moest toegeven dat ze een redelijk strakke kont had. In ieder geval strakker dan die van mij, maar goed, ik had natuurlijk al een dochter van dertien.

'Hè gadver,' mopperde ik. Het liefst wilde ik rechtsomkeert maken. In je eentje over de hei lopen, wat troosteloos. Misschien moest ik een hond aanschaffen dan had ik tenminste een reden om over de hei te lopen. Onmiddellijk verwierp ik het idee. Ik moest er niet aan denken om de hele tijd met zo'n clicker achter je hond aan te moeten rennen.

Een man? Was dat de oplossing? Maar kon ik nog wel verliefd worden? Of zou het bij Bas blijven? Ik was vroeger altijd al jaloers geweest op mijn klasgenootjes die de fantastische gave hadden om drie keer per week hopeloos verliefd te worden. Tegen de tijd dat ik geïnteresseerd ging informeren hoe het ermee stond was er al weer iemand anders in beeld.

In gedachten liep ik verder. Ik was niet van plan om me uit

het veld te laten slaan door mijn alleengevoel, maar ik kon er niet meer van genieten. Ik sloeg een bocht om en werd bijna omver gereden door een peuter op een driewieler die met veel stemverheffing door zijn vader werd aangemoedigd om hard door te fietsen. Paps zat zelf op een damesfiets met daarachter een op ingenieuze wijze gemonteerde kinderfiets met maar één wiel. Op het geval zat een knulletje van een jaar of zes. De oudere vader had hier ongetwijfeld veel geld voor betaald ondanks het feit dat het slechts een tijdelijk item was. Want hoe lang wenste een kind aan vaders fiets vastgeklonken te zitten? Twee hijgende honden trokken de man in een genadeloos tempo voort. Het kleine ventje had het helemaal gehad met het gebrul van zijn vader en stopte abrupt. Zijn fietsje gooide hij in het gras.

'Dat is verdomme niet zo handig,' riep de vader hysterisch. Ongelukkig keek hij om zich heen. Met twee honden aan de lijn en anderhalve fiets inclusief kind, kon hij met geen mogelijkheid het driewielertje rechtop zetten. De kleuter stond ernaast te janken en was niet van plan om nog maar enige actie te ondernemen.

Was dit Karlijns voorland? Je suf kopen aan buggy's met zwenkwielen en halve fietsen die alleen met de nodige hulp van de fietsenmaker aan je eigen fiets vastgeklonken konden worden. Dan was mijn leven als jonge moeder toch een stuk makkelijker geweest, want geld voor dergelijke onzindingen had ik niet gehad.

'Hulp nodig?' vroeg ik met een grote grijns.

'Als dat zou kunnen.' Hij probeerde de wanhopige blik in zijn ogen te verbergen en trachtte het te compenseren met een stoer stemgeluid met een belachelijke vvd-intonatie.

Ik zette het fietsje rechtop en pakte de rode sjaal die hij om zijn nek had geknoopt. Hij was de regie totaal kwijt en ik was even bang dat hij in huilen uit zou barsten. Het was duidelijk iemand die zich zijn leven heel anders had voorgesteld. De kinderen had hij vast wel ingecalculeerd, maar dat het zo'n gedoe zou zijn om ze te managen had hij waarschijnlijk niet kunnen bedenken.

'Zo,' zei ik, en knoopte met de sjaal het driewielertje achter de halve fiets van zijn broertje. 'Als je nou die honden het werk laat doen, ben je zo weer thuis.'

Totaal verbouwereerd stapte hij op de te kleine damesfiets. De beentjes van het kleutertje gingen als een razende op en neer, zo snel trokken de honden het stel voort. Ik bleef naar hen kijken totdat ze de bocht omgingen en het kleine ventje nog even naar me zwaaide.

Verfrist maar niet bepaald opgevrolijkt kwam ik weer thuis. Op het moment dat ik de sleutel in het slot stak, zwaaide de deur van mijn buurman open.

'Hé Lieke, jou moest ik net hebben.'

Verbaasd keek ik hem aan. 'Tweemaal raden. Suiker, koffie, melk, de krant?'

Hij begon te lachen. 'Heb je zin om vanavond te komen eten?'

'Eh...' Dit was wel het laatste wat ik verwachtte.

'Ik kan fantastisch spaghetti klaarmaken.'

Een beetje dommig staarde ik hem aan. Vanwaar deze eer? Allerlei gedachten schoten door mijn hoofd. Was dit niet raar? Waarom vond ik dit raar? Het was maar een buurman! Een buurman, die ik niet kende! Misschien was het wel een gek die weer terug de samenleving in moest. Een gek die niets kon, behalve spaghetti maken en vrouwen aan fileermessen rijgen. 'Nou... eh... dat lijkt me gezellig. Hoe laat?'

'Zeven uur?'

Ik knikte en trok de deur achter me dicht. Nog verbaasd over de uitnodiging van Bram plofte ik op de bank neer waar ik door de *Cosmo*, *Tandarts en Tandem* en *Felderhof* bladerde. Zonder iets te lezen en zonder daadwerkelijk aandacht te schenken aan de inhoud sloeg ik de ene na de andere bladzijde om. Het interesseerde me helemaal niets en het enige wat ik deed was mezelf bezighouden. Het was een vertwijfelde poging om ervoor te zorgen dat ik maar niet aan Bas ging denken. Zou Bas nog wel eens spaghetti eten? Of at hij samen met zijn vriendin alleen nog maar haute-cuisineliflafjes op Spaanse terrassen? Hoe zou het met hem gaan? Zou hij gelukkig zijn?

Niet aan denken! Ik sloeg weer een paar bladzijden om. Een grote pot Bertolli-tomatensaus grijnsde me tegemoet. Een zenuwachtige tinteling schoot door mijn lichaam. Ik was er namelijk nog steeds niet achter of ik het nou normaal vond om bij een onbekende buurman spaghetti te gaan eten. Net toen ik besloot om Roos te gaan bellen om te vragen wat zij er nou van vond, viel mijn oog op mijn horoscoop.

De maagd gaat fijne tijden tegemoet.
Zoek het onbekende op.
Geef je over aan het avontuur,
En negeer de liefde niet.

Wel ja! Wat heb ik hier nou weer aan? Waarom staat er niet gewoon dat het prima is om vanavond spaghetti te gaan eten bij de buurman. Daar kan ik wat mee! Met een goed gemikte worp gooide ik de *Cosmo* in de prullenmand.

Met een fles wijn in mijn handen stond ik om zeven uur voor Brams deur.

'Fijn dat je er bent,' zei hij met een grote grijns.

Geamuseerd keek ik rond. Zijn huis had een merkwaardig vrouwelijke uitstraling. Het was te gezellig voor een man alleen. Opeens realiseerde ik me dat ik helemaal niet wist of hij wel alleen was. Wie weet kon er elk moment een bloedmooie blonde vrouw, met wie hij al zeven jaar getrouwd was, achter een deur tevoorschijn komen. Was daarom dit etentje? Zocht hij een gezellige buurvrouw voor zijn levensgezellin? Iemand met wie ze thee kon drinken als hij bij nacht en ontij de deur uit moest met zijn camera?

'Woon je hier alleen?'

'Ja, en naar volle tevredenheid.'

Oké, dus geen buurvrouw. Ik liep rond in het gezellige huis dat vol grappige snuisterijen stond. Art-decolampen afgewisseld met Blokkertroep. Hier moest de hand van een moeder actief geweest zijn. Ik keek naar hem zoals hij daar stond. Groot en stoer, nonchalant leunend tegen de bloemetjesbank, en ik moest opeens denken aan het kopje waarmee hij voor mijn deur had gestaan. Ook gebloemd. Hij moest wel een heel gezellige moeder hebben. Zo eentje die leuke dingetjes voor hem kocht en zijn huis schoonmaakte als hij er niet was.

'Leuk ingericht.'

'Dank je. Je wilt niet weten waar ik het allemaal vandaan heb.'

'Nou, dat wil ik dolgraag weten.'

'Ik ga altijd naar de kringloopwinkel. Daar haal je de leukste rotzooi vandaan; meubels, boeken, kleding, en het kost helemaal niks. Dan houd je nog wat over om iets heel moois en exclusiefs te kopen. Binnenkort ga ik trouwens naar een rommelmarkt. Als je zin hebt om mee te gaan?'

Ik keek hem weer verbaasd aan. Dit was dus zijn eigen smaak. Heel apart!

'Wil je wat drinken?'

'Ja, graag. Heb je witte wijn?'

'Uiteraard. Als er een dame komt eten, heb ik altijd witte wijn. Wist je dat twee op de drie vrouwen een voorkeur heeft voor witte wijn?'

'Nee, waar heb je die kennis vandaan?'

'Gewoon, proefondervindelijk.'

'Ben ik dan de derde vrouw die bij je komt eten?' Ik grinnikte een beetje om mijn eigen grap.

'Nee.' Hij sloeg zijn ogen even op. In gedachten was hij aan het tellen. 'De veertigste.'

Ik slikte even.

'Nou ja, er hebben natuurlijk wel meer dan veertig vrouwen bij mij gegeten, maar deze telling geldt vanaf mijn onwetenschappelijk experiment inzake witte versus rode wijn.'

'Meer dan veertig vrouwen? Dat is wel veel, of ben ik nou gek.'

'Wat dacht je van al mijn vrouwelijke collega's en mijn nichtje met haar jaarclub. De Jolige Bende bestaat wel uit twintig studentes.' Hij gaf me een vette knipoog en ik schoot in de lach.

Bram liep naar de stereo en vroeg waar ik van hield.

'Room Eleven?'

Op hetzelfde moment knalde mijn favoriete band uit de boxen en ik keek hem lachend aan.

'Toeval...'

'Bestaat niet,' vulde hij voor me aan.

Bram had niet gelogen. Zelden had ik lekkerder spaghetti gegeten. De tafel was prachtig gedekt met servetjes en kaarsen. Normaal gesproken zou ik het gevoel hebben gehad dat dit platonisch vooropel zou zijn. De true van de goothoor die zich alle moeite getroost om de kansen op een fantastisch fysiek toetje zo groot mogelijk te maken. Niet bij Bram. Het hele gedoe om het zo gezellig mogelijk te maken leek bij hem een doel op zich. Ik kreeg het steeds meer naar mijn zin.

Voldaan hing ik in mijn stoel. De knoop van mijn spijkerbroek had ik losgemaakt. 'Ik plof,' zei ik tegen Bram, en legde mijn handen op mijn buik zonder ook maar een moment de behoefte te voelen om deze in te houden.

'Dat is dan jammer voor je want in die vette pens moet je nog een plekje vrijmaken voor het grand dessert.'

'Heb ik een vette pens?' vroeg ik verschrikt.

'Grapje!' Hij prikte speels met zijn vinger in mijn maag en tot mijn grote verbazing kreeg ik het er warm van. 'Ik ga helaas een verschrikkelijke wet overtreden. Ik heb geen echte slagroom geklopt. We moeten het doen met een spuitbus.'

'Waar doe je moeilijk over? Dat koop ik altijd. Het is hartstikke lekker!'

'Dat zeg je nooit meer, anders volgt een vreselijke straf.'

'Wow, wat voor straf?'

'Dan trek ik je kleren uit en dan spuit ik met grote letters FOEI op je naakte lichaam.'

'En daarna?' vroeg ik met een rood hoofd.

'Wat denk je nou zelf? Dan zet ik je onder de douche. Slagroom plakt als de ziekte.'

Ik slikte even en betrapte mezelf erop dat ik op een ander antwoord had gehoopt.

Rond een uur of tien zat ik met een kopje koffie en een glaasje Tia Maria op de bloemetjesbank naar *The Notebook* te kijken. Bram, groot en stoer, zat naast me.

'Ga je eigenlijk huilen bij dit soort films?'

'Soms,' zei ik lichtelijk gegeneerd. Ik was niet zo van het overvloedig janken en al helemaal niet bij vreemde en aantrekkelijke mannen. Dat vond ik domweg niet stoer.

Hij stond op en kwam met een pak Kleenex terug en zette het op tafel alsof het de normaalste zaak van de wereld was.

'Bram, ben jij een metroman?' Ik keek hem met grote ogen aan.

'Alleen als het niet anders kan.'

'Hoe bedoel je?'

'Nou ja, soms heb je geen andere mogelijkheid. Een tram vind ik prima, maar een metro gaat ondergronds. Dat blijf ik onprettig vinden.'

Ik schoot in de lach, de tranen sprongen in mijn ogen. 'Gek! De metroman is de ideale man. Hij is lief, sensitief, denkt mee, besteedt aandacht aan zijn kleren en is niet vies van een beetje cosmetica. Hij is je beste vriendin, maar dan in de vorm van een man. Zoiets.'

'Je bedoelt een homo?'

'Nee, dat nou juist weer niet.'

'Dit is typisch iets voor vrouwen.'

'Wat?'

'Om mannen in hokjes te duwen. En nee, ik gebruik geen lippenstift en ik draag soms drie dagen dezelfde onderbroek. Nou, houd je mond. De film begint.'

Het zal de ellende van de afgelopen jaren zijn geweest, het vreemdgaan van Bas, de scheiding, mijn debetsaldo bij de bank, mijn idiote baan bij PW. Kortom, alles wat me was overkomen. We waren nog niet halverwege de film of ik sleurde al jankend het ene na het andere Kleenexpapiertje uit de box.

'Zeg, gaat het wel goed met je?' vroeg Bram bezorgd.

'Heel emotionele film,' zei ik tussen twee snikken door.

Alsof het de normaalste zaak van de wereld was, sloeg hij een arm om mij heen en legde ik mijn opgezwollen en snotterige hoofd op zijn schouder. Hij wist het zelf nog niet maar hier zat een metroman zonder mascara.

13

De volgende ochtend bleef ik eindeloos lang in mijn bed liggen. Merel zou niet voor twaalf uur thuis zijn en ik had besloten om het er als werkende moeder eens goed van te nemen. Ik liet mijn voeten genoegzaam langs elkaar glijden, een soort van euforische blijdschap kwam over mij heen. Uitslapen! Net zolang als ik dat zelf wilde. Treuzelig opstaan, douchen en ontbijten. De krant lezen en vervolgens opnieuw beginnen bij de voorpagina, voor het geval ik iets gemist zou hebben. Een grote pot thee met biscuitjes erbij. Ik zuchtte tevreden.

Zonder al te veel inspanning zou ik richting lunch gaan. Met fruit, veel fruit. En daarna zou ik op de bank gaan liggen. Met een goed boek, muziekje erbij. Of misschien zou ik wel naar een heel stom televisieprogramma gaan kijken. Terwijl ik heerlijk fantaseerde over hoe ik mijn dag ging indelen ging de telefoon.

'Met Lieke?'

'Met de buurvrouw van je moeder.'

Ik schoot rechtovereind. 'Is er wat gebeurd?' zei ik geschrokken.

Shit, was ik gisteren nou maar wel bij haar op bezoek gegaan. Zul je net zien dat ze vannacht van de trap was gevallen, in een honderdjarige coma terecht was gekomen en voor de rest van haar leven geen zinnig woord meer zou kunnen uitbrengen. Niet dat ik ooit een goed gesprek met haar had gehad, maar dat deed er nu even niet toe.

'Er is niets aan de hand. Dat wil zeggen, niets ernstigs op dit moment, maar ik zou toch graag even met u willen praten.'

Ik slikte even en voelde mijn hart naar en luidruchtig kloppen. 'Kan het over de telefoon?'

'Het is waarschijnlijk beter als u even bij mij langskomt. Zullen we zeggen over een halfuurtje?' Zonder nog wat te zeggen, hing de buurvrouw op.

Nou ja zeg! Zelden had ik een dwingender exemplaar meegemaakt. Als een haas schoot ik mijn bed uit en nam een snelle douche. Twintig minuten later reed ik in mijn oude Barrel naar de buurvrouw van mijn moeder.

Onopgemaakt en in mijn oudste spijkerbroek zat ik niet veel later aan een klein eettafeltje met een Perzisch kleedje erover. In het midden stond een bloempot met iets wat ik herkende als een primula. De buurvrouw zelf had gepermanent zilvergrijs haar, ze droeg een Trevira 2000-bloemetjesjurk waar ze vooral niet te dicht mee bij het vuur moest komen, en had vaalbruine steunkousen om haar oude gespataderde benen. Volgens mij had ze zich in haar hele leven nog nooit druk gemaakt om hamertenen die onooglijk uit sandaaltjes staken, was het woord cellulitis haar totaal onbekend, en veel verder dan een strak korset reikte haar gevoel voor fashion niet. Waarschijnlijk was ze heel gelukkig.

'Niet dat het veel haast heeft, hoor. Maar ik vond het toch beter dat je even kwam,' zei ze, en keek me met haar kraaloogjes doordringend aan.

Ik had me wel eens vaker afgevraagd wat het toch was met mij en oude mensen. Óf ze wonnen mijn sympathie bij de eerste oogopslag, óf ik vond ze onmiddellijk vreselijk onvriendelijk. Ik plaatste de buurvrouw van mijn moeder in het hokje bejaarde krengen, ook al had het arme mens mij nog niks misdaan.

'Kunt u mij vertellen wat er aan de hand is? U bezorgde me bijna een hartverzakking, mevrouw...?'

'Klepel. Klepel is de naam. En ik weet precies waar die hangt.' Ze begon hysterisch te lachen en ik voelde een onbeschrijfelijke weerstand opkomen tegen deze dame.

'U belde mij over mijn moeder, mevrouw Klepel. Is er iets waar ik mij zorgen over moet maken?'

'Ja, dat moet u. Ik heb een zus, ziet u.'

Ik begon te zuchten en hoopte dat ik nog vóór Merel thuis zou komen. 'U heeft een zus...'

'Ja, en die begon op zekere dag te dementeren.' Ze keek me aan alsof haar zus de eerste dementerende bejaarde van Nederland was. 'Eerst hadden we het niet zo goed in de gaten, maar op een gegeven moment werden we gebeld dat mijn zus in haar duster bij de afdeling melkproducten van de Albert Heijn stond. Ze bleef maar roepen dat ze de aardappelen niet kon vinden. Toen wisten we dat er iets mis was.'

'Ja, in je duster behoor je natuurlijk niet in de Albert Heijn te staan.'

Mevrouw Klepel keek me streng aan. 'Aardappelen liggen natuurlijk niet bij de zuivel!'

Nerveus keek ik naar de grote Friese staartklok. Hoe lang ging dit nog duren en waarom had ik geen briefje neergelegd voor Merel? Straks zou ze zich nog ongerust maken.

'Nu heb ik gelezen dat je het proces van dementeren kunt vertragen als je liefdevol wordt opgenomen in het huis van je kinderen.'

Ik keek haar fronsend aan. Dit leek me klinkklare onzin. Maar ondanks mijn verbaasde blik praatte ze gewoon door.

'Wetenschappers hebben daar jarenlang onderzoek naar gedaan! Het schijnt dat het geheugen wordt gestimuleerd als je bij je dierbaren wordt ondergebracht. Dat hadden ze met mijn zus ook moeten doen maar dat wilden haar kinderen niet.' Ze keek me vijandig aan. 'Zus zit nu dus in een verpleegtehuis. Om vier uur in haar pyjamaatje in bed en één keer per week douchen, wegens gebrek aan personeel. Schande.'

'Oké, mevrouw Klepel, wat heeft dit allemaal met mijn moeder te maken?'

'Uw moeder begint ook te dementeren en ik denk dat het verstandig is als u haar liefdevol in uw huis opneemt.'

Alsof iemand mij in een vrieskist donderde, zo'n enge kilte gleed door mijn lichaam. Ik begon spontaan te trillen en morste daardoor de helft van mijn koffie op het Perzische kleedje, waarop buurvrouw onmiddellijk opstond en als een gek aan het poetsen sloeg.

'Waarom denkt u dat mijn moeder begint te dementeren?' vroeg ik na een stilte die volgens mij wel tien minuten duurde.

'Omdat ik haar laatst in haar onderbroek in de tuin zag staan.'

'Misschien had ze daar een goede reden voor?' Ik realiseerde mij dat dit een belachelijke vraag was. Wat voor een goede reden kon je hebben om in je onderbroek in de tuin te gaan staan?

'Ze riep dat de purser onmiddellijk een deckchair moest brengen. Ik heb haar naar binnen gebracht en gezegd dat de boot elk ogenblik kon aanmeren en dat ze beter naar haar vertrekken kon gaan.' Ze keek me aan met een blik die vroeg om een complimentje voor dit heldhaftige optreden.

'Goed gedaan, mevrouw Klepel, mijn moeder heeft jarenlang cruises gemaakt en daar heeft ze prettige herinneringen aan. Misschien was ze wel aan het slaapwandelen en droomde ze dat ze op de Atlantische Oceaan zat. Zijn er nog meer incidenten geweest?'

Ze zwaaide afkeurend met haar hand. 'Breek me de bek niet open.'

'Zover zou ik niet willen gaan, maar ik zou toch graag wat meer willen weten om de ernst van de situatie in te kunnen schatten.'

'Met enige regelmaat hangt ze uit het raam en roept ze poekie, poekie, poekie. Zegt je dat wat? Hebben jullie vroeger misschien een kat gehad die zo heette?'

Ik knikte beschaamd. Poekie was onze cyperse kater. Het kreng had de hele buurt onveilig gemaakt en was een nare dood gestorven onder de wielen van een vrachtauto.

'Ook wil je moeder 's nachts nog wel eens tekeer gaan.' Ze keek me misprijzend aan.

Met opgetrokken wenkbrauwen van verbazing keek ik mevrouw Klepel aan. Veel gekker moest het niet worden.

'Bedoelt u te zeggen dat mijn moeder 's nachts bezoek heeft?' Een misselijkmakend gevoel kwam omhoog. Ouders behoorden geen seks te hebben en bejaarde ouders al helemaal niet. Althans niet in mijn beleving. Ik vermoedde dat Merel er ook zo over dacht en dat betekende dat ook ik geen seksleven diende te hebben. Dat klopte helemaal, maar daar wilde ik nu al te lang bij stilstaan.

Mevrouw Klepel boog voorover en fluisterde: 'Dan gaat ze dansen.'

Ik haalde opgelucht adem. Dat scheelde alweer. Ik was er op dit moment in mijn leven niet aan toe om een vreemde tachtigjarige grijsaard opeens stiefpapa te moeten gaan noemen.

'Mevrouw Klepel, hartelijk dank voor deze informatie. Ik moet nu echt eerst dringend naar huis, want mijn dochter kan elk moment op de stoep staan, maar ik ga vanmiddag wel even bij mijn moeder op bezoek om zelf een beeld te krijgen.'

Met veel gedoe werd ik het huis uitgelaten en chagrijnig liep ik naar mijn oude Barrel. Verbeeldde ik het me nou of stond mijn moeder achter de gordijnen te gluren?

14

Peinzend stond ik even later in mijn tas te graaien naar de sleutel van de voordeur. Het laatste waar ik op zat te wachten was een dementerende moeder die permanent haar intrek ging nemen in de logeerkamer.

Shit, waar is die rotsleutel? Ik liep terug naar mijn auto, maar daar lag hij ook niet. De enige conclusie die ik kon trekken was dat hij nog binnen op de tafel lag. Ik moest dus wachten op Merel en hopen dat zij een sleutel had. Een uitermate kleine kans. Er waren grote overeenkomsten tussen pubers en bejaarden. En vergeetachtigheid was daar een van.

De enige mogelijkheid die nog resteerde was om via het balkon van mijn nieuwe buurman Bram door het raam van mijn slaapkamer naar binnen te klimmen. Lang en nijdig belde ik bij hem aan. Het duurde even voor er werd opengedaan en onmiddellijk had ik spijt van mijn ongeduldige geram op de bel. Bram had precies datgene gedaan waar ik zo'n zin in had. Lang uitslapen. Slaperig keek hij me aan, zijn haren piekten wild alle kanten op. Hij stond voor me in een geruite pyjamabroek, die wat laag hing en dus een schitterend uitzicht bood op zijn strakke onderbuik. Zijn bovenlichaam was helemaal bloot. Een bijzonder gespierd bloot bovenlichaam. Ik geloof dat ik net iets te lang en met net iets te geopende mond naar hem stond te staren.

'Zeg het eens, buurvrouw.' Hij gaapte en haalde een hand door zijn haar.

'Sorry dat ik je uit bed bel, maar ik ben de sleutel vergeten. De enige manier om binnen te komen is via jouw balkon. Mijn slaapkamerraam staat namelijk altijd open.'

Hij zei niets en hield uitnodigend de deur voor mij open. 'Als je hier vaker last van hebt, kun je misschien beter bij mij een sleutel neerleggen.'

Ik draaide me om, de tranen stonden me in de ogen. 'Heb jij ervaring met dementerende mensen?'

'Ho ho, rustig aan. Het is heel normaal, hoor, om af en toe je sleutel te vergeten. Dan ben je heus nog niet aan het dementeren.'

'Nee, ik niet, sufferd. Je begrijpt ook niks! Mijn moeder dementeert.'

'Wacht even. Ben ik nou opeens een sufferd die niks begrijpt? Gisteren was ik nog zo'n lekkere sensitieve retroman.'

'Metroman, Bram. Je bent een metroman!'

'Ook goed. En nee, ik heb geen ervaring met dementerende ouders maar ik weet wel dat je je niet schuldig moet voelen als je eens een keer onaardig tegen ze bent.'

'Hoezo?'

'Dat zijn ze onmiddellijk weer vergeten.' Hij keek me grijnzend aan.

Een glimlach verscheen op mijn gezicht. 'Kun je me helpen om binnen te komen?'

'Natuurlijk.' Hij joeg mij resoluut de trap op en even later kroop hij als eerste door het raam om mij er vervolgens doorheen te trekken. Shit, wat voelde dat lijf lekker sterk. Ik kreeg er een rood hoofd van.

'Poeh, poeh, wat een gedoe. Ik heb het er warm van gekregen,' zei ik schijnheilig.

'Misschien was het verstandiger geweest als ik er alleen doorheen was geklommen en de voordeur even voor je had geopend. Dat zou wel zo galant zijn geweest van de metroman!'

Gierend van de lach liet ik me op de rand van mijn bed neerzakken. Bram keek me grijnzend aan, zijn armen gevouwen over zijn goddelijke blote borst.

'Hoi mam, ik ben weer thuis.' De slaapkamerdeur ging open en met een afkeurende blik keek Merel ons aan.

Wat zou ze gedacht hebben? Een hysterisch lachende moeder en een half ontblote aantrekkelijke man in pyjamabroek samen in de slaapkamer.

'Hoi, ik ben Bram, je nieuwe buurman.'

'Merel, de dochter van die daar,' ze wees flauwtjes in mijn richting, draaide zich om en zei dat ze haar huiswerk ging maken. Vaag hoorde ik haar nog iets mompelen dat het niet veel gekker moest worden.

Even later zat ik met Bram aan de grote tafel koffie te drinken en deed ik hem het hele verhaal van mevrouw Klepel uit de doeken. Met mijn nieuwe, half blote buurman zat ik te kletsen alsof ik hem al jaren kende en ik vond het de normaalste zaak van de wereld.

'Bram, ik ga je iets heel ergs vertellen.'

Hij keek me grijnzend aan.

'Ik houd helemaal niet van mijn moeder en ik moet er niet aan denken dat ze hierboven op zolder haar intrek neemt.'

'Waarom niet?'

'Omdat ik zielsgelukkig was toen ik het huis verliet om te gaan studeren in Amsterdam. Ik was zo blij dat ik eindelijk mijn eigen boontjes ging doppen.'

'Wat heb je gestudeerd?'

'Kunstgeschiedenis, maar ik heb het niet afgemaakt. Ik kreeg Merel en ik ging trouwen.'

'En weer boontjes doppen?'

'Ja.' Ik grijnsde als een boer met kiespijn. Wat had Bram gelijk! 'Touché, maar ik ben eigenlijk niet van plan om dat straks voor mijn moeder te gaan doen. Ik weet dat het heel onaardig is, maar het idee alleen al dat ze hier in mijn huis rondschuifelt.'

'Persoonlijk zit ik er ook niet op te wachten om buurman te zijn van drie generaties vrouwen, maar wat moet, dat moet.'

'Dus jij vindt ook dat ik haar bij mij in huis moet nemen?'

'Ik zou eerst maar eens even afwachten of ze dat zelf wel wil.'

Ik keek hem opgelucht aan. Natuurlijk, dat ik daar niet aan gedacht had! Het laatste wat mijn moeder wilde was bij mij in huis wonen. Dat wist ik zeker. Blij doopte ik mijn koekje in de koffie. 'Dank je, Bram.' Ik legde mijn hand op zijn onderarm. Het ging als vanzelf en ik had er volstrekt geen bedoeling mee. Toch kreeg ik het er heel warm van.

'Geen dank.' Hij gaf me een dikke knipoog.

En zo trof Roos ons aan. Roos, die uiteraard een sleutel van mijn huis heeft en dus ook niet aanbelt als ze komt. Roos, die met enige regelmaat binnendendert en dan aanschuift bij datgene wat Merel en ik op dat moment aan het doen zijn. Nu bleef ze met open mond in de deuropening staan.

'Hé Roos, kom verder. Dit is Bram, mijn nieuwe buurman.'

Totaal verbouwereerd gaf Roos hem een hand. Haar mond stond nog steeds een beetje open en het enige wat ze zei was: 'Zo... nou... goh.'

'Ik ga maar weer eens,' zei Bram. 'Als je het niet erg vindt, ga ik weer via de slaapkamer. Ik heb mijn sleutel nog thuis liggen.'

Ik knikte alsof het de normaalste zaak van de wereld was dat mijn buurman via het slaapkamerraam mijn huis verliet en binnenkwam. 'Moet ik je nog een duwtje geven of kom je er alleen wel uit?'

'Gaat wel lukken. Laat maar weten wanneer ik je moeder moet verhuizen.'

Perplex zakte Roos neer op de stoel waar zo-even nog de halfblote Bram had gezeten. Met grote vragende ogen keek ze me aan.

'Ik heb een probleem, Roos.'

'Wat hier net zat, zou ik niet echt een probleem willen noemen.'

'Ma begint te dementeren.'

Roos knikte langzaam alsof ik niet helemaal goed was.

'Nou denkt Bram, mijn nieuwe buurman dus, dat het heel goed mogelijk is dat mijn moeder helemaal niet bij mij in huis wil wonen.'

Zonder wat te zeggen schonk Roos koffie in het kopje van Bram en doopte er vier koekjes tegelijk in; ondertussen bleef ze maar knikken.

'Bram is trouwens een metroman. Wist je dat?'

Roos keek me aan. 'Nu graag even in chronologische volgorde, oké?'

15

Maandagochtend was ik al vroeg op kantoor. De Roemeense werkster zwabberde nog met een nat lapje door het pand en had voor de gelegenheid een vriendin meegenomen die het vak nog moest leren.

Ik bood hun een kopje koffie aan maar dat werd resoluut geweigerd en nadat het hulpje nog een keer de emmer met sop omstootte en Kailya met veel gemopper en gescheld de boel opruimde, vertrokken ze.

Pas tegen elf uur kwam Suus op kantoor. Ze had duidelijk een heftig weekend achter de rug. Haar gezicht was opgezwollen en het hele palet aan Diormaquillage kon niet verhullen dat ze er beroerd uitzag. Een schreeuwend contrast met haar perfect zittende kleding.

'Kopje koffie, Suus?'

'Graag, doe maar een dubbele espresso.'

'Heftig weekend gehad?'

Ze knikte slechts maar gaf geen antwoord op mijn vraag. Koeltjes keek ze me aan en zei: 'Op maandag nam ik altijd met Karlijn de weekplanning door, dus als je zo even tijd hebt?'

'Prima, geen enkel probleem, maar op maandagochtend hebben jullie toch altijd de walk-in?'

Suus keek me vragend aan.

'Je weet wel. De koffieochtend voor de collega's? Daar hebben jullie me over verteld tijdens het sollicitatiegesprek.'

'O, dat. Ja, dat klopt, maar er komt nooit iemand. Maar als jij er behoefte aan hebt om even samen met mij een walk-in te houden, dan kan dat hoor.'

'Laten we maar een kopje koffie tijdens de weekplanning nemen. Dat is wel zo efficiënt.' Ik grijnsde haar toe.

Een uur lang was ik getuige van een volstrekt lusteloze Suus. Het enige wat ze deed was continu op haar mobieltje kijken of er nog berichten waren. De eenvoudige weekplanning met maar drie opdrachten kreeg ze met geen mogelijkheid ingepland. Ik begon me zorgen te maken.

'Suus, is dit alles wat we aan opdrachten hebben deze week?'

'Ja, maar meestal komt het werk pas op dinsdag binnen. Maandag is een beetje een tamme dag.'

'Waarom maak je dan de weekplanning op maandag?'

'Goede vraag.' Ze keek me langdurig aan, alsof ze iets slims wilde zeggen maar het niet zo een-twee-drie kon bedenken.

'Omdat we het al jaren zo doen?'

'Maar misschien is het dan toch handiger om de freelancers pas morgen in te plannen. Dan hebben we een beter beeld en kunnen we ze meteen voor meerdere klussen inschakelen.'

'Ook prima.' Ze schoof de laptop naar me toe, waaruit ik concludeerde dat dit klusje vanaf nu tot mijn werkterrein behoorde.

Tot mijn verbazing pakte ze een flesje nagellak uit de la van haar bureau en ging ze uitgebreid haar nagels lakken. Terwijl ze verveeld op haar pasgelakte nagels blies, zei ze: 'Die oude en verroeste Fiat, is die van jou?'

Ik knikte en probeerde haar aan te kijken met een blik van 'is er iets mis mee', maar ik faalde daarin jammerlijk en voor het eerst van mijn leven baalde ik van mijn gebrek aan een vette bankrekening.

'Daar kunnen we natuurlijk niet mee aankomen bij onze cliënten.'

'Nee, dat zullen die drie cliënten niet echt waarderen,' zei ik lichtelijk geïrriteerd, maar de ondertoon ontging haar.

'We hebben een bedrijfskarretje. Hij staat in de parkeergarage De Nieuwe Brink in de Kerkstraat. Vak 19. Die plek hebben we gereserveerd. Ik heb liever dat je die gebruikt als je op cliëntenbezoek gaat.' Ongeïnteresseerd schoof ze me de sleutels toe.

'Waarom staat die niet hier op de parkeerplaats?'

'Sommige auto's horen een dak boven hun hoofd te hebben.' Ze keek me aan alsof dit een volstrekt normaal antwoord was en ging weer verder met het lakken van haar nagels.

De telefoon begon keihard te rinkelen. Suus deed niets en keek slechts verontwaardigd naar de rinkelende telefoon.

'Wil je dat ik opneem?' vroeg ik.

'Dat is het werk van Nadja,' antwoordde ze kortaf.

'Nadja is er niet.' Ondertussen rinkelde de telefoon maar door en als we niet snel waren zou cliënte nummer vier wel eens kunnen ophangen.

'O, dan moet het vandaag maandag zijn. Maandag is haar vrije dag.' Met een trage beweging nam ze de telefoon op. 'Met Personal Whatever.'

Poeslief hoorde ik haar antwoorden dat we heel graag op intakegesprek wilden komen, maar dat het vreselijk druk was en dat we daar de komende dagen geen gelegenheid voor hadden. Als een debiel stond ik voor haar te zwaaien en op mezelf te wijzen. Was ze nou helemaal gek geworden? We hadden alle tijd van de wereld. Tot mijn verbazing hing ze weer op.

'Wat doe je nou, Suus? We hebben toch alle tijd?'

'Les 1: je moet de dames altijd even laten wachten, anders maak je ze veel te belangrijk en daar heb je later alleen maar last van.'

Verbaasd trok ik mijn wenkbrauwen op. 'Dat kan wel zo zijn, maar het lijkt me toch verstandiger om haar nu terug te bellen en te zeggen dat we nog een piepklein gaatje in onze overvolle agenda hebben gevonden en dat we er om drie uur kunnen zijn.'

'Goed idee.' Ze keek me stralend aan, maar dat duurde niet lang omdat ze vervolgens verschrikt uitriep dat ze het nummer niet genoteerd had.

Zuchtend pakte ik de telefoon en drukte op het knopje voor het laatste nummer en maakte kordaat een afspraak bij een dame in Blaricum, maar vroeg me wel af in wat voor een gekkenhuis ik terecht was gekomen.

Ik had nog niet opgehangen of mijn mobiel ging over. De afdelingsleider van Merel. Merel was niet op school gekomen. Of Merel soms ziek was? Mijn hart sloeg wild een paar slagen over. De vreselijkste visioenen verschenen op mijn netvlies.

'O shit, Suus,' zei ik nadat ik had opgehangen. 'Er zal toch niet iets gebeurd zijn?' Ik keek haar paniekerig aan.

'Ben je mal! Die zit gewoon lekker thuis,' zei Suus op droge toon. 'Dat deed ik vroeger ook altijd en dan belde mijn moeder de buurvrouw en die joeg ons dan het huis uit. Heel simpel. Moet je ook doen. Heb je een buurvrouw?'

Ik luisterde niet en draaide ondertussen zenuwachtig het mobiele nummer van Merel. 'Gezellie dat je belt. Ik ben er niet. Ik doe leuke dingen. Later!' zei Merels zangerige stem.

'Ze neemt niet op! Ze zal toch geen ongeluk hebben gehad? Moet ik de politie bellen of eerst het ziekenhuis?' Ik bleef Suus paniekerig aankijken. Het kostte me moeite om te denken.

'Bel nou gewoon de buurvrouw! Je hebt toch wel een buurvrouw?'

Bram! Ik had gisteravond nog een reservesleutel bij Bram neergelegd en hij had mij zijn mobiele nummer gegeven voor het geval dat. Dit was zo'n geval dat en ik belde hem onmiddellijk.

Nerveus trommelde ik met mijn vingers op het bureau. 'Neem op, Bram. Neem op!'

'Hoi Bram, met Lieke. Hé, ik heb een probleem. De school van Merel heeft gebeld. Ze is er niet. Ik maak me hartstikke ongerust. Wil jij even kijken of ze thuis is?'

'Ik ga wel even kijken. Maak je maar geen zorgen, die is gewoon aan het spijbelen. Ik bel je zo wel terug.'

Vijf minuten later belde Bram terug. 'Ze zitten te monopolyen. Er is niets aan de hand.'

'Niets aan de hand?' gilde ik terug. 'Ik ben duizend doden gestorven en die tut zit een beetje thuis een spelletje te spelen!'

'Ze heeft de Lange Poten, de Kalverstraat en het Plein. Volgens mij gaat ze winnen.'

'Met wie zit ze daar te spijbelen?' gilde ik weer door de telefoon.

'Met Pien.' Hij zei het alsof het de normaalste zaak van de wereld was. 'Ga jij nou maar lekker aan het werk. Ik regel het wel.'

Met nog steeds een wild bonkend hart hing ik op. Met moederschap kwam schuldgevoel en angst. Het was een oude wijsheid maar vreselijk waar.

'Zie je wel! Die zit gewoon thuis. Dat zei ik je toch.' En in één adem vroeg Suus of ik wat voor haar wilde doen als ik toch naar Blaricum ging.

Ik knikte en vroeg me af wat voor idioot klusje ik nu weer in de maag gesplitst kreeg.

'Wil je een pakketje voor me afleveren bij mevrouw Dubois?' Ze overhandigde me het adres en schoof me een wit envelopje toe.

'Wat is het?' vroeg ik nieuwsgierig.

'Het is van Tanja. Een dieetschema voor mevrouw.' Ze keek me aan met een waarschuwende blik dat nieuwsgierigheid leuk was, maar wel grenzen kende.

Ik stopte het in mijn tas en liep naar de parkeergarage in de Kerkstraat. Ik hijgde een beetje. De adrenaline zat nog in mijn bloed. Doe ik er wel goed aan om te gaan werken, vroeg ik mezelf af. Heeft Merel me niet gewoon nodig? Spijbelen! Totaal in gedachten liep ik de parkeergarage binnen.

'Dit is toch niet te geloven. Valt dit onder lifestyle?' mompelde ik tegen mezelf toen ik het lichtgroene, jeepachtige autootje zag staan met dikke banden en knalgele hardtop. 'Wat een afzichtelijk geval! Welke idioot rijdt hierin?'

Het kostte me veel moeite om de sleutel in het slot te krijgen en net toen ik een poging deed om de sleutel om te draaien, begonnen alle lichten van het autootje te branden en te knipperen. Een oorverdovend gejoel ging door de parkeergarage. Op datzelfde moment kwam een geblondeerde dame in een nepbontjasje op mij afrennen. Ze riep iets maar ze werd overstemd door het alarm. In haar ene hand droeg ze een grote handtas in krokodillenprint en in haar andere had ze drie grote tassen met pas aangeschafte aankopen. Ze zwaaide er vervaarlijk mee.

'Blijf met je poten van mijn auto af, klerewijf,' gilde ze boven het alarm uit.

Verbaasd keek ik haar aan. Shit! Vak 17! De PW-auto stond twee vakken verderop.

De geblondeerde dame begon steeds harder te gillen en inmiddels kwam de portier er ook al aangerend. Zenuwachtig door het gekrijs van het blondje, het gillende alarm en de aanstormende portier probeerde ik zo snel mogelijk de sleutel uit het slot te trekken, maar de sleutel gaf niet mee. Ik draaide en wrikte en het volgende moment schoot de sleutel uit het slot en trok een ellendig diepe kras in de lichtgroene lak. De geblondeerde ging nu helemaal over de rooie en het oorverdovende gejoel trok inmiddels al aardig wat ramptoeristen, waarbij er eentje met zijn mobieltje de politie op de hoogte stelde.

'Ik neem even een paar steekwoorden uit het proces-verbaal met u door. Poging tot diefstal dan wel vernieling van object met sleutel en belediging van ambtenaar in functie.'

'Ik probeer het nog één keer,' zei ik wanhopig. 'Er is hier sprake van een misverstand. Vak 19 en 17 heb ik door elkaar gehaald. Dat kan toch de beste overkomen?'

'U weet zelf niet in wat voor auto u rijdt?'

'Het is de auto van de zaak. Ik werk daar nog maar net. Wist ik veel! Belt u dan even naar Personal Whatever en vraag naar Suus van der Schoon.'

'Dat hebben we al gedaan. Er wordt niet opgenomen.'

Verbaasd keek ik de agent aan, die mij spottend aankeek en zei: 'En wat dacht u van belediging van een ambtenaar in functie? Was het nou echt nodig om de dienstdoende agent te omschrijven als een machtswellustig naaktslakje met pet?'

'Ik vond het wat overdreven om mij met zo veel gedoe af te voeren,' sputterde ik tegen.

'Dat was inderdaad niet nodig geweest als u zich iets minder had verzet. U mag trouwens hier uw handtekening zetten.'

'Luister, dit berust echt allemaal op één groot misverstand.

Waarom gelooft u mij nou niet?' Het kwam er wat jankerig uit.

'We hebben toch graag dat u iemand belt die zich hier vervoegt om ook nog eens uit te leggen dat dit alles berust op één groot misverstand!'

Die zich hier vervoegt? Uit welk jaartal kwam deze diender? Hij bleef me maar aankijken en het was nu de bedoeling dat ik een zeldzaam betrouwbare naam uit mijn mouw schudde.

Uiteindelijk gaf ik hem het mobiele nummer van Bram.

Tien minuten later stond Bram hijgend op de stoep van het bureau. 'Het moet niet veel gekker worden, Lieke. Ik kom net bij de afdelingsleider vandaan, waar ik Merel heb afgeleverd en nou moet ik jou weer vrijspreken?'

Ik glimlachte magertjes.

Rustig en zonder ook maar de agent te beledigen, wat ik heel knap vond, antwoordde Bram op alle vragen die de agent hem stelde. Met een serieus gezicht en met vooral veel respect voor de man in functie, waardoor ik binnen een halfuur weer op straat stond.

'Zeg, wat zijn jullie voor familie? Ik ben heus de beroerdste niet en ik wil best wat buurmandiensten leveren, maar dit gaat toch wel heel ver.' Bram keek me onderzoekend aan.

Ik schaamde me kapot en wist absoluut niet wat ik moest zeggen. Gelukkig was het niet zo druk in de brasserie waar we zaten na te hijgen van mijn hachelijke avontuur op het politiebureau. Ik hoopte maar dat mijn rode hoofd van schaamte niet al te veel opviel.

'Neem alsjeblieft drie stukken taart en zes dubbele espresso's op kosten van Personal Whatever.'

'En dan komt er straks ook nog je moeder bij! Ik ben veel thuis maar ik moet zo af en toe ook nog wel eens werken. Zo her en der een filmpje opnemen, als je begrijpt wat ik bedoel.'

'Shit, shit, shit!'

'Wat?' vroeg Bram paniekerig. Hij voelde de bui al hangen. 'Ik ben gisteren helemaal niet meer bij mijn moeder langs geweest. Ik ben het helemaal vergeten! Hoe kan me dat nou toch overkomen?'

'Dan ga je toch na je werk?'

'Ja, en Merel dan?'

'Ik vang Merel wel op. Dan kook ik meteen voor je.' Hij stond op en wierp me een handkus toe. Stomverbaasd keek ik hem na. Wat moest ik hier nou toch van denken? Deze buurman, die ik amper een week kende, bracht Merel na een ochtendje spijbelen weer naar school, bevrijdde mij uit het politiebureau en ving mijn dochter op terwijl ik mij ging ontfermen over mijn demente moeder. Waar had ik dit aan verdiend?

Even schoot het weer door me heen dat hij ook een psychopaat kon zijn. Eentje die langzaam en met veel genoegen naar zijn einddoel werkte: vrouwen levend door gehaktmolens draaien, maar ik verwierp mijn gruwelfantasie onmiddellijk. Beetje vertrouwen in de mensheid kon geen kwaad. Zeker niet als het hier een zeldzaam exemplaar van een metroman betrof met een goddelijk bovenlichaam. En wellicht ook onderlichaam, maar daar had ik helaas nog geen zicht op gehad.

Tien minuten later reed ik in de lichtgrijze Mini Cooper, de bedrijfsautomobiel van PW die keurig geparkeerd stond in vak 19, richting Blaricum. De envelop voor mevrouw Dubois lag naast me. Dieetschema! Een zakje coke lag meer in de lijn. Ik grijnsde om mijn eigen zotte gedachte, maar schrok me vervolgens met terugwerkende kracht lam. Stel dat het inderdaad zo was, dan had ik met een envelop met drugs op het politiebureau gezeten! Als ze mijn handtas hadden doorzocht, had ik nu voor een jaartje of vijftig achter de tralies kunnen verdwijnen. 'Waar ben ik in hemelsnaam mee bezig?' riep ik vertwijfeld uit, terwijl ik de Mini hard op zijn staart trapte.

16

Ondanks het oponthoud op het politiebureau was ik gelukkig nog op tijd voor mijn eerste intakegesprek bij mevrouw Langhout. Haar landgoed werd afgeschermd door een enorm hek en zenuwachtig drukte ik op het knopje van de intercom. Het enige wat er gezegd werd, was een 'kom verder', waarna de grote toegangspoort zacht zoevend openging.

Ik was op alles voorbereid, maar toen de deur openging, kon ik een blik van verbazing niet verbergen. De vrouw des huizes was niet groter dan een meter veertig. Het duurde even voor ik haar zag.

'Mevrouw Langhout?' vroeg ik zo enthousiast mogelijk.

Het dametje, dat volgens mij permanent last moest hebben van nekkramp, glimlachte mij breed toe en sleurde mij zo ongeveer haar huis binnen. Op haar kleine minibeentjes rende ze voor mij uit naar de salon, die in de meest afgrijselijke bruintinten was ingericht.

'Mevrouw Langhout, wat kan ik voor u betekenen?' vroeg ik, nadat ze me had voorzien van koffie met boterkoek.

'Mijn man wordt over een week vijfenvijftig.'

'Laat me raden. U wilt een feestje voor hem organiseren.'

Ze keek me meewarig aan. 'Ja, nee, ook, maar...'

Lieke, laat dat mens uitpraten, schold ik op mezelf.

Ze haalde diep adem, alsof het haar heel veel moeite kostte om haar vraag te formuleren. 'Ik wil hem een nieuwe IK cadeau doen. Jullie moeten me helpen om te veranderen in een...'

'In een...' vroeg ik, en knikte haar bemoedigend toe, alsof ik een stotterend kind voor me had.

'In een dame van...' Ze keek me angstig aan.

'Wat voor dame?'

'... een supergeil wijf.' Ze schrok zo van haar eigen woorden dat ze snel een stukje boterkoek in haar zuinige mondje stopte.

'Nou, mevrouw Langhout, alles is mogelijk bij Personal Whatever.'

'Ook...'

'Ook dat!' Ik kreeg het woord niet over mijn lippen.

'En?' vroeg Suus toen ik twee uur later op kantoor aankwam.

'Klusje van niks. We moeten een tuinkabouter metamorfoseren in een hitsige blondine. Ik ga nu eerst op bezoek bij mijn dementerende moeder, maar ik beloof je dat ik morgen alle benodigde freelancers ga bellen.'

Ze keek me verbaasd aan. 'Weet je al wat je nodig hebt dan?'

'Een visagiste, iemand die leuke dingen kan doen met pruiken, de jongen van de hakkenbar, een personal shopper voor een maatje minder, en zelf ga ik wel even langs bij Christine le Duc.'

Het leek allemaal iets te veel informatie voor Suus, want met een suffe blik in haar ogen keek ze me na terwijl ik het kantoor uit liep.

De zenuwen die door mijn keel gierden voor mijn eerste intakegesprek waren niets vergeleken met de adrenaline die door mijn lijf joeg bij de gedachte aan een confrontatie met mijn moeder. Ik had het gesprek eindeloos in mijn hoofd voorbereid.

Ik zou haar proberen te overtuigen dat ze bij mij en Merel moest gaan wonen. Mijn moeder kennende, zou ze het idee onmiddellijk verwerpen. Vervolgens zou ik zeggen dat het beter voor haar was om onder begeleiding te wonen, omdat ze de laatste tijd een ietsiepietsie vergeetachtig was en zo zou ik een brug slaan naar een bejaardentehuis of een aanleunwoningachtig iets.

Het gesprek liep anders.

Na vier keer hard bellen, terwijl ik nerveus van haar voordeur naar het raam liep, deed mijn moeder eindelijk open.

'Kom verder, eh, hoe heet je ook alweer?'

'Lieke!'

'O ja, mijn achternichtje.'

Daarna deed ze vijf minuten vreselijk normaal, waarna ze weer een idiote opmerking maakte. Ik besefte dat de dementie in ernstige mate had toegeslagen. Ik kon wel janken, maar mijn moeder bleef er volstrekt vrolijk onder.

'Mam, hoe zou je het vinden om bij Merel en mij te wonen?' Het flapte er uit voor ik er erg in had.

'Fantastisch kind, wanneer kan ik komen?'

Terug in de auto naar huis had ik het gevoel dat er hier iets totaal niet klopte. Nog nabevend over het onverwachte antwoord van mijn moeder parkeerde ik mijn oude Barrel voor de deur van mijn huis. Allerlei verwarrende gedachten schoten door mijn hoofd.

Hoe vergeetachtig was ze eigenlijk? Liet ze het bad overlopen? Liet ze het strijkijzer een gat in de strijkplank branden? Liet ze het gas aanstaan? Was ik eigenlijk wel goed verzekerd? Ook als ik een risicoverhogend element in huis nam?

Ik keek naar binnen waar ik Merel en Bram samen aan de tafel nog zitten. Overal brandden kaarsjes en de twee zaten gezellig te kletsen. Heel stil sloop ik naar binnen en door een kier van de woonkamerdeur kon ik hun gesprek horen.

'Er zijn een paar dingen die niet kunnen, Merel. Monopoly spelen als je wiskunde hebt van meneer Toeter is er een van,' hoorde ik Bram zeggen.

Tot mijn verbazing zei Merel op bloedserieuze toon dat hij gelijk had en dat het ook nooit meer zou voorkomen.

'Ik heb van de afdelingsleider gehoord dat je voor zes vakken onvoldoende staat,' ging Bram verder.

Ik schrok me te pletter en wilde bijna woest naar binnen rennen, maar wist me te beheersen.

'Voor Frans en geschiedenis sta je er echt heel beroerd voor. Hoe ga je dat oplossen?'

'Binnenkort heb ik weer repetities en ik ben echt van plan om daar héél hard voor te gaan werken.'

'Mooi,' zei Bram. 'Laat ik nou toevallig waanzinnig goed Frans spreken, dus ik stel voor dat ik je de avond voor de repetitie ga overhoren. Voor geschiedenis zul je een ander slachtoffer moeten zoeken. Ik ben meer een man van de toekomst.'

Merels volle lach galmde door de kamer. Ik liep snel naar de voordeur, deed hem voorzichtig open en knalde hem weer dicht. 'Ik ben thuis,' riep ik vrolijk.

Ik schoof aan en het lukte me wonderwel om te doen alsof ik niets had gehoord. De komst van mijn moeder hield ik nog even voor me. Dat uitspreken zou me een zenuwinzinking bezorgen en dat wilde ik Merel niet aandoen. Ik babbelde er lustig op los over de tuinkabouter die een sexy make-over wenste en deed net of er niets aan de hand was, ook al racete de adrenaline door mijn lichaam.

Ondanks mijn pogingen normaal te doen drong in alle heftigheid tot me door dat ik straks een dementerende moeder op zolder zou hebben en een etage lager een moeilijk lerende puberdochter die ook wel wat extra aandacht kon gebruiken. Ik zag me al zitten bij Merels mentor, waarbij de strenge eindconclusie zou zijn dat de slechte cijfers van Merel mijn schuld waren. Vader in het buitenland met net niet minderjarige vriendin, moeder met een vaag baantje en dan lekker de opvoeding van je kind overlaten aan een buurman die je amper een week kent. Geen wonder dat het dan misgaat met zo'n kind. Voor zes vakken onvoldoende!

Ik begon zachtjes te steunen, wat mij een verbaasde blik van Bram opleverde. Ik negeerde zijn vragende ogen en complimenteerde hem met zijn kookkunsten. Na het eten ging Merel naar haar kamer om haar huiswerk te maken en zette Bram nog koffie ook.

'En?' zei hij, terwijl hij naast me neerplofte op de bank. 'Wanneer komt je moeder?'

'Hoe weet je dat?'

'Dat zie ik aan je gezicht. De letters PANIEK staan vetgedrukt op je voorhoofd.'

'Bram, zie je het voor je? Met een puber en een bejaarde in één huis. Hoeveel meer heeft een mens nodig om knettergek te worden? Ze zei dus meteen ja! Hoe kan dat nou? Ik vroeg of ze bij mij wilde wonen en ze zei meteen ja. Ja! Ze hoefde er niet eens over na te denken. De aanleunwoning, het bejaardentehuis, ik ben er niet eens aan toegekomen. Het "ja" rolde er moeiteloos uit.'

'Ik zou me nog niet al te druk maken. Wie weet wordt het wel gezellig!'

'Ja, dag! Gezellig met mijn moeder onder één dak.'

'Ik zal je de sleutel van mijn huis geven. Dan kun je altijd vluchten.'

'Waarom doe je dit?' Ik keek hem ernstig aan.

'Omdat ik jullie aardig vind. Ik moet ervandoor, ik moet morgen vroeg op.' Hij gaf me een kus op mijn wang en bij de deur draaide hij zich nog een keer om. 'Ik neem vandaag de voordeur, oké?'

Ik keek hem na terwijl hij de deur uit liep en ik realiseerde me dat ik zijn antwoord op mijn vraag wat mager vond. Hij vond ons aardig? Ik vond zo veel mensen aardig, maar daar hielp ik niet om een huishouden draaiende te houden. Peinzend staarde ik voor me uit. Ik wilde Roos bellen om haar te vertellen over de metroman en mijn moeder, maar ik was zo moe dat ik besloot om mijn bed in te rollen.

'Morgen, Roos. Morgen bel ik je weer,' mompelde ik in mezelf.

17

De tijd vloog voorbij en het werk bij PW slokte me steeds meer op. Ik stond 's ochtends om halfzeven naast mijn bed om het lunchpakket voor Merel klaar te maken. Daarna ging ik douchen, aankleden, haar strijken, opmaken en trok ik steevast een ladder in mijn panty. Op de een of andere manier kreeg ik het niet voor elkaar om met een perfecte look het huis te verlaten. Het begon bijna een obsessie te worden.

Gelukkig vond Merel mijn ochtendritueel zo komisch dat ze elke keer slap van de lach riep dat ik op een neurotisch fashionkonijn begon te lijken. Meestal gaf ik dan gelaten mijn pogingen op en gingen we samen beschuitjes met jam eten. Zodat we uiteindelijk hard hollend het huis moesten verlaten om op tijd op school en werk te komen.

Tussen halfnegen en negen uur was ik op kantoor. Nadja en Suus kwamen meestal pas tegen tien uur en gingen dan eerst uitgebreid koffiedrinken. De rol van Suus was me nog steeds niet geheel duidelijk. Het kon niet anders of Karlijn moest wel de zakelijke dame zijn. Uit Suus' handen kwam namelijk helemaal niets. Een voorbeeld dat perfect door Nadja werd gevolgd. Het was een komisch duo; Suus drentelde wat modieus rond en Nadja trippeltrappelde erachteraan. Ik had wel het gevoel dat er niet veel geld binnenkwam, maar gelukkig was dat niet mijn probleem. Ik had het prima naar mijn zin, hoewel er ook wat dieptepunten waren.

Een van de mindere momenten was dat Suus niet aan mij had doorgegeven dat de ingehuurde fotograaf en zijn graatmagere verkleedprostituee op dinsdagmiddag op de stoep van het chique Personal Whatever stonden om mevrouw De With van oneigenlijk bewijsmateriaal te voorzien. Suus was uiteraard in geen velden of wegen te bekennen. Ik moest het doen met wat haastig opgeschreven instructies op een te klein papiertje. Ik was al geen voorstander van deze criminele actie die mevrouw De With moest redden van de financiële afgrond en ik kon me niet herinneren dat ik had toegestemd om mee te werken. Ik was dan ook onaangenaam verrast toen Nadja zei dat het de bedoeling was dat ik meeging om meneer De With erin te luizen.

De plaats van handeling was een parkeerplaats van een restaurant in Loosdrecht waar het slachtoffer een zakenlunch had. In een groezelig busje gingen we richting Loosdrecht. Op de achterbank zat het meisje dat me niet ouder dan zeventien leek. Dit was net als Merel iemands dochter, schoot het door mij heen. Ik wilde haar vragen waarom ze dit deed, maar ze keek me slechts aan met een lege blik in haar ogen terwijl ze ondertussen ordinair op haar kauwgom kauwde. Ik draaide me weer om. Shit, wat voelde ik me ongemakkelijk en crimineel.

De fotograaf, niet veel ouder dan vijfentwintig, zat vreselijk nerveus met zijn handen op het stuur te trommelen. Precies naast het ritme van de muziek, die overigens veel te hard aanstond. Ik hoopte maar dat hij meer gevoel voor fotograferen had.

Rond twaalf uur stonden we verdekt opgesteld op de parkeerplaats en ik realiseerde me dat ik een lange middag tegemoet ging. Eindelijk, na anderhalf uur stilzwijgend met de twee in de auto te hebben gezeten, gebeurde er iets.

'Krijg nou de hik!' zei ik verbaasd.

Meneer De With kwam naar buiten met aan zijn arm een prachtige blondine. Lang, slank en bloedmooi. Toen hij bij zijn auto aankwam, kuste hij haar hartstochtelijk. Zijn handen omklemden haar ronde billen. Hij kroop zo ongeveer in haar en ze sloeg haar slanke been om zijn dikke lijf. De jonge fotograaf keek met open mond toe. Hij deed helemaal niks!

'Ja, zeg. Dat was mijn rol,' zei het meisje achterin boos.

'Foto's maken,' beet ik de jongen toe.

Zijn camera klikte en tot mijn grote opluchting stond het uiteindelijk allemaal op de gevoelige plaat. En zo waren er nog wel meer werkzaamheden bij pw die niet zo glamoureus waren als ik gehoopt had. De jogsessie met een zestigplusser die zichzelf nog te jong vond voor nordic walking was ook niet bepaald een feest. Stond ik daar op de hei op mijn spiksplinternieuwe renschoenen, doodsbang dat ik een bekende zou tegenkomen of dood neer zou vallen, maar gelukkig riep ze na honderd meter al dat een wandeltempo toch meer haar ding was. Zelden had ik me opgeluchter gevoeld.

Een van de leukere werkzaamheden bij pw vond ik de homesearch, zoals Suus het zo plechtig kon omschrijven. Het was eigenlijk Suus' werk maar met enige regelmaat viel ik voor haar in. Dan riep ze dat ze het héél erg druk had en of ik alsjeblieft voor haar kon invallen. Met plezier! Een homesearch was gewoon een ordinaire huizenjacht met een hysterische huizenzoekster en een foute makelaar, die voor zijn makelaarscourtage tot werkelijk alles bereid was.

Ik genoot ervan. Het mooiste vond ik elke keer als de makelaar van de verkopende partij de deur van de megavilla openzwaaide en ik meteen kritisch begon te doen over het hang- en sluitwerk dat meestal al meer had gekost dan mijn hele huis bij elkaar en bovendien half Al Qaida nog buiten de deur wist te houden.

Het enige wat ik nog geen enkele keer had hoeven te doen was een leuk adviesje uitbrengen over groene stroom en aanverwante milieuzaken. Ze waren hier in het Gooi in alles geïnteresseerd en van alles op de hoogte, behalve hoe we deze aardbol van de ondergang moesten redden.

Verder hield het personeel mij druk bezig. Zo bleek Nadja geen letter te kunnen typen en dus volstrekt nutteloos voor Personal Whatever. Het vervangen van mental coach Bernadette – die overigens nog steeds de wacht niet was aangezegd –

leverde ook allerlei lastige problemen op. Na een inleidend gesprek met Suus stuurde die de sollicitanten door naar mij. Een heel scala aan spirituele nitwits had inmiddels mijn bureau gepasseerd, maar er was er niet één met wie ik een serieus gesprek kon voeren. Toch wel een belangrijke kwalificatie voor een mental coach.

Ik was precies een maand in dienst toen Suus met een rood en opgewonden hoofd mijn kamer binnen kwam rennen.

'Karlijn heeft vannacht haar kind gekregen!'

'Gefeliciteerd. Wat is het geworden?'

'Frederik. Dat weet je toch.'

'En? Was het gezellig bevallen in de kastanjeboom?'

'Nee, dat bleek iets te hoog gegrepen en uiteindelijk heeft ze ook maar tien minuten in de hottub gezeten, waarna ze er door vijf man uitgetakeld moest worden. Weeën doen zo'n pijn dat je je van ellende niet meer kunt bewegen. Wist je dat?' Ze keek me aan met een blik alsof ze er zelf wel voor zou waken dat haar zoiets gruwelijks zou overkomen. 'Ze is met een ambulance naar het ziekenhuis vervoerd en daar heeft het nog vierentwintig uur geduurd voordat Frederik er eindelijk was. En...' Ze keek me aan met een vies gezicht. 'Zo hooft wel twintig hechtingen. Dat stond toch echt niet vermeld op de website van de Treedelivery.'

Ik wilde wat zeggen. Iets bemoedigends, iets in de trant van dat je dat allemaal wel weer vergeten was op het moment dat je je baby in je handen kreeg.

'He-le-maal opengescheurd! Ze vond het zo erg dat ze het kind pas de volgende dag wilde zien. En dat kan ik me heel goed voorstellen.'

'Voor het bindingsproces is dat niet zo goed.'

'Dan maar geen binding!' Ze keek me verontwaardigd aan, alsof het Frederikjes eigen schuld was.

'Zullen we bij haar op bezoek gaan? Met een leuke kraammand in naam van al het personeel van Personal Whatever?'

Suus sprong overeind. 'Goed idee! Ik ga onmiddellijk zo'n kraammand kopen.' Bij de deur draaide ze zich om. 'Wat is dat eigenlijk, een kraammand?'

Ik besloot met haar mee te gaan zodat het geval ook met nuttige cadeautjes werd gevuld. Nadja kon wel even het enige doen waar ze goed in was, namelijk de telefoon opnemen.

'Snap jij nou dat Karlijn aan mij heeft gevraagd om peetmoeder te worden?' zei Suus terwijl we door Bussum liepen op zoek naar cadeautjes voor de kersverse moeder en haar kind.

'Dat is toch niet zo raar? Je bent toch haar beste vriendin?'

Suus knikte wat afwezig en liet haar hand over een zachte pluchen beer glijden. 'Is dit wat?'

Ik pakte de tamelijk onooglijke beer op en draaide hem een paar keer in het rond om hem vervolgens kraammandwaardig te vinden. De komende jaren zou deze beer het belangrijkste item in Karlijns leven worden. Tweehonderd kilometer omrijden omdat Beer ergens was vergeten. Zes dagen zoeken naar Beers glazen oog dat toch echt door de berendokter opnieuw aangenaaid moest worden. Karlijn wist het nog niet, maar deze beer zou ooit een rafelig en stinkend geval worden dat haar leven voorgoed zou veranderen. Met een grijns stopte ik de beer in het mandje.

'Wat vind je hiervan?' Ik hield een lief rompertje omhoog, maatje 56. Jamie Oililiver stond er met groene letters op en het geheel was bedrukt met kleine pollepeltjes.

'Zestig euro!' riep Suus verschrikt uit. 'Wat duur.'

'Het is wel van Oilily,' antwoordde ik vergoelijkend. Voor zo'n chic babymerk zou Suus toch moeten vallen.

'Dat kan je je kind toch niet aandoen?' zei Suus misprijzend.

'Waarom niet?' vroeg ik.

'Ik heb al jaren zo'n bodystocking in de kast hangen, maar ik trek hem nooit aan. Die drukknoopjes in je doos. Echt vreselijk. De hele dag zit je aan je kruis te trekken. Ik was als de dood dat die drukknoopjes zouden gaan roesten. Ik vind het echt een hopeloze uitvinding.'

'Een baby heeft een luier om, Suus!' Ik schudde afkeurend mijn hoofd. Ondertussen gooide Suus een jaarvoorraad speentjes in het mandje. Ik keek haar vragend aan.

'Aan een jankende Frederik heeft Karlijn ook niks.'

'Gaat Karlijn eigenlijk borstvoeding geven?' Ik hield een doosje zoogkompressen in de lucht.

'Ben je besodemieterd. Ze is al helemaal opengescheurd, moet ze nu ook nog haar borsten door dat kind laten ruïneren?'

Gelaten donderde ik een zuigfles met Ik Houd Van Mammie in het mandje. We bleven nog een halfuur rondlopen in het babyparadijs en bij de minispijkerbroekjes kreeg ik het bijna te kwaad. Zachtjes liet ik mijn handen over de kleine shirtjes en vestjes glijden en voor het eerst in dertien jaar voelde ik een bijna intense haat opkomen jegens Bas.

Wat had hij mijn kraamtijd op een gruwelijke manier verpest. Na een verblijf van twee dagen in het ziekenhuis was ik met de veel te kleine Merel thuisgekomen en het enige waar hij mee bezig was geweest, was met de uitvinding van de eeuw: de automatische toiletontstopper. Bas zat in een doorbraakfase en zat vierentwintig uur per dag gebogen over de tekentafel. Elk kreuntje van Merel was er een te veel. Nog moe van de bevalling rende ik van mijn slaapkamer naar de half afgebouwde babykamer – Bas was er even niet aan toegekomen – om maar te zorgen dat Merel geen kik gaf. Uiteindelijk gaf ik het op en nam ik Merel bij mij in bed. Een week lang bracht ik daar met haar door. Met z'n tweetjes in het grote bed. Bas had ik met een slaapzak verbannen naar de bank in de woonkamer. Het was de mooiste week van mijn leven, zo samen met Merel.

Zou ik het ooit nog een keertje over kunnen doen? Ik was pas drieëndertig! Maar met wie? Met Bram? Hij was niet alleen een geweldige metroman, maar had zijn kunsten als op-voeder al bij Merel getoond.

'Suus, wil jij eigenlijk kinderen?'

Suus keek mij verschrikt aan. 'Ik geloof niet dat ik een goe-de moeder zou zijn.'

Hier had ze een punt, maar toen ik haar zo gebogen over een speeldoosje zag staan, vroeg ik me af of ze niet heel graag een nest vol had willen hebben. Nadat we half Bussum had-den leeggeplunderd, gingen we hongerig terug naar kantoor.

Nadja had aangeboden om voor ons een lunch te verzorgen en ook hier bleek ik er weer niet naast te zitten dat haar eni-ge gave was een telefoon op te nemen. Nadja's idee van lun-chen bestond uit een appel, een bakje yoghurt en een kopje kamillethee. Zelf kreeg het schaap het met moeite naar bin-nen. En dan nog zeiken dat je skinnyjeans te strak zit, dacht ik zuur en besloot ter plekke om bij het eerste het beste sme-rige tankstation richting Friesland een frikadel uit de muur te trekken.

Ik was al niet meer verbaasd toen Suus na de lunch over-haast naar de wc vertrok en met wild draaiende ogen weer te-rugkwam.

'We moeten nu echt gaan, Lieke.' Ze zwaaide druk met haar armen en rolde met haar ogen.

'Prima, Suus, maar ik rijd.' Ik keek haar streng aan en ik geloof dat ze nattigheid voelde, want ze knikte bedeesd.

Met de kraammand op de achterbank en een hyperactieve Suus naast me, die vals meezong met de radio en als een kan-goeroe op haar stoel op en neer zat te hoppen, reed ik zo snel mogelijk naar Friesland. De frikadel liet ik voor wat hij was.

18

Ik had het niet zo met ziekenhuizen. Nooit gehad en ik zou het ook nooit krijgen ook. Het was nog even zoeken naar de kraamafdeling en met de zware kraammand in mijn handen had ik niet zo'n behoefte om al te lang door die enge gangen te zwerven.

Suus was nog steeds wild en niet echt toerekeningsvatbaar, dus aan haar had ik niet zoveel maar uiteindelijk kwamen we via de röntgenafdeling en een charmante Friese verpleegkundige toch nog bij de kraamafdeling uit.

'Shit, wat zie jij bleek.' Ze kuste Karlijn ergens ter hoogte van haar oor smakkend in de lucht. En dit herhaalde ze drie keer. 'Echt héél bleek.'

'Veel bloed verloren,' antwoordde Karlijn kreunend.

Ik had spontaan geen zin meer in beschuit met muisjes, ook al knorde mijn maag van de honger. Naast haar bed lag de kleine Frederik in een glazen kooitje. Hij had een gebreid mutsje op en lag er wat zielig en alleen bij. Ik had het onmiddellijk te doen met het ventje, negeerde de opmerkingen van Karlijn en Suus dat ik er niet aan mocht komen, en pakte het bundeltje op.

'Wanneer mag je weer naar huis?' vroeg Suus, die haar vriendin duidelijk gemist had.

'Ik moet nog even bijkomen.'

Ik vond het een understatement en drukte Frederik tegen me aan en vroeg me bezorgd af hoe het nu verder moest met Karlijn, Frederik, Suus en PW.

Karlijn lag wat te kreunen en te jammeren in haar ziekenhuisbed en bleef maar herhalen dat ze de ergste nachtmerrie van haar leven achter de rug had. Suus streek wat onhandig met haar hand over Karlijns wang. Ondertussen genoot ik van de heerlijke geur van dit pasgeboren ventje en het zachte, slappe lijfje dat zich naar mijn lichaam voegde. Ik was op slag verliefd. Het ventje keek me lekker scheel aan met zijn lichtblauwe oogjes, en zijn mondje maakte smakkende bewegingen. Het wurm was instinctief op zoek naar een warme borst die hij van zijn moeder niet zou krijgen. Ik klemde het in doeken gewikkelde geval nog wat dichter tegen me aan en moest weer denken aan de tijd dat Merel zo klein was.

Lief en zacht, met een roze mutsje op. Ze had waanzinnig dunne beentjes met enorme voeten. Vooral over die enorm grote voeten van mijn dochter had ik me verbaasd en het onbeschrijfelijke geluid dat ze kon produceren als ze honger had. De knusse momenten waarop ze tevreden aan mijn borst lag. De uren die ik onbeweeglijk in een stoel doorbracht, met kramp in mijn armen, omdat ze eindelijk zo lief lag te slapen.

Ik had te doen met Karlijn, die schijnbaar geen enkele interesse in haar kind had. Ik begreep er helemaal niets van hoe ze zo stoïcijns in haar bed kon liggen terwijl een ander haar baby vasthield. Terwijl ik zo met het warme bundeltje in mijn armen de boel zat te overpeinzen, kwam er een vrouw binnen, haar hoofd bijna verscholen achter een grote bos bloemen.

'Hoe gaat het hier?' riep ze enthousiast. Toen ze Suus zag zitten liep ze met grote stappen op haar toe. 'Suus, wat fijn je te zien!' Waarna ze zich tot Karlijn richtte: 'Hé, moeders, hoe gaat het nu?'

Karlijn knikte ongeïnteresseerd en mompelde dat ze een moord kon doen voor een glaasje chardonnay.

Meewarig schudde ze haar hoofd en keek mij vervolgens aan. 'Hoi, ik ben Christel.' Ze gaf me een hand en boog zich over Frederik. 'Hé ventje, hoe gaat het met je?'

Ze had een lieve blik in haar ogen en ik vond haar onmiddellijk sympathiek. Als dit de vriendin was bij wie Karlijn logeerde dan moest het allemaal wel goed komen. Ik stelde me aan haar voor en vertelde dat ik tijdelijk bij Personal Whatever werkte om Karlijn te vervangen.

'Tijdelijk?' vroeg Suus verbaasd. 'Ik was niet meer van plan om je te laten gaan, hoor. Je doet het fantastisch.'

Christel zette kordaat de bloemen in het water, sjorde wat aan de dekens van Karlijn en porde wat in haar zij alsof ze haar weer tot leven wilde wekken. Ze draaide zich naar mij om en gaf me een samenzweerderige knipoog. 'Lieke en ik gaan even koffie halen in de gang. Ik leg Frederik even bij jou neer.'

'Nee, nee, leg het maar even in het glazen geval. Dat is een stuk rustiger voor hem,' riep Karlijn benauwd.

'Suus?' Christel hield uitnodigend het pakketje leven voor de neus van Suus.

'Nee, nee, straks laat ik het vallen.'

Zuchtend legde Christel het kleine ventje in zijn bedje, waarna ik samen met haar naar de koffieautomaat liep.

'Hoe lang ken je Suus en Karlijn al?' vroeg ik nieuwsgierig.

'Heel lang. We zijn altijd vriendinnen geweest. Ik ben twee jaar geleden vanuit Amsterdam in Friesland terechtgekomen.' Ze keek me lachend aan. 'Maar dat is een lang verhaal. Terwijl ik in Friesland zat, zijn Suus en Karlijn samen Personal Whatever begonnen en ik krijg de indruk dat het wel redelijk loopt, of heb ik dat verkeerd?' Ze keek me onderzoekend aan alsof ze niet goed wist wat ze ervan moest denken en ik haar hier meer over kon vertellen.

'Ik kan daar nog niet helemaal een goed beeld van geven. Ik werk er nu ongeveer een maand. Personal Whatever heeft een redelijk klantenbestand en beschikt over een aantal goede freelancers. Daarnaast loopt er een secretaresse rond die niet zo heel veel kan en zitten we in een pand waarvan ik vermoed dat het te duur is voor de omzet van Personal Whatever. Maar nogmaals, helemaal zeker weten doe ik dat niet.'

'Maar verder gaat het wel goed met Suus?' Ze keek me weer doordringend aan en ik besloot om de waarheid te vertellen.

'Nee, volgens mij gaat het niet zo goed met haar. Ze komt

op onregelmatige tijden op kantoor en vertoont af en toe heel raar gedrag.'

'Nou, daar zijn we dan mooi klaar mee,' zuchtte Christel. 'Ik denk dat ze Karlijn mist. Volgens mij is Karlijn het zakelijke brein achter Personal Whatever.'

Christel pakte de koffie en wees naar een zitje, dat de gezelligheid uitstraalde zoals alleen zitjes in ziekenhuizen dat kunnen doen. Ze nam voorzichtig een slokje van haar koffie. 'Ze denken dat Karlijn een postnatale depressie heeft, dan wel van nature een grote afkeer van haar kind heeft.'

'Dat is niet zo best,' zei ik geschrokken.

'De komende maand, en ik vermoed eigenlijk dat het wel twee maanden wordt, blijft ze met Frederik bij mij en dan moeten we maar even kijken hoe het loopt, maar ik laat haar in ieder geval niet in haar eentje met Frederik naar huis gaan. Dat lijkt me onverantwoord.'

'Dus de komende tijd moet Suus het alleen doen?' zei ik bezorgd.

'Ja, maar ze heeft jou.' En ze klopte me bemoedigend op mijn hand.

19

'Waar heb ik deze eer aan te danken?' Roos keek me met stralende ogen aan.

Het was een geroezemoes van jewelste in het kleine lunchcafeetje waar belangrijk Bussum zich tussen de middag van een heerlijke lunch liet voorzien die over het algemeen rijkelijk werd vergezeld van witte wijn.

'Mijn eerste salaris is binnengekomen en daarvoor wilde ik mijn allerliefste vriendin bedanken.'

'Gek, dat is toch niet nodig!'

'Natuurlijk wel. Ik heb deze baan aan jou te danken. We gaan heerlijk lunchen op kosten van PW.'

Roos begon te giechelen. 'Goed zo! Vertel, hoe gaat het?'

'Super. Het is echt een fantastische baan. Ik kom de raarste mensen tegen, zie de mooiste huizen en verdien mijn eigen geld! Merel heeft zich fantastisch aangepast aan mijn werkende leventje en voor zover ik weet spijbelt ze niet meer. Ik ben gelukkiger dan ooit. Ik heb eindelijk het gevoel dat ik mijn leven weer op orde heb. Het enige minpuntje is mijn moeder.'

'Wanneer komt ze?'

'Over twee dagen. Bram heeft een mannetje geregeld die de zolder opknapt. De buurvrouw van mijn moeder houdt tot de verhuizing een oogje in het zeil. Ik geloof dat het allemaal goed gaat, want ik ben nog niet uit mijn bed gebeld dat mijn moeder 's nachts op de hoek van de straat staat te zingen.' Ik glimlachte wat zuur.

'Misschien valt het allemaal wel mee.' Ze gaf me een knipoog. 'Wat lief dat Bram een mannetje heeft geregeld.'

'Ja, Bram is lief.'

'Precies, en daar wilde ik het even met je over hebben.'

'O nee! Ik weet waar je naartoe wilt.'

'Hoezo?'

'Ik ben bang dat je me pas met rust laat als ik in het wit mijn jawoord heb gegeven aan een man die jij hebt geselecteerd!'

'Ik hoef hem niet te selecteren, hoor. Jij mag hem ook zelf uitkiezen.'

'Ik geef toe dat Bram mij af en toe gezellige kriebels in mijn buik bezorgt, maar ik houd nog steeds van mijn uitvinder. Hij mag dan het grootste ongeluk in mijn leven zijn, hij is ook mijn grote liefde.'

'Lieverd, je bent nu een jaar gescheiden. Het wordt tijd dat je je ogen en oren openhoudt.'

Ik keek haar glimlachend aan. Ze had vast gelijk, maar ik was nu eenmaal niet zo vlot met actie ondernemen.

'Heeft u al gekozen?' vroeg de jonge serveerster, terwijl ze ongeduldig haar notitieboekje tevoorschijn trok.

'Nee, zij kan niet kiezen,' zei Roos met een grote grijns.

Ik gleed dubbel van de lach over de tafel.

's Avonds op de bank moest ik weer denken aan de woorden van Roos. Ze had gelijk. Het werd tijd om afscheid te nemen van Bas en verder te gaan met mijn leven. Ik realiseerde me hoe belangrijk mijn baan bij Personal Whatever voor mij was. Het was de eerste stap op weg naar een nieuw leven en ik wist zeker dat er op een dag ook weer ruimte zou zijn voor een nieuwe liefde. De tijd zou het leren. Eerst maar eens gelukkig worden samen met Merel. En mijn moeder...

Op dat moment ging de telefoon. Ik ging ervan uit dat het Merel was die nog langer bij Pien wilde blijven. 'Hoi, Merel. Nee, je mag niet langer bij Pien blijven. Je moet morgen op tijd op.'

Het bleef helemaal stil aan de andere kant van de lijn totdat ik iemand hoorde zeggen: 'Met Christel.'

'Met wie?' vroeg ik verbaasd.

'Met Christel, de vriendin van Karlijn en Suus.'

'Sorry, ik ging er blindelings van uit dat het mijn dochter was.'

'Ik zou graag even bij je langskomen. Kan dat?'

'Eh, zit je niet in Friesland?'

'Nee, ik ben net bij Suus geweest.'

Ik gaf haar mijn adres en binnen een kwartier stond ze voor de deur. Bezorgd deed ik open, en ik vroeg me af wat er aan de hand was.

'Je zult je wel afvragen wat ik hier kom doen,' zei ze even later toen ze met een kop thee op de bank zat.

'Is er iets met Karlijn?'

'Nee, met Suus.'

Geschrokken ging ik op het puntje van mijn stoel zitten. 'In het ziekenhuis vroeg ik je hoe het ging met Suus. Ik maak me al een tijdje zorgen over haar. Een jaar geleden had ik het vermoeden dat ze gebruikte, maar dat ontkende ze uiteraard. Op een gegeven moment ging het ook weer wat beter. Na het gesprek met jou in het ziekenhuis heb ik het er met Karlijn over gehad en die vertelde dat Suus inderdaad drugs gebruikt. Op de een of andere manier heeft Karlijn het idee gehad dat ze Suus de hand boven het hoofd moest houden en daarom heeft ze het niet eerder verteld. Dat had ze natuurlijk beter wel kunnen doen.'

Ik keek Christel verbaasd aan. Waar had ze het over? 'Wat... eh... Suus, doet wat?'

'Cocaïne in combinatie met pillen. In grote hoeveelheden.'

Zie je wel! Diep in mijn hart wist ik het allang, maar ik wilde het liever niet zien. Het rare wilde gedrag van Suus, de gekke ronddraaiende ogen en het gesmoes met Tanja. Cocaïne!

'Hoe kwam ze daaraan?' vroeg ik.

'Van Tanja. Ik heb Suus weten te overtuigen dat ze moet af kicken, maar ze maakt zich zorgen.'

'Als ik haar was, zou ik me ook zorgen maken!'

'Ze maakt zich vooral zorgen over Personal Whatever. Karlijn kan de komende maanden niet aan het werk en Suus vindt het moeilijk om weg te gaan.' Christel keek me doordringend aan. 'Ben jij in staat om Personal Whatever in je eentje te draaien?'

Mijn keel kneep dicht. Nee, natuurlijk was ik daar niet toe in staat. Ik was aangenomen als rechterhand en had en passant de rol van groenconsulent in mijn schoenen geschoven gekregen. Daar was ik eigenlijk al niet toe in staat! Personal Whatever in mijn eentje te draaien. Ik had zelden een stommer voorstel gehoord!

131

'Ik denk niet dat ik...'

'Suus is alleen maar bereid om af te kicken als ze weet dat Personal Whatever in vertrouwde handen is.'

'Ja maar...'

'Ze vertrouwt je. Wat kan ik nog meer zeggen?'

Ik keek Christel aan en ik had met haar te doen. Het was nou niet bepaald fraai wat ze op haar bordje had gekregen; een verslaafde vriendin en eentje met een postnatale depressie.

Mijn hoofd was een bonkend gebeuren van verwarrende gedachten. Ik kon toch niet de leiding van PW op me nemen? Ik wist niet eens hoe dat moest. Het ging net weer een beetje goed met Merel op school. En dan was er ook nog mijn dementerende moeder, die mijn leven de komende tijd tot een hel zou maken.

'Ik denk niet dat...'

Christel keek me bezorgd aan.

'Ik denk dat me dat wel gaat lukken,' zei ik zuchtend.

Toen ik Christel de deur uit liet, kwam Merel er enthousiast aan. Lachend en slingerend op haar fiets.

'Hoi mam.'

Een enorm schuldgevoel maakte zich van mij meester. Ik ging mijn eigen gezin in de steek laten voor zo'n stomme cokedoos en haar hormonaal verwarde vriendin. Hoe kon ik zo stom zijn!

20

De volgende dag zat ik met het mandaat van Suus en Karlijn bij het bankfiliaal waar Personal Whatever bankierde. Ik zag het nog niet helemaal zitten om de tent te runnen, maar ik had besloten om het maar allemaal over me heen te laten komen.

Tenslotte zou Karlijn over twee maanden weer terug zijn. Misschien zelfs wel eerder. Wat kon er nou misgaan in die paar maanden? Het enige wat ik moest doen was de bestaande klantenkring tevreden houden en de meneer van de bank het mandaat onder zijn neus schuiven. Dan kon ik de komende twee maanden over de tonnen omzet beschikken en de personals en mezelf betalen.

'U mag verder komen.' Een strenge man keek me aan en liet me binnen in zijn kantoor.

Op zijn bureau stond een foto van een blonde dame met twee kinderen. Ze lachten hem toe en gezien de ernstige blik op zijn gezicht had hij dat wel nodig ook. Kort legde ik hem uit waar ik voor kwam. Hij knikte slechts en fronste wat, waarna hij op zijn computer keek en af en toe met een vinger op een toets drukte. Ik kreeg een beetje de zenuwen van hem.

'Het is zorgelijk, mevrouw Van der Steen. Het afgelopen jaar is er meer geld uitgegeven dan er binnen is gekomen. Personal Whatever staat ernstig in het rood. Zelfs voor een eventuele lening om deze lastige periode te overbruggen komt u niet meer in aanmerking. '

'Maar...'

'U zult drastisch moeten saneren om de boel te redden.'

'Waarom verbaast mij dat niets,' mompelde ik tegen mezelf, terwijl een misselijkmakend gevoel omhoogkwam.

De directeur stond op en gaf me een hand. Aan de manier waarop hij me aankeek, wist ik dat hij ervan uitging dat binnen een halfjaar het faillissement aangekondigd ging worden en dat hij kon fluiten naar zijn geld. Ik was een ingecalculeerd bedrijfsrisicootje geworden en hij wenste zijn dure tijd niet meer aan mij te besteden.

Shit, shit, shit. Met gierende banden verliet ik de parkeerplaats van de bank om onmiddellijk bij de eerste de beste parkeerhaven mijn auto stil te zetten. Ik trilde zo erg dat ik even niet meer in staat was om auto te rijden.

Hoe is dit mogelijk, Lieke! Denk je bij een bedrijf te werken waar geld geen probleem is, zit je weer tot over je oren in de financiële ellende. Waarom zit het mij nou nooit eens een keertje mee! De tranen sprongen me in de ogen. De nare scheiding met Bas leek opeens een eitje vergeleken bij wat er mij nu allemaal weer boven het hoofd hing. Zelfs de komst van mijn moeder stak hierbij af als een feestelijk intermezzo.

'Dit is toch ook niet eerlijk!' riep ik keihard, terwijl ik met mijn hand op het leren stuurtje van de Mini mepte.

'Adem in, adem uit,' hoorde ik een dame op de radio zeggen.

'Flikker op, trut!' gromde ik, en startte de auto. Terwijl ik naar het te dure bedrijfspand van PW reed, spookten allerlei gedachten door mijn hoofd. Waar moest ik in hemelsnaam beginnen? De huur opzeggen was geen strak plan, maar misschien kon een gesprekje met mijn huurbaas uitkomst bieden. De Mini, die overigens verdomd lekker reed, moest zo snel mogelijk de deur uit en datzelfde gold voor Nadja. Tenzij ze bereid was voor niks te werken. Shit, shit, shit, waar ben ik aan begonnen? Paniek golfde door mijn lichaam. Het enige wat ik wilde was hard wegrennen van deze rotsituatie. Privé en zakelijk in de financiële shit. Hoe kreeg ik het voor elkaar!

Ik voelde me totaal machteloos en behoorlijk schuldig toen Nadja mij enthousiast tegemoetkwam. Ze wist het nog niet, maar ik had een ingewikkeld gesprekje met haar te voeren.

'Latte macchiato of een espressootje?'

'Een driedubbele extra sterke koffie!' Het kwam er niet al te vriendelijk uit en ik trok me onmiddellijk terug in mijn kantoor waar ik het beven van mijn ledematen onder controle probeerde te krijgen. Het viel me plotseling op dat ik niet erg stressbestendig was en deze constatering deed me bijna in lachen uitbarsten. Zat ik hier te beven als een aalscholver in een designkantoor. Waar deed ik moeilijk over? Het was niet mijn bedrijf. Het enige wat ik moest doen was redden wat er te redden viel en volgens mij was ik daar heel goed in.

Ik haalde diep adem en sprak mezelf vermanend toe: 'Kom op, je kunt het.' En als ik het niet kan, dan... O shit, wat moet ik doen als ik het niet kan? Zenuwachtig begon ik te ijsberen door de kamer. 'Dan doe je maar alsof je het kunt!'

Veel meer tijd om in de paniekstand te schieten kreeg ik niet want Nadja klopte voorzichtig op de deur. Op een dienblaadje droeg ze de koffie en ze keek me voorzichtig peilend aan. Ze mocht dan een waardeloze kracht zijn, mijn humeur inschatten kon ze als de beste.

'Nadja, wil jij onmiddellijk een afspraak voor mij maken met de leasemaatschappij van de Mini, de huurbaas, alle freelance personals en eentje met jezelf?'

Ze keek me verbaasd aan. 'Wat moet ik doen?'

Ik legde het haar nog drie keer uit en uiteindelijk begreep ze een beetje wat de bedoeling was, waarna ik mezelf aan het werk zette en alle personals een mailtje stuurde waarin ik hun uitlegde dat ik de komende maanden de leiding zou voeren over Personal Whatever. Ik had nog niet op Send gedrukt of mijn mobieltje ging over.

'Hé Lieke, er staat een taxi voor de deur. Met je moeder en een koffer.'

Ik slikte even. 'Hé, Bram! Is het vandaag de dag dat...'

'Ja, en straks komt het busje met haar spulletjes. Zal ik haar maar binnenlaten?'

'Maar ze zou toch morgen komen?'

'Ze staat nu voor de deur,' zei Bram laconiek.

'Ik kom eraan,' riep ik met overslaande stem van ellende en op mijn hoge hakken rende ik het hippe, met schulden belaste kantoor uit, Nadja verbaasd achterlatend.

Mijn moeder keek me niet al te vriendelijk aan. Ze zat op de bank met haar handtas op schoot, haar jas nog aan. Alsof ze op een verlaten stationnetje zat te wachten op een trein die nooit zou komen.

'Hoi mam, fijn dat je er bent.' Ik gaf haar een zoen op haar wang en probeerde zo blij mogelijk te kijken.

'Wie ben jij?' vroeg ze bits.

'Lieke, je dochter. Je komt gezellig bij mij wonen, mam. Bij mij en Merel.'

'Wie is die man?' Ze wees naar Bram en ik zag dat hij amper zijn lachen kon inhouden.

'Dat is Bram, de buurman. Je zult hem wel veel zien hier.'

'Waarom?'

'Daarom!' Ik voelde een narrigheid opkomen. Verdorie, die hele waarom-fase had ik net met Merel achter de rug. Moest ik hem dan nu met mijn moeder overdoen? Met nijdige stappen liep ik naar de keuken om koffie te zetten. Bram liep achter me aan.

'Ik wil je dag niet nog erger verpesten maar de afdelingsleider van Merel heeft gebeld. Ze wil je morgenochtend om tien uur spreken.'

'Dat meen je niet!' Ik keek hem met grote ogen van schrik aan.

'Ik ga morgen wel met je mee. Zeg maar niets tegen Merel. Ik denk dat het verstandiger is om even af te wachten wat er aan de hand is.'

Ik was net bezig om deze informatie te verwerken toen mijn mobieltje ging. Nadja. Tot mijn stomme verbazing had ze met iedereen een afspraak gemaakt en op zakelijke toon wist ze me te melden hoe mijn agenda er voor de rest van de week uit zou zien. Propvol! Ik hing op en begon keihard te janken.

Bram zei niets en keek me slechts vragend aan terwijl mijn jankaanval langzaam plaats ging maken voor een woedeaanval en mijn moeder ondertussen nog steeds met haar jas aan in de kamer op de trein zat te wachten.

Knarsetandend van chagrijnigheid stond ik als een gestoorde gek met de vijftig jaar oude theepot van mijn oma te zwaaien. Er moest iets kapot!

'Scherven brengen alleen maar geluk als het per ongeluk tegen de vlakte gaat.' En met een beheerst gebaar redde hij het erfstuk van de prullenbak. 'Drie keer diep ademhalen wil ook nog wel eens helpen.'

'Zeker ook naar die trut op de radio geluisterd!'

Bram keek me zo verbaasd aan dat ik niet anders kon dan zachtjes grinniken.

'Volgens Roos begin ik altijd te lachen als ik metersdiep in de shit zit. Volgens mij nog altijd beter dan dat hysterische gejank. Weet je dat ik het zo druk heb de laatste tijd dat ik Roos niet eens meer zie?'

Met zijn armen over elkaar leunde Bram tegen het aanrecht. Hij zei niets en straalde uit dat hij alle tijd van de wereld had. Omdat ik vermoedde dat mijn moeder nog wel een halfuur bleef zitten zonder zich te verroeren, deed ik Bram in de keuken het hele verhaal uit de doeken over de financiële ellende van PW.

'Weet je, Bram, ik heb toch niks met dat hele bedrijf te maken? Ik ben maar een invaller; een rechterhand met groenkennis! Waarom houd ik er niet mee op en stort ik me op de mensen die me nodig hebben?'

'En wie denk jij dat er niet kunnen overleven zonder jouw vierentwintiguurstoezicht?'

'Wat dacht je van Merel!'

'Ik ben veel thuis, Lieke. Merel is heel vaak bij mij. Volgens mij gaat het prima met haar.'

'Ja, en daarom moet ik morgen op school komen.'

'Laten we eerst maar eens afwachten wat die afdelingsleider ons te vertellen heeft.'

'Goed, dan blijft mijn moeder als punt van zorg over.'

'Was je nou echt van plan om de hele dag naast je moeder op de bank te gaan zitten? Ik denk dat het voor jezelf heel erg goed is om aan het werk te zijn. En volgens mij ben jij de aangewezen persoon om dit bedrijf uit zijn dal te trekken.'

'Maar mijn moeder...'

'Ik houd wel een oogje in het zeil. Daar komt nog bij dat Merel een handig apparaatje heeft aangeschaft, dus...'

'Wat voor apparaatje?' vroeg ik achterdochtig.

'Weet ik veel. Een soort van bejaardentamtam.'

Eigenlijk had ik heel trots op mezelf moeten zijn. Een mateloze bewondering voor mijn eigen zelfdiscipline was behoorlijk op zijn plek geweest, maar ondanks mijn stoïcijnse houding vloog de adrenaline door mijn lichaam en dat voelde nogal onprettig. Het liefst wilde ik Merel bij haar lurven grijpen en met 365 dagen huisarrest dreigen als ze me niet onmiddellijk vertelde waarom ik morgen bij de afdelingsleider moest verschijnen. Dat en de vraag hoe ze aan de bejaardentamtam, de succesvolle uitvinding van mijn ex, was gekomen, hielden me nogal bezig. Maar ik zei niets en met een grote glimlach op mijn gezicht werkte ik mij door het welkomstdinertje dat ik voor mijn moeder had bereid.

Gelukkig was Bram zo lief om aan te schuiven. Hij hield het gesprek lekker gaande en zoals altijd als hij er was, was Merel in een opperbest humeur. Die twee konden het zeldzaam goed met elkaar vinden. Alleen vreesde ik dat het derde lid van ons gezin die weg niet zou gaan volgen. Met argusogen bekeek mijn moeder Bram. Als je niet beter wist, was hij de kink in de kabel van het plannetje dat zij had uitgebroed. Ik kon er niet goed mijn vinger achter krijgen maar voor mijn gevoel klopte er iets niet.

Rond een uurtje of negen begon mijn moeder luidruchtig te gapen. 'Ik ga mijn hut maar eens opzoeken. Ik zou het op prijs stellen als de purser mij zo meteen nog even een glaasje water komt brengen.' Ze keek Bram langdurig aan.

Merel schoot keihard in de lach. 'Oma, doe normaal. Bram is de buurman.'

138

'Buurman? Buurmannen horen een huis verderop te zitten!'
Ze keek ons aan met een blik die geen tegenspraak duldde.

Merel sprong op en zei: 'Ik breng je wel even naar je hut.'
Zonder iets te zeggen ruimden Bram en ik de tafel af. Ik
maakte me zorgen. Hoe gek was ze?

'Misschien valt het allemaal wel mee en is ze wat meer in
de war door de verhuizing,' zei Bram, alsof hij mijn gedachten kon lezen en hij gaf me een kus op mijn wang. 'Ik ben hier
morgen om tien voor tien. Dan gaan we samen de afdelingsleider te lijf.' Hij maakte een rare karatesprong waarbij hij bijna met zijn hoofd tegen de deurpost knalde. 'Nou, misschien
moeten we gewoon een goed gesprek met haar voeren. Vechten kunnen we altijd later nog.'

Tegen halftien kwam Merel naar beneden. 'Nou mam, ik hoop
niet dat jij later zo wordt.'

'Merel, ga eens zitten.'

Bedeesd nam Merel plaats op de bank. 'Wat is er?'

'Hoe kom jij aan die bejaardentamtam?'

'Ja, daar wilde ik het net met je over hebben. Dat is echt
een superuitvinding. Je moet op je pc een programmaatje invullen. Zeg maar, een schema van oma's dag en dat laad je in
haar bejaardentamtam. Dat draagt ze dan als een broche op
haar jurk. Dat geval herinnert haar eraan wat ze allemaal moet
doen en vooral moet laten. Fantastisch. Maar...' Merel ging
voor me staan en zwaaide heftig met haar vinger, '... het is nog
mooier, want op de plekken waar ze niet mag komen, hang je
een soort van magneetje en dan gaat er van alles piepen als ze
daar in de buurt komt. Dus oma kan niet meer zomaar de deur
uit. Briljant.'

'Heel briljant, Merel, maar hoe kom je eraan?'

'Gekocht?' Merel keek me vragend aan of dit antwoord wellicht voldeed.

Ik schudde mijn hoofd.

'Oké, via pap.' Ze keek me schuldbewust aan.

Ik wierp haar een strenge blik toe.

'Mam, ik weet allang dat pap een hufter is die niets met ons te maken wil hebben.'

'Merel!' Ik keek haar ontzet aan.

'Kom op, mam. Je bent veel te lief om mij een vader te ontzeggen. Jij zou er alles aan doen om ervoor te zorgen dat ik een goed contact met hem zou kunnen hebben. Ik ben niet gek! Ik vind het echt rot voor je dat je nu ook nog je dementerende moeder in huis moet nemen, dus ik heb pap gebeld en gezegd dat ik zo snel mogelijk die schijtuitvinding van hem wenste te krijgen. Nou, het lag vanochtend in de bus.'

Hoofdschuddend keek ik haar aan.

21

Om tien uur precies klopte ik op de deur van het kantoortje van de afdelingsleider. Ik was hartstikke zenuwachtig en ik voelde me al bij voorbaat schuldig over het feit dat ik mijn dochter zo had verwaarloosd waardoor ze hele dagen in de McDonald's kon rondhangen. Of nog erger.

'Ah, daar hebben we de vader en moeder van Merel.'

Bram hief gelaten zijn schouders op en liet me met één oogopslag weten dat het nu niet zo belangrijk was dat hij niet op de geboorteakte van Merel als vader vermeld stond.

'Leuk dat u er bent. Gaat u zitten.'

Leuk! Ik wilde het mens bij haar haren grijpen en gillen dat er niets leuks was aan een dochter die zichzelf op de hoek van de straat aan de eerste de beste verkocht, omdat haar moeder zo nodig een bedrijfje moest redden dat door een drugsverslaafde en een zwangere met gestoorde hormonen naar de filistijnen was gcholpen.

Ik ging zitten.

'U weet zeker wel waarom u hier bent?'

Met een trillend lipje schudde ik mijn hoofd. Shit, het was allemaal nog veel erger. Nu was het ook nog eens duidelijk dat Merel thuis niet de mogelijkheid had om over school te vertellen.

'Meneer en mevrouw Van der Steen, mag ik u feliciteren? Het gaat zo goed met Merel op school dat wij overwegen om haar volgend jaar naar het vwo te laten gaan.'

Met een zucht zakte ik als een slappe pop onderuit in de stoel. Ik greep Bram bij zijn arm en keek hem met een gelukzalige glimlach aan. 'Dank je, Bram. Dit hebben we aan jou te danken.'

Verbaasd keek de afdelingsleider ons aan en ging vervolgens onverstoorbaar door. Merel was geweldig. Merel haalde hoge cijfers. Merel maakte altijd haar huiswerk. Merel had zich fantastisch hersteld van haar dipje eerder dit jaar. Merel was een voorbeeld voor anderen. Merel had ouders die trots op haar mochten zijn.

Bram knikte alsof het de normaalste zaak van de wereld was en ik wenste dat ik zo'n elastisch sportbroekje aanhad. Het angstzweet voelde nog koud aan tussen mijn billen.

'Weet je, Bram,' zei ik even later toen we terug naar huis reden. 'Merel wist al die tijd dat haar vader geen contact met haar wilde hebben. Vind je dat niet afschuwelijk?'

'Ja, dat is afschuwelijk, maar het wordt ook eens tijd dat jij wat meer vertrouwen krijgt in de kracht van Merel. Ze is geen teer poppetje dat zich zomaar uit het veld laat slaan. Ze is de dochter van een sterke vrouw, en niet zozeer de dochter van een eikel van een uitvinder!'

In het kader van mijn financiële reddingsoperatie had ik die middag mijn eerste afspraak met de accountmanager van de leasemaatschappij. Ik stond te trillen op mijn benen, wat door mijn knalstrakke skinny vreselijk werd geaccentueerd.

Voor mij stond een wat dunne man die het leven overduidelijk geen lolletje vond. Fronsend keek hij me aan toen ik hem vertelde dat de Mini weliswaar fantastisch reed, maar ook onbetaalbaar was geworden voor Personal Whatever.

'Dan heeft u toch een probleem, want u heeft een contract dat nog drie jaar loopt.'

Ik slikte even. Dit ging mis. 'Het valt maar te bezien wie er hier een probleem heeft.'

'Hoezo?' Hij keek me streng aan. Dit was een man die heilig geloofde dat de wereld op een volstrekt veilige manier gereguleerd werd door contracten. Maar dan had hij nu toch even pech.

'Ik moet u helaas vertellen dat Personal Whatever failliet gaat. Daar is geen twijfel over mogelijk. Op de dag dat ze voor mijn neus staan met beslagleggingen stap ik hysterisch in de Mini en knal ik hem in pure paniek tegen de eerste de beste boom. Weg Mini!'

'Dan hebben we nog altijd een contract!'

'Tegen die tijd ben ik niet alleen een kale maar ook een behoorlijk dode kip! Zo veilig is die Mini nou ook weer niet.'

Het was lang geleden dat ik mij door het openbaar vervoer ergens naartoe had laten rijden maar uiteindelijk kwam ik met bus 5 weer in Bussum aan. Tanja zat al te wachten in mijn kantoor en het eerste wat ze vroeg was waar Suus in hemelsnaam was.

'Suus zit in Schotland.'

'Op vakantie?!' Tanja keek me verbaasd aan.

'Ik begrijp je verbazing. Het zou ook heel opmerkelijk zijn als Suus op vakantie was gegaan zonder een behoorlijke voorraad van jouw spannende pillen.'

Tanja sprong overeind en wilde wat zeggen, maar ik hield mijn hand omhoog.

'Ga zitten. Ik weet precies hoe de vork in de steel zit, dus ga hier alsjeblieft niet de vermoorde onschuld uithangen. Ik wil dat jij je met onmiddellijke ingang distantieert van Personal Whatever. Wij leveren diensten en dealen valt daar wat mij betreft niet onder.'

Tanja keek me schamper aan. 'Realiseer jij je wel dat ik degene ben die voor de omzet van Personal Whatever zorgt?'

'Dat realiseer ik me donders goed en het wordt tijd dat dat zo snel mogelijk verandert. Ik kan je niet verbieden om leverancier te zijn van die enge rotzooi, maar ik hoop dat jij je realiseert dat je een heel groot probleem hebt als jij je werkzaamheden nog langer in verband brengt met de naam Personal Whatever.'

'En anders?'

'En anders zul je erachter komen dat niet alleen pillen iemands leven kunnen ruïneren.' Ik keek er zo ontzettend vals bij dat ze opstond en met een rood hoofd het pand verliet.

'Poeh!' Het zweet stond in mijn handen en toen ik in de spiegel keek zag ik tot mijn verbijstering dat ik spierwit was.

'En dan heb je nu een afspraak met mij.' Nadja stond in de deuropening te dralen.

Ik zuchtte. 'Kom verder.' Ik wist nog steeds niet wat ik met Nadja moest. Ze was een kracht waar ik niets aan had en ze kreeg veel te veel betaald. Daarnaast was ze ook nog een keer degene die zo'n beetje alle dure kleding kreeg die door de Personal Shoppers als overbodig uit de kasten van onze clientèle werd gehaald. Alles bij elkaar opgeteld had ze ongeveer een inkomen van 5000 euro per maand. Voor dat bedrag zette ze koffie en nam ze de telefoon op. Behalve op maandag, want dan was ze vrij.

Nadja kwam schuchter binnen en ging aan de grote tafel zitten. Ik keek haar aan en ik kon het niet. Ik kon niet zeggen: 'Beste Nadja, fijn dat je hier was maar morgen hoef je niet meer te komen.'

'Nadja, we hebben een probleem.'

'O?' Ze voelde nattigheid.

'Je kunt niet typen.' Shit, wat kwam dit er stom uit.

'Niet op snelheid, maar...'

'Nadja, het gaat financieel heel slecht met Personal Whatever en jij bent de best betaalde kracht van het hele bedrijf! Je verdient meer dan ik. Het klinkt rot, maar als ik jou betaal, kan ik mezelf niet meer betalen. En als ik mezelf niet meer kan betalen, houdt het hele verhaal op.'

'En als ik nou eens leer typen?'

'Dat lijkt me sowieso een goed idee, maar het lost het probleem dat we nu hebben nog steeds niet op.' Ik kreeg het niet over mijn hart om te zeggen dat ze er goed aan deed om een andere plek te zoeken om koffie te zetten.

'Als ik nu eens wat meer ga typen, dan betaal jij mij wat minder.'

Ondanks de ellende kon ik een glimlach om deze logica niet onderdrukken. 'Je bedoelt heel hard werken tegen praktisch geen salaris?'

'Ook goed.' Ze stond op en trippelde mijn kantoor uit. Ze had besloten te blijven of ik het nou wilde of niet. 'O,' riep ze vanaf haar bureautje. 'Peter Bonkers heeft gebeld. Van Bonkers & Bonkers Onroerend Goed. De afspraak morgen om tien uur kan niet doorgaan.'

'Shit.'

'Of je vanavond om zes uur even kunt komen.'

Ik keek op mijn horloge. Het was kwart voor zes!

'Nadja,' gilde ik. 'Wanneer heeft hij gebeld?'

'Vanochtend, maar ik was het vergeten. Sorry!'

'Nadja!' Inmiddels krijste ik. 'Bel een taxi!'

Terwijl ik in de taxi zat, belde ik Bram die bij mij in de keuken stond om een ouderwetse stamppot voor ons te bereiden en het geen enkel probleem vond dat ik iets later kwam.

Voor de zoveelste keer die dag schoten de zenuwen door

mijn lijf en ik begon inmiddels een beetje begrip te krijgen voor Suus. Ik vroeg me af of ik op dit moment het aanbod van een vriendelijk pilletje zou kunnen weerstaan. Zo'n prettig wit gevalletje waardoor ik als snelle, hippe en uiterst zelfverzekerde dame het kantoor van Peter Bonkers zou kunnen betreden en hem met mijn zeldzaam verleidelijke glimlach om de vingers zou kunnen winden, zodat we de komende maanden de schandalig hoge huur van 8000 euro per maand even niet meer zouden hoeven betalen.

22

Het kantoor van Personal Whatever was al overdadig chic, maar wat ik aantrof toen ik over de drempel van Bonkers & Bonkers Onroerend Goed stapte, viel met geen pen te beschrijven.

Een overvloedige weelde straalde mij tegemoet. Was Nadja al een pop die zich perfect gekleed achter haar bureau zat te vervelen, bij Bonkers & Bonkers Onroerend Goed konden ze er helemaal wat van. Daar zaten twee Nadja's achter een balie mooi te zijn.

Met een brede glimlach verwelkomden de dames mij en terwijl de een de telefoon oppakte om mijn komst te melden, wees de ander mij de weg in het fantastische pand dat zijn muren vol had hangen met schilderijen en overal de prachtigste sculpturen had staan.

Mijn hart bonkte akelig in mijn keel. Ondanks het feit dat ik nu officieel de leiding had over een bedrijf dat de crème de la crème van het Gooi van de meest luxueuze diensten voorzag, liet ik me nog steeds uit het veld slaan door rijkdom die van de muren droop.

Die Bonkers was ongetwijfeld een makelaarstype in Armanipak, die mij schamper zou laten weten dat de huurpenningen gewoon betaald moesten worden. En helemaal ongelijk geven kon ik hem niet.

Shit, die trut van een Nadja ook. Ik had helemaal geen tijd meer gehad om me voor te bereiden. Hoe ging ik het in hemelsnaam aanpakken?

'Kom verder.' Een grote vent met blonde, net iets te lange wilde haren en design-vrijetijdskleding keek me aan.

'Eh... ben jij...' vroeg ik.

'Peter, ga zitten.'

Met een glazige blik keek ik hem aan. Ik had vandaag net iets te veel slechtnieuwsgesprekken moeten voeren en ik was doodop.

'Wat kijk je mij verbaasd aan?'

'Ik verwachtte eigenlijk...'

Hij trok zijn wenkbrauwen vragend omhoog. 'Wat?'

'Een griezel in een Armanipak.' Het kwam eruit voor ik er erg in had. Geschrokken sloeg ik een hand voor mijn mond. 'Sorry, dat bedoelde ik natuurlijk niet.'

'Had goed gekund als je een afspraak had gehad met mijn broer Theo. Koffie?'

Ik knikte en even later kwam er een derde Nadja binnengewiegd met koffie.

'Wat kan ik voor je doen?' vroeg hij nadat Nadja 3 weer het kantoor was uit getrippeld.

Ik keek hem aan en probeerde mijn kansen in te schatten. Hij had kille ogen en keek erg zakelijk. 'Ik ben van Personal Whatever.'

'Dat weet ik. Jullie secretaresse heeft gebeld en de afspraak gemaakt. Dan is het een goed gebruik om te zeggen wie er komt.'

Shit, met deze man viel niet te spotten. Ik haalde diep adem en hoopte dat de overrompelingstheorie zou werken. Ik keek hem aan, diep in zijn ogen. En dat had ik nou beter niet kunnen doen. Staalharde blauwe ogen keken dwars door mij heen. Er zat geen greintje gevoel in. Een rilling ging letterlijk door mijn hele lichaam.

Ik had het mannetje van de leasemaatschappij weten te overbluffen, Tanja op een bitchy wijze afgeserveerd en zelfs Nadja's salaris had ik tot nul weten te reduceren. Maar nu ging ik het even niet redden. Trillend zette ik het kopje koffie op de tafel.

Hij zag het, keek me aan en vroeg spottend: 'Nerveus?'

'Ja, en dat zou iedereen zijn als je nog maar net in dienst bent van een bedrijf waarvan de ene eigenaresse met een postnatale depressie in Friesland verblijft en de andere aan het afkicken is in Schotland. En dan heb ik het nog niet over het feit dat het bedrijf in een belabberde financiële positie verkeert en gehuisvest is in een pand dat niet alleen verschrikkelijk mooi, maar ook belachelijk duur is.' De woorden rolden er zonder horten of stoten uit.

Ik keek hem aan en even meende ik een twinkeling in zijn ogen te zien.

'Ik kan de huur niet meer betalen.' Hulpeloos keek ik naar mijn handen die zedig gevouwen in mijn schoot lagen en plotseling kwam er een lichte woede over mij heen. 'Shit, dit is vernederend, weet je dat? Zit ik hier een beetje te bedelen terwijl het niet eens mijn eigen bedrijf is. Zoek het ook maar uit!' Ik stond op en liep met grote passen naar de deur.

'Ho, wacht even. Er is geen enkele reden tot paniek.'

Verbaasd draaide ik me om. Peter was naar me toe gelopen en keek me glimlachend aan. De kille blik in zijn ogen was verdwenen en hij zag er bijna vriendelijk uit, maar desondanks boezemde hij me ook angst in. Zoals hij daar voor me stond: groot, machtig en eigenlijk best bloedmooi.

'Hoezo, geen enkele reden tot paniek? Achtduizend euro per maand!'

'Suus heeft nog nooit iets betaald.'

Zoals ik hem daar in volledige verwarring aanstaarde, moet er dom uitgezien hebben.

'Suus deed het een paar keer per maand met mijn broer, ergens in een hotelkamer langs de snelweg. Omgerekend had ze een behoorlijk uurtarief, maar het kan ook zijn dat ze van elkaar hielden. Op hun eigen manier dan.'

'O.' Ik probeerde luchtig te klinken maar ik wist niet wat me overkwam.

'Dus het is geregeld,' zei hij.

'Ja, mooi, geregeld,' zei ik en wilde de deur uit lopen. 'Wacht even, verwacht jij nu van mij...'

'Nou, dat zou gezellig zijn maar de daad als afbetalingsregeling vind ik behoorlijk ordinair.'

Een knalrode blos trok over mijn wangen.

Peter keek me grijnzend aan. 'Volgens mij kun jij wel wat hulp gebruiken met dat bedrijf van Suus. Zullen we van de week een keer samen uit eten gaan?'

Ik knikte een beetje wazig.

'Mijn secretaresse maakt wel een afspraak met die van jou.'

Ik knikte en liep weer naar de deur waar ik me nog even omdraaide. 'Bedankt.'

'Graag gedaan!' Weer was er die twinkeling in zijn ogen. Ik kon er niks aan doen, maar ik kreeg een enorme kriebel in mijn buik ondanks het feit dat hij een enorme patser was en ik helemaal niets met dat soort mannetjes had. Zo snel als ik kon maakte ik mij uit de voeten om buiten tot de conclusie te komen dat ik helaas geen vervoer had.

Eigenlijk moest ik een gat in de lucht springen. Ik had het allemaal toch maar mooi geregeld, maar ik voelde me zo zielig toen ik even later tegen de regen stond te schuilen onder een abri, wachtend op de bus die mij naar Hilversum moest brengen. Ik kon wel janken!

Een blauwe Espace reed voorbij, remde keihard en reed naar

achteren. Het raampje zoefde automatisch naar beneden. 'Wil je een lift?'

Shit, Peter Bonkers. Alsof de vernedering in zijn kantoor nog niet genoeg was geweest. Ik stapte in en zei verontschuldigend dat ik vandaag de Mini van Personal Whatever had teruggebracht naar de leasemaatschappij en dus even niet over vervoer beschikte.

'Had je ook mazzel dat het leasecontract net was afgelopen.'

'Het contract liep nog drie jaar.'

'Hoeveel moet je betalen?'

'Niets natuurlijk.'

Hij keek me lachend aan en legde zijn hand op mijn been. 'Jij gaat het wel redden, weet je dat?'

Vast wel. Ik ging het vast wel redden en al helemaal als hij die warme hand van mijn been haalde.

Peter zette me keurig af voor de deur. 'Ik bel je van de week om een eetafspraak te maken.'

Achter in de Espace stonden twee kinderzitjes. Nee maar, een keurig getrouwde huisvader. Van hem zou ik niks te vrezen hebben. Ik keek hem aan, knikte en zei: 'Lijkt me gezellig.'

In de woonkamer trof ik Bram, Merel en mijn moeder aan.

'Jij speelt vals!' Mijn moeder keek nijdig naar Bram.

'Hoe kun je nou vals spelen met scrabble?' zei Bram verontwaardigd.

'En toch speel je vals.'

Op het moment dat mijn moeder mij zag binnenkomen, zag ik de blik in haar ogen veranderen. 'Bingo,' riep ze opeens, waarop Merel in een onbedaarlijke tienerlachbui schoot.

'Er staat nog wat eten voor je in de koelkast.' Bram gaf me een knipoog en legde vervolgens het woord VERLIEFD, wat hem dubbele woordwaarde en een vuile blik van mijn moeder opleverde.

23

Oververmoeid van al het gedoe van de afgelopen dagen, rolde ik mijn bed in. Ik had het er helemaal mee gehad. De ergste financiële hobbels had ik nu genomen, maar ik vreesde dat er elk moment nog een lijk uit de kast kwam rollen. Het enige wat me nu nog op de been hield was het feit dat het morgen zaterdag was. Weekend! Even geen Personal Whatever. Even geen debetsaldo's. Even geen Nadja's. Even helemaal niks!

Voordat ik het in de gaten had viel ik in een droomloze slaap die halverwege de nacht overging in een gruwelijke nachtmerrie. Op een Personal Whatever-ligfiets sjeesde ik door Bussum, achtervolgd door de dunne man van de leasemaatschappij in een verlengde Mini en Peter Bonkers met zijn drie Nadja's in een Espace cabrio. Het dak was er nogal rommelig van afgezaagd en de drie secretaresses hielden hun wapperende haren met modieuze sjaals in bedwang. Mevrouw De With stond me langs de kant van de weg in een witte galajurk aan te moedigen en in de verte stond de sexy metamorfosekabouter in jarretels naar me te zwaaien. Net toen het eruitzag dat ik zou ontsnappen aan mijn achtervolgers stak mevrouw Berenstein over met haar Chinese naakthondjes. Mevrouw Berenstein kon ik nog net ontwijken, maar van Anne-Katherina, Belle-Fleur en Jacky Kennedy bleef helemaal niets over. Op het marktplein van Bussum werd ik publiekelijk gestenigd met kievietseitjes, verzwaarde kaviaarballetjes en tasty tom-tomaatjes. Ik werd gillend en zwetend wakker en kwam maar moeizaam weer in slaap.

De volgende ochtend stond Merel om zes uur aan mijn bed.

'Mam, word wakker!'

'Wat is er?' mompelde ik slaapdronken.

'Oma is gek geworden.'

Ik sprong overeind. 'Wat is er aan de hand? Wat is ze aan het doen?' Paniek en slaapgebrek deden mijn stem vreemd klinken.

'Ze staat met haar handtas bij de voordeur. Ze zegt dat ze aan het werk moet, maar ze kan de sleutel van de voordeur niet vinden.' Merel begon een beetje te giechelen. 'Ze is echt goed krankjorum, mam. Moet zoiets niet in een tehuis?'

Ik pakte mijn sloffen en mijn badjas en holde naar beneden, waar mijn moeder in vol ornaat aan de deur stond te trekken. Ze had haar mooiste jas aan en een hoedje op.

'En waar ben jij mee bezig?' riep ik woest. 'Het is zes uur 's ochtends!'

'Ik moet aan het werk! Ik kom nog te laat.'

'O, en wat doe je dan voor werk? Ben je hersenchirurg of zit je ergens achter de kassa?' Mijn ogen spoten vuur. Ik was het nu echt zat. Al mijn frustraties van de afgelopen dagen kwamen eruit.

'Ik ben juf handvaardigheid en de kinderen wachten op mij.'

'Doe normaal, mam, het is zaterdagochtend. Naai-juf! Je kunt nog geen knoop aan een jas naaien. Dat moest pap altijd doen. Ga naar je bed en ga nog wat slapen.' Ik draaide me om en liep de trap weer op. Ik hoorde haar nog net verontwaardigd mompelen dat ze juist heel creatief was met naald en draad. Toen hing ze haar jas op en legde haar hoedje op de kast. De rust was weer terug.

Tegen halftien stond ik het ontbijt klaar te maken. Merel sliep nog en ook op zolder was het stil.

'Hoi!'

Ik schrok me lam en draaide me om.

'Slecht geweten?' vroeg Bram met een grijns op zijn gezicht.

'Nee, slecht geslapen. Ik hoorde je niet binnenkomen.'

Hij liep naar me toe en wilde me een zoen geven. Zonder dat ik het in de gaten had gaf ik hem een kus in de lucht. Ergens bij zijn oor. Het maakte een beetje een smakkend geluid.

'Gadverdamme, Lieke.'

'Wat?'

'Dat is toch geen zoen! Als ik ergens een hekel aan heb dan is het wel aan die ongeïnteresseerde kussen die in de lucht blijven hangen.'

Ik keek hem aan. Met in mijn ene hand een ei en in de andere een koekenpan. Waar maakte hij zich druk over?

'Er is zoiets als een kusetiquette. Dus als je het doet, moet je het goed doen. Zeer vage kennissen – die je liever ziet gaan dan komen – zoen je door de lucht te kussen. Vooral niet aanraken! Zelf geef ik er de voorkeur aan om dat soort mensen gewoon te ontwijken.' Hij keek me doordringend aan.

'Kennissen en halve vrienden zoen je door je wang even licht langs die van de ander te laten strijken.' Hij deed het voor en raakte me amper aan. Toch voelde ik een tinteling in mijn lijf.

'Vrienden kus je gewoon op de wang. Twee keer. Dat is meer dan zat,' ging Bram onverstoorbaar verder.

Ik voelde zijn lippen op mijn verhitte wangen. Mijn armen hingen inmiddels slap langs mijn lijf en ik probeerde de koekenpan en het ei stevig vast te houden.

'Tja, en dan blijft er nog één over.'

Voordat ik het in de gaten had, zoende hij mij vol op de mond. Ik wilde wel zeggen dat dit niet de bedoeling was, maar dat zat er even niet in. De koekenpan en het ei donderden op de grond. Ik sloeg mijn armen om zijn nek en zo stonden we daar totdat hij er abrupt een einde aan maakte en een stap naar achteren deed.

'Maar daar kwam ik niet voor. Ga je straks met me mee naar een rommelmarkt? Mevrouw Klepel heeft gisteravond gebeld. Ze komt om elf uur koffiedrinken, die kan dan even op je moeder passen.'

Wezenloos keek ik hem aan. Hier stond mijn buurman. Een buurman met een sleutel. Een buurman die de telefoon bij me opnam en met mevrouw Klepel afsprak. Een buurman die de kusetiquette perfect onder de knie had en deze wat mij betreft nog wel een keertje mocht herhalen.

'Goed?'

Ik knikte.

'Ik zie je straks.'

Ik knikte weer. Ik had voor het eerst met een andere man gezoend!

Om elf uur liet ik mevrouw Klepel bij mijn moeder achter. Ik voelde me schuldig. Mijn moeder was er amper een dag en ik was nu al blij dat ik het huis kon verlaten.

'Op naar de bejaarden te Naarden,' zei Bram opgewekt.

'Wat!' gilde ik uit. 'Ik verlaat mijn moeder en ik ga vervolgens naar...'

'Bejaardentehuis De Oude Beuk bestaat vijftig jaar,' viel Bram me in de rede, 'en om dat heuglijke feit te vieren is er een rommelmarkt en leuke activiteiten voor de kleintjes onder ons.'

'Leuk,' mopperde ik, 'zeker inclusief luchtkussen.'

'Je bedoelt waarschijnlijk een springkussen.' Hij keek me spottend aan en ik kreeg een knalrode kop.

24

Opgewekt stapte ik maandagochtend in mijn oude Barrel. Ik had een heerlijk weekend achter de rug en ik voelde me vol energie. De rommelmarkt was een groot succes geweest. Ik had voor mezelf een fantastische schemerlamp gekocht en voor Merel een geweldig kitscherige ring. Het hoge non-designgehalte van alle uitgestalde rotzooi had me ouderwets doen genieten. Helaas had er nog wel wat schuldgevoel om de hoek gepiept, wat me ertoe had gedreven om ook iets voor mijn moeder te kopen. Het werd een puzzel van 10.000 stukjes met als tafereel een ondergaande zon. Daarnaast won ik bij de loterij een slacentrifuge in de kleuren knaloranje en groen. Iets waar Bram heel hard om moest lachen maar hij werd al snel stil toen bleek dat hij de gelukkige eigenaar werd van een droogmolen. Ik dacht dat ik niet meer bijkwam.

De zondag bracht ik in volledige rust door. Merel was bij een vriendinnetje huiswerk gaan maken en mijn moeder was aan de eettafel gaan zitten met de enorme ondergaande zon. Aan het eind van de dag had ze nog maar een kwart van de stukjes op kleur gesorteerd. Het komende halfjaar zouden we moeten eten met ons bord op schoot, maar ik was allang blij dat ze zich er zo lang mee kon amuseren.

Naarmate ik dichter bij kantoor kwam, voelde ik de energie langzaam wegvloeien. De hele dag was volgepland met afspraken met de freelance personals en ik zag als een berg tegen de gesprekken op.

Ik had nagedacht over de toekomst van het bedrijf en had besloten om met alle personals een gesprek te voeren. Op basis daarvan wilde ik met de meest enthousiaste verdergaan. Een klein groepje wilde ik in vertrouwen nemen en met dat team proberen PW er weer financieel bovenop te krijgen.

Toen ik aankwam was Nadja tot mijn verbazing al aanwezig. Ze was een aantal grote vazen aan het vullen met prachtige rozen en slaakte af en toe een kreet als ze zich prikte aan een doorn.

'Nadja, jij hebt toch vrij vandaag?'

'Oeps, dat is ook zo!'

'Waar komen die bloemen vandaan?'

'In den Gouden Gerbera, daar halen we ze altijd vandaan. Daar hebben we een rekening lopen. Van Suus moest ik elke week de bloemen verversen. Ik neem aan dat jij dat ook belangrijk...'

Ik schudde mijn hoofd en zuchtte diep. 'Het is heel lief dat je dit doet, maar we hebben er geen geld voor.'

'Oeps, wat ben ik toch een domkop.' Ze sloeg zichzelf keihard voor haar hoofd. Zo hard dat een rode vlek op haar voorhoofd verscheen en de tranen in haar ogen sprongen.

'Oeps,' zei ik.

Ik trok me terug in mijn kantoor en bereidde me voor op mijn eerste gesprek. Elzelien was precies op tijd en onmiddellijk kwam Nadja binnendrentelen met koffie.

'Goh, Elzelien, wat leuk. Ik lees hier dat je bikinilijnen harst met als specialiteit het scheren van initialen in schaamhaar. Ik lees ook dat je al twee jaar lang geen opdracht hebt uitgevoerd.'

'Ik heb nog even geprobeerd om de Brazilian Wax te combineren met een klankkleurtherapie, maar dat sloeg niet echt aan. De concurrentie met de laserklinieken is gewoon moordend. Ik verdien niets meer bij jullie. Het enige wat ik doe is tijd stoppen in dit bedrijf door op vrijdagmiddag trouw op de borrel te komen.' Ze keek me zuur aan.

Het was me opgevallen dat Elzelien inderdaad goed was voor een fles chardonnay per vrijdagmiddag. Wat overigens voor wel meer personals gold. Ik had al besloten om die hele borrel maar eens een tijdje af te schaffen.

Het gesprek dat ik hield met Bernadette, de mental coach, was bijzonder kort en krachtig. Ik had haar niet uitgenodigd en ik begreep er dan ook niets van dat ze er opeens zat. Nog merkwaardiger was dat ze lucht had gekregen van de financiële problemen en die meende ze te kunnen oplossen met een spirituele sit-in. Alle positieve gedachten en het branden van tien kaarsjes zouden wonderen doen.

Ik voelde een enorme hoofdpijn opkomen. 'Bernadette, ik heb vannacht een aardappel geworpen.'

Ze keek me hologig aan.

'Dat is de variant van de bietentheorie. Ken je die niet?'

Haar mond zakte langzaam open.

'De aardappel viel en weet jij wat dat betekent?'

Weer schudde ze haar hoofd.

'Dat ik jou niet langer nodig heb.'

'En als hij niet was gevallen?' Het kwam er hortend en stotend uit.

'Dan was hij blijven zweven en dan had jij mogen blijven.' Met een lichtelijk verbaasde frons op haar voorhoofd verliet ze mijn kantoor. Ik moet zeggen dat het aardig opluchtte om Personal Whatever van het vreemdste element te ontdoen.

Na twee dagen van uitputtende gesprekken hield ik uiteindelijk vier dames over. Vrouwen met wie ik wat kon en die ik op woensdagmiddag bij elkaar riep voor een vergadering met koffie en taart.

'Dames, welkom. Zoals ik jullie allemaal al heb uitgelegd in mijn mail verblijft Karlijn de komende maanden in Friesland en Suus in Schotland.' Er volgde wat geroezemoes.

'Tanja zal niet langer meer diensten verlenen voor Personal Whatever.'

'Is er een verband tussen het verblijf van Suus in Schotland en het vertrek van Tanja?' vroeg Cato, de personal trainer, nieuwsgierig.

'Ja, en dat verband liep onder andere via de neusgaten van Suus.' Er volgde weer geroezemoes.

'Wat jullie nog niet weten is dat het financieel heel erg slecht gaat met Personal Whatever.' Het werd doodstil en ze keken me verschrikt aan. 'We staan er niet best voor en de komende maanden zullen we ons uiterste best moeten doen om ons hoofd boven water te houden. Als jullie mij tenminste willen helpen. Ik heb de afgelopen twee dagen met alle personals gesprekken gevoerd en jullie vieren uitgekozen om mee verder te gaan. De rest blijft zolang in de kaartenbak. Ik denk dat we onze krachten moeten bundelen en zo efficiënt mogelijk onze klanten moeten gaan bedienen. We moeten zo veel mogelijk samenwerken.'

Ik keek even rond en haalde diep adem om vervolgens verder te gaan. 'Cato, jij doet de trainingen. Feline neemt het personal shoppen voor haar rekening. Tess, jij blijft natuurlijk onze hondenspecialist en daarnaast hoop ik je zo veel mogelijk als visagiste in te kunnen zetten. Vind je dat goed?'

'Geen enkel probleem!'

'Nynke, jij doet de party's en bijbehorende begeleiding van de catering en wellicht kun je meteen de dieetadviezen voor je rekening nemen.'

Ze knikte goedkeurend en knipoogde. 'Komt in orde en maak je geen zorgen. Ik ben niet zoals Tanja. Poedersuiker gaat mij al te ver.'

Dit was het moment waarop we allemaal vreselijk begonnen te lachen. De spanning was eraf en voor het eerst kreeg ik een beetje hoop dat we het misschien zouden gaan redden.

'Je had het over het bundelen van krachten. Hoe zie je dat voor je?' vroeg Cato.

'Stel dat jij naar een afspraak gaat om met iemand te trainen en je weet dat ze ook een chihuahua heeft, dan neem je Tess ook mee. Terwijl jij de dame het zweet van het lijf laat gutsen ontfermt Tess zich over het beestje...'

'Dat ongetwijfeld wel iets van een probleem heeft,' zei Tess.

'Precies! En als het beest geen probleem heeft, dan heeft het wel een nieuwe outfit nodig voor een regenachtige dag,' zei ik grinnikend.

'Verrek,' zei Tess, 'dat ik daar niet eerder aan gedacht heb. Die krengen kunnen we ook aankleden!'

Feline lag inmiddels dubbel van de lach over de tafel. 'Ga ik ook mee. Jij met hondenpakjes, ik met iets bijpassends voor de bazin.'

Ik keek hen glimlachend aan. 'Precies! De komende tijd moeten we dus zo handig mogelijk ons cliëntenbestand bewerken.

Vriendelijkheid staat voorop, maar de achterliggende gedachte is om zo veel mogelijk opdrachten binnen te halen,' zei ik.

'Dat lijkt me een strak plan,' zei Nynke.

'Verder stel ik voor dat we niet gaan afwachten of er een opdracht binnenkomt, maar dat we zelf op de thee gaan bij onze vaste cliënten. Dat vinden ze attent en wij worden daar alleen maar beter van.'

Er volgde een lang en hard applaus. Enthousiast en bereid om al het mogelijke te doen, verlieten ze het kantoor. Ik haalde opgelucht adem.

Ze waren de deur nog niet uit of mijn mobieltje ging over. Peter Bonkers. Of ik vanavond met hem wilde dineren. Ik dacht weer even aan de kinderzitjes op de achterbank van de Espace en besloot dat het verstandig was om zijn kennis te gebruiken. Een keurige huisvader als adviseur was nog precies waar het mij aan ontbrak. Het zou zeker geen kwaad kunnen om met hem van gedachten te wisselen over de te volgen koers van PW.

'Lijkt me leuk maar ik moet even met mijn buurman overleggen of hij op mijn dochter en moeder kan passen. Is het goed als ik je zo terugbel?' Het was even stil aan de andere kant van de lijn, waarna Peter liet weten dat het prima was.

Bram vond het uiteraard geen enkel probleem en zei dat ik lekker van het etentje moest genieten. Niet te veel moest drinken en het vooral laat moest maken. Hij ging wel met een dekentje op de bank liggen.

Ik vond dit zo lief dat ik onmiddellijk Merel aan de telefoon wilde en haar vroeg of zij er een probleem mee had om vrijdag op oma te passen omdat ik dan uitgebreid in Brams huis ging koken voor onze fantastische buurman. Merel ging hiermee akkoord voor een oppastarief van één euro vijftig per uur, vriendendienst. Glimlachend hing ik op.

Nadat ik Peter had gebeld en met hem had afgesproken dat ik om zeven uur bij Lakes zou zijn, ging mijn mobieltje weer. Het was Roos.

'Lieve schat, hoe gaat het met je? We zien elkaar nooit meer. Wat is er aan de hand?'

'Sorry, Roos. Je wilt niet weten hoe mijn leven er tegenwoordig uitziet. Een vriendin van mij heeft me een baan bezorgd bij een of ander obscuur bedrijfje en dat houdt me nogal bezig.'

'Van je vriendinnen moet je het maar hebben,' giechelde ze.

'Lieve schat, ik moet er zo vandoor. Eten met een gladde onroerendgoedjongen, maar zullen wij morgen eens lekker gaan lunchen?'

'Goed idee, weer op kosten van Personal Whatever?' vroeg ze lachend.

'Nou, ik vrees van niet. De zaak is bijna failliet!'

'Dat meen je niet?'

'Maar ik ga de boel redden. Het hele verhaal vertel ik je morgen. Zullen we om één uur bij Strawberry Lounge afspreken?'

24

Klokslag zeven uur kwam ik bij Lakes aan. Ik was er nog nooit eerder geweest om de simpele reden dat mijn portemonnee een dergelijk bezoek niet toestond. Ik kon dus ook niet weten dat ze bij Lakes aan valetparking deden. Dus toen ik mijn Barrel schots en scheef tussen een paar bomen, maar wel zo dicht mogelijk bij de ingang parkeerde, kwam er meteen iemand op mij afgerend met de mededeling dat hij mijn auto wel even ging parkeren.

Tof.

'Luister knul, ik denk dat het meer tijd kost om jou uit te leggen hoe je dit verroeste wrak in zijn achteruit krijgt dan dat ik hem ergens netjes verderop parkeer. Daar komt nog bij dat ik gewend ben om via de passagiersstoel uit te stappen.'

Hij keek me aan met een meewarige blik in zijn ogen. Of was het nou medelijden?

Peter zat al bij een tafeltje aan het raam. Galant stond hij op en tot mijn grote opluchting was hij nog steeds gekleed in vrijetijdskleding, al was het dan van een belachelijk duur merk. Hij was immens groot, zeker wel twee koppen groter dan ik, en ik was niet bepaald de kleinste.

'Gezellig dat je er bent!'

Terwijl ik een glaasje champagne voor mijn neus geschoven kreeg, vertelde Peter van alles en nog wat over dit restaurant, de chef-kok en meer van dat soort feitjes die me niet echt interesseerden, maar die hier in het Gooi buitengewoon belangrijk waren.

'Zal ik maar bestellen? Misschien is het leuk om je te laten verrassen,' vroeg Peter vriendelijk.

Ik was allang blij. Dit restaurant was meer wat voor Nynke, onze vinologe, receptendeskundige en calorie-expert. Gespannen keek ik om me heen. Shit, van de tijdelijke directrice van Personal Whatever mocht je toch wel verwachten dat die zich hier als een vis in het water voelde.

Om mijn onzekerheid te verbloemen keek ik Peter een beetje arrogant aan. 'Graag, ik word soms zo moe van dat kaartlezen tijdens al die eindeloze diners.' Ik wuifde wat blasé met mijn hand en ging heerlijk achteroverleunend in de stoel zitten. Veel tijd om een beetje te hangen kreeg ik niet want er werd onmiddellijk een amuse onder mijn neus geschoven.

'Vertel, wat kwalificeert jou eigenlijk om de leiding van Personal Whatever over te nemen?'

Geschrokken keek ik op, de amuse bleef ergens halverwege mijn keel steken. Deze vraag had ik verwacht van Karlijn en Suus tijdens mijn sollicitatiegesprek, maar die hadden hem niet gesteld. En nu had ik er even zo snel geen antwoord op.

'Nou?' drong hij aan.

'Ik zou niet weten wat voor diploma je zou moeten hebben

om de verveling van oud en nieuw geld in goede banen te leiden.'

Met fronsende wenkbrauwen keek hij me aan. Ik voelde een rilling langs mijn ruggengraat lopen. Waarom liet ik me zo intimideren door deze man?

'Er zit toch wel verschil tussen oud en nieuw geld, mag ik hopen?' vroeg hij, en er verscheen een twinkeling in zijn ogen. 'O absoluut. Alleen gaat de mythe dat oud geld per definitie meer smaak heeft dan nieuw geld niet altijd op. Bij oud geld beheerst de vraag hoe het te behouden het leven. Bevreesd als ze zijn dat het op een dag op is. Nieuw geld daarentegen gedraagt zich als een kind in een snoepwinkel, maar omdat ook zij bang zijn dat het er op een dag niet meer is, beheerst de vraag hoe ze het kunnen vermeerderen hun leven. Simpel.'

Ik kreeg weer een amuse voorgeschoteld en dankbaar werkte ik hem naar binnen.

Peter knikte geamuseerd. 'Interessant.'

'Tot welke categorie behoor jij eigenlijk?'

Nu was het de beurt aan Peter om zich te verslikken in de amuse.

'Sorry, dat was een onbeholpen vraag,' zei ik met een flauw lachje rond mijn mond waardoor het duidelijk was dat ik het niet echt meende.

'Ik stam af van een tak met oud geld, maar mijn broer wenst het dusdanig te vermeerderen dat hij inmiddels van het nieuwe geld is.'

'En jij niet?' Ik keek hem verbaasd aan.

'Ik weet niet of ik het allemaal zo belangrijk vind. Op een gegeven moment heb je voldoende, daarna kun je maar beter aan goede doelen schenken.'

Het was maar goed dat er geen amuse meer was, anders was ik er ongetwijfeld in gestikt.

Tijdens het voorgerecht vertelde Peter enthousiast over Bonkers & Bonkers Onroerend Goed en de ietwat gestreste samenwerking met zijn broer. Het was niet altijd feest, maar de combinatie leverde wel een perfecte bedrijfsvoering op. Al kletsend rolden we door het voorgerecht.

Het hoofdgerecht bestond uit een heerlijk visje, met een uiterst ingewikkelde naam en ongetwijfeld behorend tot een soort die aan het uitsterven was. Het dobberde aan de linkerzijde in een saus van gepureerde wortels met een vleugje cognac en aan de rechterzijde in dubbelgestoomde wilde spinazie met saffraan en truffelolie. Of zoiets.

Waar ik in ieder geval absoluut geen moeite mee had was de sancerre uit een zeldzaam goed jaar waarbij zon en windrichting een heel speciaal aroma aan de druiven hadden geschonken, zoals de sommelier ons zonder blikken of blozen wist te vertellen.

Ik dronk in ieder geval iets te snel, waardoor de zakelijke ondertoon tijdens het voorgerecht veranderde in een enigszins melige conversatie over de clientèle van Personal Whatever.

Tijdens het nagerecht liet Peter ook nog eens een dessertwijn aanrukken en dat was voor mij voldoende om de kraan van loslippigheid helemaal open te draaien. Tijdens het grand dessert, waarbij we vrolijk samen van één bordje lepelden, werd mijn privéleven besproken.

'Je hebt dus een dochter en een moeder?' vroeg Peter nieuwsgierig.

'En Bram.'

'Je man?'

'Nee, mijn buurman.'

'En daar heb jij wat mee?'

Ik zuchtte. 'Nee, maar hij woont wel zo'n beetje bij ons in of wij bij hem. Dat ligt er maar aan. Kijk, mijn moeder dementeert en Merel is dertien. Snap je?'

'Niet echt, maar je hebt dus geen man.'

'Ik heb een ex-man maar die woont met zijn net niet minderjarige nieuwe vrouw in Spanje.'

'Proef ik hier iets van bitterheid?'

'Ik heb mij erbij neergelegd maar sommige dingen zijn niet grappig. Verlaten worden is daar een van.' Ik nam nog een slok van de zoete dessertwijn en voelde hem langzaam naar mijn hoofd stijgen.

'Is er iemand in je leven?'

'Nee, ik geloof van niet.'

'Je gelooft van niet?'

'Nou ja, Bram vind ik wel aardig maar we hebben niet samen... eh...'

'Er is een heel scala aan woorden om de daad te omschrijven maar jij noemt het dus eh...'

Ik begon te giechelen.

'Maar zou je het eh wel willen met Bram?' Hij zei het zo grappig dat ik weer moest lachen.

'Weet ik veel!'

'Hoe lang ben je nou gescheiden?'

'Een jaar.'

'En in dat ene jaar heb je nooit... eh...?'

'Nee!'

'Dan wordt het wel weer eens tijd.'

Hij rekende af, liet de gerant weten dat ik morgen mijn auto wel kwam ophalen en voordat ik het wist zat ik met Peter in zijn auto op weg naar zijn huis. Ik geloof dat ik iets te verbaasd was om te protesteren. En het stomme was dat ik het eigenlijk nog wel spannend vond ook.

26

Om drie uur werd ik wakker. Mijn hoofd bonkte vreselijk en ik voelde me licht draaierig. Heel vaag kon ik me herinneren wat er allemaal gebeurd was en van schaamte duwde ik mijn hoofd onder het kussen en begon zachtjes te kreunen.

'Sloerie!' fluisterde ik tegen mezelf. 'Hij is getrouwd en heeft kleine kindjes!' Met een ruk sprong ik overeind. Bram! Al die tijd lag Bram onder een te klein dekentje op de bank. Shit! Ik begon aan de slapende Peter te rukken. 'Peter, ik moet naar huis!'

Opmerkelijk fit en helder keek hij mij aan. 'Wat is er aan de hand? Het is drie uur, ga lekker slapen.'

'Nee.' Ik begon weer aan zijn arm te rukken. 'Ik moet naar huis! Peter, wat is er allemaal gebeurd vannacht?' Ik kon wel janken.

'Je bent het in ieder geval niet verleerd.' Hij keek me grijnzend aan, maar toen hij zag dat ik de tranen in mijn ogen had staan, werd hij meteen serieus. 'Kom, ik breng je naar huis. We hebben het echt heel gezellig gehad. Niets om je over te schamen.'

Bram lag lief opgekruld op de bank. De televisie stond nog aan en een verdrietige Tel Selldame probeerde aan een slapende Bram de allerlaatste eiersnijder te verkopen.

Ik liep naar boven waar Merel met haar duim in haar mond en met Sul stevig tegen zich aan in een hoekje van haar bed lag. Zo sliep ze haar hele leven al. Voor Merel kon ik net zo goed een hondenmand kopen. Mijn moeder zat rechtop in bed met een hoop kussens in haar rug. Ze sliep, haar hoofd lag schuin en ze snurkte een beetje. Het leeslampje boven haar hoofd brandde nog en met één hand hield ze nog stevig een boek vast. *Dementeren door de jaren heen. Herken en doe er wat mee!*

Ik liep weer naar beneden en streek zachtjes een krul van Brams voorhoofd weg. De beweging was voldoende om hem wakker te maken.

'Hoi, schatje, ben je weer thuis?' vroeg hij slaperig.

'Ja.'

'Fijn gehad?'

'Ja.'

'Laat mij maar liggen, ik ben te moe om naar huis te gaan.'
Ik dekte hem toe en gaf hem een zoen op zijn wang. 'Dank
je, Bram,' fluisterde ik.

Het eerste wat ik deed toen ik de volgende ochtend om halfnegen met een fikse kater op kantoor zat, was Peter bellen. Tijdens de fietstocht naar Lakes, waar ik mijn fiets in mijn oude
Barrel propte, had ik alle tijd gehad om na te denken. Ik moest
hem mijn verontschuldigingen aanbieden. Ik had in mijn hele
leven één man gehad: Bas, de uitvinder en vader van mijn dochter. Ik was niet bepaald streetwise op het gebied van dating,
dus hoe had ik het in mijn hoofd kunnen halen om met mijn
halfdronken kop bij Peter tussen de lakens te kruipen? Een getrouwde man nog wel!

Met trillende stem vroeg ik aan een van de Nadja's om mij
door te verbinden met Peter. Ik had mij zelden ongelukkiger
gevoeld. Het kwam er dan ook nogal chaotisch uit toen ik met
overslaande stem mijn verontschuldigingen aanbood voor mijn
lichtelijk hoerige gedrag van gisteravond.

'Lieve Lieke, ik vind het echt rot dat je je hier zo naar over
voelt. Dat is echt helemaal nergens voor nodig! Ik heb tot drie
uur afspraken maar als je het wilt, zeg ik ze nu af en kom ik
naar je toe.'

'Nee, nee, dat is niet nodig,' zei ik iets te snel. Het laatste
waar ik op zat te wachten was om Peter onder ogen te komen.

'Oké, dan hebben we het er later nog wel even over.'

Ik wilde zeggen dat dat helemaal niet nodig was, maar hij
had al opgehangen. De rest van de ochtend probeerde ik me
te concentreren op mijn werk, maar het kostte me moeite om
mijn aandacht erbij te houden. Visioenen van mezelf in on-
mogelijke standjes met Peter bleven maar door mijn hoofd tol-
len. Hadden we het wel veilig gedaan?

Opgelucht deed ik om kwart voor één mijn pc uit. Een ge-

sprek met Roos zou me goeddoen, ook al steeg het schaamrood me naar de kaken bij de gedachte dat ik haar alle vunzi-
ge details zou moeten opbiechten.

Roos zat al in een hoekje bij het raam. Vrolijk zwaaide ze
naar me.

'Wat ben ik blij jou weer te zien zeg!' Ze omhelsde me stevig en herhaalde nog een keer haar woorden.

Ik knikte en ging zitten.

'Je ziet er goed uit!' zei ze.

'Dat kan niet. Ik heb een afschuwelijke kater.'

Roos keek me verbaasd aan. 'Jij en een kater? Dat is niets
voor jou. Wat heb je voor wilde dingen gedaan?'

Mijn wangen kleurden rood en dit ontging Roos niet. Ze
keek me vragend maar ook een beetje giechelig aan. 'Vertel!'
drong ze aan.

'Tja, hoe zal ik het zeggen.' Mijn wangen kleurden rood.
'Een Gooise man, een Goois matras...'

Een brede glimlach verscheen op Roos' gezicht.

Achter elkaar door, zonder pauze, vertelde ik haar het hele
verhaal. Nu de mist was opgetrokken herinnerde ik me ook
alle details weer. Af en toe riep Roos: 'Echt waar! Dat meen
je niet!' Ik ging onverstoorbaar door. Klaarblijkelijk had ik het
nodig om mijn zonden op te biechten.

Toen ik eindelijk klaar was zei ze: 'Wow, dat noem ik nog
eens seks!'

Ik knikte slechts. Ze had gelijk!

'En Roos, heb jij nog wat meegemaakt de laatste tijd?' vroeg
ik lachend. Het feit dat ze mijn onbezonnen gedrag niet zo
hoerig vond als ikzelf, had me enorm opgelucht.

'Nee, niet echt. Twee weken geleden heb ik ook seks gehad,'
ze keek me giechelend aan, 'maar zoals ik het al jaren doe. Ik
onder, halverwege bovenop. Je kent het wel!' Ze begon te lachen. 'Ik ben jaloers op je.'

Ik vroeg me even af of dat wel zo terecht was. Volgens mij

was het altijd nog beter om er een gelukkig huwelijk op na te houden dan met een dronken kop in een wildvreemd bed te belanden.

'Hé, vertel. Hoe zit dat met dat bijna-faillissement van Personal Whatever?'

En weer stak ik van wal. Het kostte me minstens een halfuur om alles uit de doeken te doen. Ook nu werd ik af en toe onderbroken door Roos die met kreten van verbazing mijn verhaal ondersteunde.

'Jeetje man, ik ben echt trots op je,' zei Roos. 'Het is toch fantastisch zoals je het allemaal doet. En hoe gaat het met Bram?' Ze keek me doordringend aan.

'Geweldig! We hebben er zo'n beetje één huis van gemaakt. Merel is heel vaak bij hem. Alleen mijn moeder vindt Bram een raar element in ons gezinnetje.'

'Ik vind het ook een hele opgave dat je je moeder in huis hebt genomen. Ik moet er echt niet aan denken!'

'Tot nu toe loopt het prima. Ik denk dat ze haar draai wel gaat vinden, alleen zou het fijn zijn als ze ook een beetje meehielp in het huishouden. Ze doet echt helemaal niets. Maar dan ook helemaal niets!'

'Dat is haar zoete wraak omdat jij vroeger je kamer nooit opruimde.'

Ik grijnsde maar vroeg me af of ze inderdaad niet een beetje gelijk had. Uiteindelijk was ik pas om drie uur terug op kantoor. Twee uur lang had ik heerlijk zitten kletsen met Roos en ik voelde me stukken beter. Ik zat nog maar net met een kopje koffie achter mijn bureau of de bel ging. Ik verwachtte niemand en omdat Nadja een middagje vrij had genomen, hing ik met mijn hoofd uit het raam. Peter!

Ik wilde snel terugduiken maar hij had me al gezien. Shit! Met drie treden tegelijk kwam hij naar boven, drukte een zoen op mijn wang en vroeg me of ik me al wat beter voelde.

Weer viel het me op hoe enorm groot hij was. Breed ook en

aantrekkelijk. Er was eigenlijk niets mis met deze man met wie ik een uitzonderlijk wilde nacht had beleefd. Van schaamte keek ik snel naar de grond.

Peter pakte me bij de hand. 'We zijn volwassen mensen. Waar maak je je druk over?'

'Je bent getrouwd en je hebt kleine kinderen! Ik mag dan volwassen zijn, maar misschien moet ik me ook als zodanig gedragen. Met getrouwde mannen doe je het niet.'

Lachend liet hij zich in de stoel voor mijn bureau vallen.

'Wat is er zo grappig?'

'Ik ben niet getrouwd en ik heb ook geen kinderen.'

Met open mond keek ik hem aan. 'Die Espace,' stamelde ik, 'daar zitten kinderzitjes in.'

'Die gezinsbus voor het vervoer van 2.6 kinderen is van mijn broer!' Grinnikend keek hij me aan.

Opgelucht haalde ik adem. 'Ik voelde me net een Suus.'

'Wees gerust, je bent echt geen Suus. Gaat het nu weer wat beter?'

'Nou ja, eigenlijk ben ik ook niet zo van de onenightstands. Maar ja.'

'Daar kan ik wel wat aan veranderen.'

Voor ik het in de gaten had, lag ik op het roze bureau. In een onbeschrijfelijk rap tempo wist Peter mij te ontdoen van mijn kleren. Ik wilde wel protesteren maar de woorden kwamen er niet echt uit. Op een gegeven moment had ik ook helemaal geen behoefte meer om te protesteren. Dat was ergens op het punt waarop ik me realiseerde dat Bas een totaal onbeholpen kluns was vergeleken met de handige handen van Peter. Ik klemde me stevig aan hem vast en net op het moment dat ik o zo blij was dat Nadja een vrije middag had en dus best voor de verandering mijn enthousiasme wat luider kon laten klinken, schalde het irritante deuntje van mijn mobieltje naast mijn oor.

Merel!

'Wat hijg je, mam.'

'Ik kom net de trap op gelopen.' Peter lag stokstijf en doodstil in mij.

'Mam, je moet naar huis komen. Oma doet echt raar. Ik heb gisteravond met Bram haar bejaardentamtam geïnstalleerd en ze gaat echt helemaal over de rooie. Elke keer als ze in een no-go-zone terechtkomt en papa's uitvinding begint te piepen, gaat ze krijsen en wild om zich heen slaan! En ze blijft maar roepen dat ze geen thee met suiker wil. Mam, oma heeft toch suiker in haar thee?'

'Ja lieverd, kamillethee met suiker.' Peter keek me verbaasd aan.

'Nou, dan snap ik er echt niks van. Het is halfvier, dus tijd voor thee. Dat meldt de tamtam haar de hele tijd.' Merel deed met blikkerige stem het apparaatje na. 'Maar ze blijft maar roepen dat ze geen thee wil! Het is verdomme halfvier. Dan moet ze thee! Met suiker!'

'Schat, ik kom eraan.'

Ik trof Merel aan op de bank met haar duim in haar mond starend naar een videoclip van MTV; naast haar zat mijn moeder stuurs te zijn. Haar jurk was ter hoogte van haar linkerborst opengescheurd en de broche lag in een hoekje van de kamer.

'Hoe gaat het hier?' vroeg ik zo vrolijk mogelijk.

'Oma heeft zich met veel geweld van haar bejaardentamtam ontdaan. Het gaat nu een stuk beter met haar,' lispelde Merel die niet eens de moeite nam om haar duim uit haar mond te halen.

'Gaat het mam?' vroeg ik poeslief. Het laatste wat ik wilde was dat de boel opnieuw zou escaleren.

Ze keek me vals aan. Ik zag nu pas dat ze haar handtas op schoot had. Ze hield hem met twee handen aan de hengsels vast alsof ze elk moment ging vertrekken. Het was heel onaardig van me, maar daar zou ik volstrekt geen moeite mee hebben.

'Mam, die broche is een uitvinding van Bas. Het schijnt heel goed te werken bij mensen die af en toe een beetje de weg kwijt zijn,' zei ik, en probeerde mijn stem zo rustig mogelijk te laten klinken.

Ze opende haar mond, wilde wat zeggen maar hield zich in. Daarna stond ze op, keek me vals aan en ging naar boven.

'Er zijn twee mogelijkheden,' zei Merel op droge toon, 'óf oma is niet dement óf papa's uitvinding werkt niet.'

Mijn ex-echtgenoot kennende hield ik het op het laatste.

27

Ondanks het enthousiasme en de mateloze inzet van de vier overgebleven personals bleef het saldo van de zakelijke rekening van Personal Whatever zo'n beetje rond het nulpunt hangen. Als het zo doorging, vreesde ik aan het eind van de maand nog geen kwart van mijn eigen salaris te kunnen betalen. Tanja had dus inderdaad gelijk dat het merendeel van de omzet op haar conto geschreven kon worden.

Ik wilde er niet te lang over nadenken. Van het idee dat ik binnenkort het faillissement van Personal Whatever zou moeten begeleiden brak het klamme zweet me uit. Als ik er te lang bij stilstond zou het me verlammen en zou ik tot niets meer in staat zijn en konden de deurwaarders me als een stijve Madame Tussaud-pop samen met het meubilair het pand uit dragen. Ik moest blijven hopen dat we het gingen redden. Een andere optie had ik niet.

Ik was dan ook dolgelukkig dat ik gebeld werd door ene mevrouw Ronsmakers met het verzoek langs te komen. Geheel tegen het advies van Suus in stond ik een uurtje later voor haar huis. En wat voor een huis!

Ik had nog nooit zo'n kitscherige, in oude stijl opgetrokken nieuwbouwvilla gezien. En ik begreep dan ook echt niet waarom de buurt, waaronder mevrouw Langhout, de sexy lilliputter, hier geen stokje voor had gestoken. De komst van een asielzoekerscentrum kreeg ze massaal de straat op maar voor een Barbiepaleis kwamen ze hun woonkeukens niet uit.

Op de oprijlaan stonden een Audi en een Porsche Cayenne, uiteraard in het zwart. Ik had zo'n turbobak nog nooit in een andere kleur gezien. Waarschijnlijk moest je voor de kleur zwart bijbetalen, wat het geval nog exclusiever maakte.

Op de deur hing een grote gouden leeuwenkop die, als je hem omhoogdeed, een deuntje van André Rieu liet horen. Het was de deurbel. Hoe origineel. Ik kon mijn lachen bijna niet inhouden.

De deur zwaaide open en daar stond een blonde dame, op hoge hakken, lichtelijk ordinair gekleed maar wel van alle merken voorzien en behangen met goud en diamanten. Naast haar stond een neurotische koningspoedel, die een wel heel bijzonder kapsel aangemeten had gekregen. Het was net een wandelende buxusboom. 'Werk voor Tess!' schoot het onmiddellijk door me heen.

'Kom binnen! Fijn dat je er bent!'

Ik ging bijna onderuit en moest me echt even aan de deurpost vasthouden. Deze dame was rechtstreeks vanuit de Jordaan geïmporteerd in het Gooi. Zelden had ik iemand platter Amsterdams horen praten.

'Nou, kom verder, wijffie. Wat staat je nou te dralen?'

Oké, rustig ademhalen, de boel niet verknallen, hier is werk aan de winkel, sprak ik mezelf streng toe. Het is heus niet zo moeilijk om een lerares Nederlands te vinden.

Op haar hoge hakken dribbelde ze voor mij uit. De koningspoedel week geen moment van haar zijde. Ik wist niet waar ik moest kijken, zoveel wansmaak voor zoveel geld! Het hele huis moest opnieuw ingericht worden, dat was duidelijk. Op een werkelijk afzichtelijke bank in panterprint ging ze zitten. Op de glazen tafel met een grote koperen vis als poot stond een theeservies. Verguld en overdadig met krullen versierd. De dunne porseleinen kopjes droegen het beeld van het zigeunerkindje met traan.

Nieuw servies! Het arme mens moest nieuw servies hebben! Zo snel mogelijk.

'Wil je een stroopwafel? Een enkele of een dubbele? Met honing of met karamel? Ze zijn heerlijk. Echt waar, ik ken er niet van afblijven!' Gretig stopte ze er eentje in haar mond.

Cato! Ze moet onmiddellijk gaan trainen met Cato! Als ze de hele dag op die panterbank stroopwafels naar binnen zit te werken dan houd je de vetjes gewoon niet onder controle. Opgewonden begon ik op mijn stoel met vergulde pootjes te draaien.

'U wilt zeker wel weten waarom ik u hebt gebeld?'

Ik knikte en veinsde nieuwsgierigheid. Puh, alsof het niet duidelijk was. Dat er hier werk aan de winkel was, lag er duimendik bovenop.

'Ik ben de buurvrouw van mevrouw Langhout. En nou heb ze me verteld over haar make-over en dat bunnypakkie. Het was allemaal wel wat ordinair maar d'r man heb de boodschap wel begrepen. Heb ze me later verteld! Nu is het dus zo, dat ik ook wel wat meer reuring wil tussen de lakens van huize Ronsmakers, als je begrijpt wat ik bedoel.'

Ik knikte glazig. Hier had ik even geen trek in. De bank moest opnieuw bekleed, het overgebotoxte hoofd en de stomme koningspoedel moesten door Tess onder handen genomen worden. Er moest zoveel gebeuren! Reuring tussen de lakens had toch geen prioriteit?

'Kijk, mijn man is De Stroopwafelkoning van Nederland. Ik word overal herkend! Dus ik ken echt niet zo'n spannende

winkel in en bij de Wehkamp bestellen doe ik natuurlijk niet.'
De Stroopwafelkoning van Nederland? Wie? Nooit van gehoord! Ze kwam me niet eens vaag bekend voor. Ik zag geen enkele reden waarom ze niet met zonnebril en een grote hoed op zo'n spannende winkel binnen kon gaan, maar ik knikte bedeesd en moest denken aan het negatieve saldo van Personal Whatever.

'Dus wat ik zou willen, is dat jij wat leuke spulletjes haalt en dat ik die dan hier, thuis in alle rust, ken bekijken. En wat spannende adviesjes zouwen ook geen kwaad kunnen.' Ze gaf me een vette knipoog. 'Kan dat?'

Ik zuchtte gelaten. Ooit was ik de vrouw van een uitvinder, met als hobby het schilderen van abstracte mannelijke naakten in zwart-wit. Nu was ik, in een tijdsbestek van een paar maanden, adviseur erotische zaken geworden. Een bliksemcarrière, echt eentje waar ik trots op kon zijn!

'Natuurlijk,' hoorde ik mezelf zeggen. 'Zegt u maar wanneer u wilt dat ik kom.'

'Morgenmiddag? Niet al te laat?' vroeg ze aarzelend. 'Dan heb mijn man een reünietje met zijn vrienden van de Albert Cuyp.'

'Morgen is het zaterdag. Daar heb ik geen enkel probleem mee, maar dan reken ik wel mijn weekendtarief.' Ik verzon het ter plekke en uiteraard ging ze ermee akkoord.

Om zeven uur stond ik met een tas vol boodschappen bij Bram voor de deur. Merel had erop gestaan om zelf voor oma te koken. Ik vond het prima, ook al bestond Merels idee over koken meestal uit een gang naar de frietzaak.

Bram had overal gezellig kaarsjes neergezet en het was net alsof ik in een warm bad terechtkwam. Elke keer verbaasde ik me over de knusse gezelligheid die hij om zich heen wist te creëren. Het was iets wat ik slecht kon rijmen met het uiterlijk van deze grote en stoere cameraman, die volgens mij

heel goed op zijn plaats zou zijn in een bos met een ketting-
zaag.

Op de achtergrond hoorde ik Room Eleven 'One of these
days' zingen en dat beschreef wel zo'n beetje mijn gemoeds-
toestand. Aan de ene kant voelde ik me trots over de wijze
waarop ik mezelf wist te redden zonder mijn gestoorde uitvinder, maar aan de andere kant vroeg ik me af of mijn toekomst wel bij Personal Whatever lag. Als PW al een toekomst
had! Tot nu toe was het keihard werken geweest om het hoofd
boven water te houden en het had me nog niet de glitter en
glamour gebracht waar ik stiekem op gehoopt had. Mijn
clièntele hield zich met niets anders dan zichzelf bezig en ik
deed dagelijks alsof dat zinvol was.

Aan de andere kant realiseerde ik me dat ik zelf geen haar
beter was. Ik was ook alleen maar met mezelf bezig. Ik had
mijn moeder in huis genomen uit plichtsbesef, niet omdat het
mij een gezellige situatie leek. En ik liet de opvoeding van Merel zo'n beetje aan Bram over, onder het mom dat die twee het
zo goed met elkaar konden vinden. En hoe geweldig was het
als je je liet nemen op een roze bureau door een veredelde makelaar? En was het niet netjes geweest om eens contact op te
nemen met Karlijn en Suus? Een beetje interesse in hun postnatale en verslavingsleed was toch het minste wat je kon doen?

Ik schudde mijn hoofd. Als ik niet oppaste praatte ik mezelf rechtstreeks een depressie aan. Volgens de glossy's kon je
het beste een aanstormende depressie te lijf gaan met een me-
ditatief moment, maar daar was het nu het moment niet voor.
Dus richtte ik me weer op wat aardsere zaken.

'Bram, ik denk dat we die tamtam van mijn moeder opnieuw moeten programmeren. Is het misschien verstandig om
in overleg met haar een dagindeling te maken?'

'Hoezo?'

Ik vertelde dat ma totaal over de rooie was gegaan toen de
dwingende robotstem maar uit haar broche bleef roepen dat

het tijd was voor thee. 'Misschien wilde ze juist die dag wel koffie,' zei ik.

'De kracht van het apparaat is juist dat je haar geen keuze laat,' antwoordde Bram. 'Dat stond in de handleiding.'

'Ja, echt iets voor Bas om mensen geen keuze te laten.' Ik keek Bram grijnzend aan.

'Is het die tamtam die je dwarszit?' vroeg Bram. 'Of is er meer aan de hand?'

Zuchtend vertelde ik hem van mijn bezoek aan mevrouw Ronsmakers. 'Ik vind echt dat ik mezelf aan het verlagen ben. Dit kan toch niet! Zo'n stroopwafelkoningin van erotische adviezen voorzien. Kan ik morgen boodschappenkarren volladen bij Christine le Duc en dan vervolgens met een aanhangwagen naar dat snertpaleis rijden zodat ze in alle rust wat kan uitzoeken. Wil ze natuurlijk ook nog weten waar het allemaal voor dient. Alsof ik daar verstand van heb!'

'Je kunt het ook zien als een carrièresprong.'

'Hoe bedoel je?'

'Van groenconsulent naar zoenconsulent.'

Met een knal liet ik de pollepel op zijn hoofd neerdalen en het gaf zo'n hard ploppend geluid dat ik hem verschrikt aankeek.

'Auw!' jammerde hij, maar het feit dat hij nog geluid kon uitbrengen was voor mij voldoende om me weer over de inhoud van de pannen te buigen.

'Weet je,' zei ik, terwijl ik in de pannen roerde, 'normaal zou ik deze opdracht weigeren maar de financiële ellende van PW is zo groot dat ik me dat niet kan permitteren.'

'Weet je wat jij nodig hebt?'

'Nou?' vroeg ik, en haalde een vinger door de saus om te proeven.

'Media-exposure!'

Ik begon te lachen. 'En hoe gaan we dat doen?'

'Hallo, hier voor je staat een cameraman. Ik heb fantastische connecties bij *First Class* van Harry Benz. Ik weet zeker dat ik je daar binnen kan krijgen. Ik ga het morgen meteen regelen.'

Ik knikte hem vriendelijk toe. De lieve schat. Ik wenste hem veel succes. Bij Harry Benz zaten de grote ondernemers die een hoop geld betaalden om in de uitzending te komen. Een zoenconsulent die een naderend faillissement moest zien af te wenden behoorde volgens mij niet tot die categorie. Ik dekte de tafel, stak wat kaarsjes aan en probeerde even de PW-misère achter me te laten.

'Je kunt echt heerlijk koken, wist je dat?' zei Bram toen we even later aan tafel zaten.

'Volgens mij kan ik inderdaad beter voor het thuisfront zorgen en lekker koken dan mensen van stomme en zinloze adviezen voorzien.'

'Het is maar wat je zinloos vindt. Als het voor sommige vrouwen nou echt belangrijk is dat hun huis een showroomuitstraling heeft, dat hun hond op het juiste moment blaft, dat hun kapsel niet beweegt als er een tochtvlaag door het perfect ingerichte huis gaat en dat ze weten waar hun g-spot zit, dan help je ze daar toch mee?'

'G-spot?' Ik begon keihard te lachen.

'Dat is basiskennis, Lieke!'

'Ik heb echt geen idee waar die zit. Sorry. Elke keer als ik denk dat ik het een beetje voor elkaar heb, verzinnen ze wel weer iets anders waar ik niet zonder kan. Wie verzint dat en wie bedenkt zo'n stomme naam?'

'Ernst Gräfenberg.'

Ik keek hem verbaasd aan. 'Denk je dat mijn overgrootoma de tijd had om zich zorgen te maken over haar g-spot?'

Bram haalde zijn schouders op. 'Dan doe jij het toch zonder!'

'Dat vind ik nou typisch iets voor mannen. Eerst iets aanroeren en als het dan te moeilijk wordt, afhaken!' Een vreselijke nijdigheid maakte zich van mij meester.

'Ja, geef de mannen maar weer de schuld. Altijd weer die mannen.' Met een boos gebaar zette hij zijn glas op tafel.

Ik begon opeens te lachen. 'We lijken wel een ruziënd echtpaar.'

Een grijns verscheen op het gezicht van Bram. Hij gaf me een vette knipoog en kneep even in mijn hand. 'Maar als je straks erotische adviezen moet geven aan de stroopwafelkoningin, houd er dan rekening mee dat het echt passé is om kaarsjes op de rand van het bad te zetten, Lieke. Dat kan echt niet meer.'

'Nou, als jij betere ideeën hebt voor mevrouw Ronsmakers dan houd ik me aanbevolen,' zei ik.

'Gewoon vieze spelletjes doen.'

'Zoals daar zijn...?'

'Nou, bijvoorbeeld Sexy Scrabble.'

Ik begon te grinniken. 'Leuk Bram, dat lijkt me echt enig.'

'Vieze woorden leggen is zo eenvoudig nog niet.'

'Dan voel ik toch meer voor Happy Twister.'

Bram keek me vragend aan.

'Naakt en ingewikkeld doen op zo'n plastic kleedje met grote gekleurde stippen.'

Brams ogen begonnen te stralen en vijf minuten later stonden we bij mij in de woonkamer de stoelen aan de kant te schuiven om Merels spel, dat ze op haar vijfde verjaardag had gekregen, te spelen. De volwassen variant, maar wel met kleren aan. Het duurde niet lang of we stonden in de raarste bochten om elkaar heen gevouwen.

'Op het moment dat ik jou kan penetreren heb ik gewonnen.'

'Penetreren!' Gierend van de lach stond ik met een arm op een gele stip en met een been in de lucht mezelf in evenwicht te houden. 'Nog zo'n stom woord!'

'Je zult het leggen bij Sexy Scrabble en driemaal woordwaarde hebben.' Bram gaf weer een enorme mep tegen de slinger. 'Linkerbeen groen! Hatchikidee, ik hang hem erin!' Met hitsige bewegingen schuurde hij met zijn kruis langs het mijne en kreunde er heftig bij terwijl ik hard hijgend riep dat het o, zo fijn was en dat hij vooral zo door moest gaan.

Op dat moment kwam mijn moeder binnen, in haar nachthemd en uiteraard zonder broche. Niet dat het veel had uitgemaakt als ze wel haar broche op haar linkerborst had gedragen, want wij hadden uiteraard verzuimd een piepmagneet op de woonkamerdeur te plakken.

Uiteraard herkende ze mij als haar dochter. Tien keer denkt ze dat je het nichtje bent, maar uitgerekend nu wist ze heel goed dat ik Lieke was! Ik kon wel door de grond zakken. Het maakt niet uit hoe oud je bent, maar om in een dergelijke situatie – en al helemaal met kleren aan – aangetroffen te worden door je moeder is uitermate gênant.

'Hoi mam, het is niet wat je denkt!' riep ik nog wanhopig.

Ze keek me slechts streng aan en wierp een boze blik op Bram. 'Volgens mij lust jij er wel pap van!'

Die laatste opmerking begreep ik niet helemaal. Bram kreeg een kop als een biet en ik vond het heel aandoenlijk dat hij zich schaamde om zo door mijn moeder aangetroffen te worden.

Met een uitermate afkeurende blik in haar ogen draaide mijn moeder zich om en liep de deur uit.

Bram liet zich met een plof op de grond vallen. 'Dit is nou echt zo'n situatie waar ik een enorm slappe lul van krijg.'

Giechelend stortte ik me op hem. 'Kom, laten we gaan slapen.'

'Jouw bed of het mijne?' zei hij grijnzend.

'Ieder in zijn eigen!' Twee mannen in twee dagen leek mij iets te veel van het goede, hoewel mijn nieuwsgierigheid naar Bram en zijn mysterieuze kennis over mijn onontdekte g-spot wel gewekt was.

28

De volgende ochtend stond ik om tien uur al met Bram zijden ondergoed uit te zoeken bij Christine le Duc. 'Een mens hoort op zaterdagochtend om tien uur bij de bakker te staan,' mopperde ik. Bram hoorde me niet, hij werd helemaal in beslag genomen door de grote hoeveelheid opwindend speelgoed waar hij geen keus uit kon maken. Verbaasd keek ik om me heen. Ondanks het vroege tijdstip waren we niet de enige klanten, iets waar ik wel op gehoopt had. Een paar stelletjes schoven door de winkel en bleven af en toe stilstaan bij iets wat klaarblijkelijk hun interesse had. Een jong meisje van nog geen twintig jaar hield grijnzend een brockje omhoog zonder kruis.

'Dan kun je net zo goed niks aantrekken,' zei het vriendje, die eruitzag als een heel saaie vent.

Ik voelde me opgelaten in deze tent waar ik niks te zoeken had. Verbaasd keek het stelletje mij aan toen Bram met zijn armen vol dildo's naar mij toe kwam.

'Denk je dat je hier wat mee kan?'

Ik knikte en kreeg een vuurrode kop. Ik zag het stelletje iets tegen elkaar fluisteren terwijl ze mij ongelovig aankeken.

'Zullen we dan nu even lekkere broodjes halen,' vroeg Bram toen we even later tot mijn grote opluchting weer buiten stonden.

Een halfuur later zaten we met z'n allen aan de tafel uitgebreid te brunchen. Ik, Merel, mijn moeder en Bram. Alsof er niets gebeurd was en wij die ochtend niet voor 750 euro erotische waren hadden aangeschaft. Mijn moeders ogen schoten heen en weer tussen Bram en mij. Het was duidelijk dat ze wilde weten wat er tussen ons aan de hand was en dat ze haar nieuwsgierigheid amper kon bedwingen. Ik kreeg het er benauwd van en ik schaamde me toen ik me realiseerde dat ik het helemaal niet erg zou vinden als ze weer even de weg kwijt was. Het was gewoon af en toe makkelijker om haar nichtje te zijn dan om haar strenge blik te negeren waaruit haar moederlijke afkeuring bleek.

Zo wil ik later niet worden, besloot ik ter plekke. Maar zeiden we dat niet allemaal? En werden we uiteindelijk niet toch die kloon van onze moeders? Strenge ogen, afkeurende monden, de ik-zeg-niets-blik.

Ik knikte Merel bemoedigend toe en probeerde al mijn liefde voor haar in die ene beweging te leggen. Alsof ik het vanaf nu alleen maar goed wilde doen.

Merel keek me verbaasd aan en haalde vragend haar schouders en kin op. Het arme schaap vroeg zich af wat ik van haar moest, waarop ik weer verontschuldigend mijn schouders ophaalde en met mijn hand wuifde.

'Wat is dit voor code?' vroeg Bram en herhaalde in versneld tempo mijn knik, haar verbaasde blik, het ophalen van de schouders en het wuiven van mijn hand.

'Laat maar,' antwoordde ik.

'Is dit iets wat heksen doen?' drong hij aan. 'Pure interesse, hoor! Altijd al naast drie generaties hocuspocusdames willen wonen.'

'Daar wil je helemaal niet naast wonen! Tegen de tijd dat we soep van je koken, wens je dat je hier nooit een voet over de drempel hebt gezet,' zei mijn moeder. Het kwam er echt heel gemeen uit en ik keek haar geschrokken aan.

'Maar dat is natuurlijk een grapje.' Ze pakte de laatste croissant uit het mandje en stak hem vergenoegd in haar mond.

'Lekker sfeertje hier,' zei Merel. 'Vind je het goed als ik vanavond bij Pien blijf slapen? Dat is wel zo gezellig, dan fietsen we samen na het schoolfeest naar haar huis. Dat is ook dichterbij.'

Tot mijn stomme verbazing vroeg ze het niet aan mij, maar aan Bram.

'Hé, hallo, ik ben je moeder,' zei ik verontwaardigd.

'Zoiets moet je aan je moeder vragen, Merel,' wees Bram haar terecht.

'Oké, dezelfde vraag maar dan nu aan mijn moeder.' Ze keek me brutaal aan.

Rustig blijven. Diep nadenken over een goed antwoord. Niets van afkeuring laten blijken. Ontspannen en vrolijk een hapje nemen van mijn broodje om tijd te winnen. En vooral geen jullie-tweeën-alleen-zo-laat-over-straat-blik op haar werpen. 'Wat vind jij, Bram?' Ik hoorde het mezelf zeggen. Wat een stomme trut was ik. Zeldzaam!

'Ga jij maar lekker logeren, Merel, maar misschien kan de moeder van Pien jullie van het schoolfeest ophalen,' zei mijn moeder, en ze keek me minachtend aan. De blik in haar ogen sprak boekdelen. Ik was een dochter en een moeder van niks.

Merel sprong op, gaf me een kus en zei: 'Bedankt mam!' En weg was ze.

Ik zuchtte. Soms had je van die dagen. Ze begonnen al onhandig en je wist bij voorbaat al dat het de hele dag redderen zou worden.

'Wat is dat voor een piep?' vroeg mijn moeder paniekerig. Ze had volgens mij een ernstig trauma overgehouden aan het zone-protectie-systeem waarmee de bejaardentamtam was uitgerust.

'Dat is mijn mobieltje, mam. Ik heb een sms'je.' Nieuwsgierig klapte ik mijn telefoontje open. Peter! Of ik vanavond met hem ging eten.

'Wie is het?' vroeg ze dwingend.

Dit haatte ik. Ik vroeg het ook altijd aan Merel als ze een sms'je of telefoontje kreeg. Afschuwelijk. Dat moest ik maar nooit meer doen!

'Nou, wie is het?' vroeg ze nogmaals.

'Iemand die vraagt of ik vanavond met hem uit eten ga.' Ik zei het op uitdagende toon, alsof ik niet drieëndertig was maar dertien. 'Aangezien Merel er vanavond niet is, heb ik dus mijn handen vrij en ga ik eens fijn gebruikmaken van dit aanbod.'

Ik hoorde Bram grinniken.

'En ik dan?' vroeg mijn moeder.

'Normaal zou Bram het vast heel leuk hebben gevonden om met jou te scrabbelen, maar die zet hier de komende tijd geen voet meer over de drempel. Bang als hij is dat jij soep van hem maakt.' Ik keek haar spottend aan.

'Ik red me wel!' Ze stond op en liep van de tafel weg.

'Afruimen kan geen kwaad,' riep ik haar nijdig toe, maar ze deed net alsof ze me niet hoorde.

'Ik heb het gevoel dat de verhoudingen hier een beetje scheef lopen.' Bram keek me quasi-ernstig aan maar zijn ogen twinkelden.

Ik voelde een enorme kramp in mijn buik en een opkomende neiging om iemand om te brengen. Ik klapte mijn mobieltje open en wierp een snelle blik op mijn agenda. Shit, alweer een maand voorbij.

Bram keek me vragend aan in afwachting van mijn antwoord.

'Ik heb het gevoel dat ik heel erg ongesteld moet worden.' Ik stond op en liet Bram achter met alle brunchzooi.

Ik zat nog geen vijf minuten in de auto op weg naar PW om de achterstallige administratie weg te werken of een enorm schuldgevoel golfde door me heen. Arme Bram. Zat hij daar in zijn eentje tussen al die croissantkruimels en lege eierdopjes. In het huis van zijn buurvrouw. Door Merel omarmd als opvoeder, door mijn moeder weggekeken als indringer en door mij...? Hoe zag ik Bram eigenlijk?

Op kantoor ging ik eerst voor mezelf een kopje koffie zetten en staarde vervolgens een kwartiertje uit het raam. Maakte ik er nou zo'n puinhoop van of leek dat maar zo? Of was ik gewoon te streng voor mezelf? Wilde ik het te perfect doen?

Misschien moest ik het een beetje laten gaan, Merel een eigen leven gunnen en het voor mezelf wat gezelliger maken.

Ik klapte mijn mobieltje weer open en las nogmaals het berichtje van Peter. Ik wist het niet. Was dit wat ik wilde? Een man op afstand met wie ik af en toe ging eten en wippen op een roze bureau terwijl Bram de plichten van de nette huisvader vervulde? Een parttime inwonende buurman die de lasten maar niet de lusten had?

Ik moest erkennen dat het me een buitengewoon handige situatie leek. En ik kon een grijns bijna niet onderdrukken. Plotseling betrapte ik me erop dat ik er niet aan moest denken dat Bram op een dag uit mijn leven zou verdwijnen. Stel dat hij morgen een leuke dame tegen zou komen en met haar zou gaan samenwonen in Limburg. Dan bleef ik alleen achter met Merel, mijn moeder en nieuwe buren. De gedachte alleen al deed het panickzweet uitbreken.

Zonder er verder bij na te denken sms'te ik Peter dat ik rond vijf uur bij hem zou zijn. Het berichtje was nog niet verzonden of mijn mobiel ging.

'Hé Lieke, je zult het niet geloven, maar ik kreeg net een teletoontje en volgende week zit je bij Harry Benz in de uitzending,' riep Bram enthousiast uit.

'Wat?'

'Goed geregeld, vind je niet?'

'Maar Bram, ik heb geen geld om me een uitzending in te kopen!'

'Hoeft ook niet. Harry wil graag een filmpje van jullie maken en dan mag jij dat in de uitzending toelichten.'

'Maar...'

'Zijn zoon gaat een nieuw soort skippybal importeren in Nederland. Harry wil daar niet al te uitdrukkelijk reclame voor maken in zijn eigen programma want dat vindt hij niet chic. De bedoeling is dat jullie tijdens het filmpje iets leuks doen met die bal. Op die manier kan hij indirect ook wat reclame maken voor de HopHopper van zijn zoon.'

Ik viel helemaal stil. Dit was een fantastische mogelijkheid om gratis reclame te maken voor Personal Whatever!

'Ben je er nog, Lieke?'

'Ja. Dit is fantastisch, Bram. Ik weet gewoon niet wat ik moet zeggen.'

'Dat ik het nog meemaak dat jij geen woorden hebt.' Ik hoorde nog net zijn schaterende lach voordat hij ophing.

Met een grote grijns pakte ik het hele zootje aan erotische troep bij elkaar en ging vol goede moed richting mevrouw Ronsmakers.

29

Ze zat er helemaal klaar voor, mevrouw Ronsmakers, met thee en een overdadige hoeveelheid stroopwafels. Ik stalde alle waren uit op de eettafel, wat mevrouw Ronsmakers allerlei kreten van verbazing ontlokte. Of verrukking, daar was ik nog niet achter.

Ik liet haar enthousiast een zijden lingeriesetje zien en deed net alsof dit mijn dagelijkse werk was, waarbij ik uitvoerig vertelde over de kwaliteit van de stof en de perfecte cupmaat.

Ongeduldig viel ze me in de rede. 'Ondergoed heb ik genoeg, ik ben meer geïnteresseerd in die andere dingen.'

Zuchtend zette ik de door Bram uitgekozen dildo's op een rijtje. De grootste, van een belachelijk formaat, was goudkleurig en trok onmiddellijk de aandacht van mevrouw Ronsmakers.

'Geweldig, het lijkt wel kunst.'

'Absoluut decoratief op uw nachtkastje,' beaamde ik.

Ze draaide het enorme ding om en streelde er zachtjes met

haar vingers over. 'Geweldig!'

'Ja, past ook goed bij uw interieur.'

Verbaasd keek ze me aan. 'Mijn interieur?'

'Ja, uw inrichting.' Ik wees met mijn armen naar de afzichtelijke meubels die in de eetkamer stonden.

'O, dat. Ik dacht dat je iets anders bedoelde.' Met taxerende blik keek ze naar het enorme ding. 'Die neem ik in ieder geval.'

Na nog drie van die gezellige jongens te hebben uitgekozen, in verschillende lengtes, diktes en kleuren, liet ze haar oog vallen op een speciale ring die de heer Ronsmakers om zijn jongeheer moest doen. Hoe het werkte?

Ik had geen idee, maar kon me zo voorstellen dat het tot een hoop ellende kon leiden. 'Als u er geen ervaring mee heeft, moet u er maar niet aan beginnen. Het loopt wel eens uit de hand met die dingen.' Ik gaf haar een knipoog. 'Begin eerst maar eens met een leuk filmpje.'

Terwijl ze een uur lang zat te dubben welke filmpjes haar leuk leken, werkte ik mij een weg door een pak stroopwafels. Uiteindelijk nam ze bij gebrek aan beslissingskracht alle filmpjes en kon ik eindelijk vertrekken.

Ik stond met een voet over de drempel toen ze me opeens weer riep. 'O, wacht effe. Zou ik het toch bijna vergeten. Een kennisje van mij heb een probleempje!'

Ik dacht dat ik door de grond zakte. Nee hè! Niet nog een! Dralend stond ik in de grote hal. Ik wilde het liefst wegrennen, maar dat ging natuurlijk niet.

'Mijn kennisje heet Gretel. Gretel van Straeten. Ze woont hier effe verderop. Kun je bij haar langsgaan?'

'Wat is het probleem?' vroeg ik geïrriteerd.

'Haar man heeft een schilderij verkocht!'

Ik haalde mijn schouders op en keek haar vragend aan. Er waren ergere dingen in een mensenleven.

'En nu krijgt ze vanavond eters!'

'Gezellig toch?'

'In de eetkamer met zo'n grote verkleurde vlek op de muur. Een lege plek! Heel armoedig! Ze voelt zich echt hopeloos. Echt hopeloos. Er moet iets aan de muur. Zo snel mogelijk.' Ik dacht dat ik gek werd. Konden die mensen zich echt nergens anders druk over maken? Lege magen in ontwikkelingslanden, lege klaslokalen in oorlogsgebieden, lege winkels in door natuurrampen geteisterde gebieden. De wereld was één grote leegte, dan kon dat ene plekje aan de muur er toch ook nog wel bij?

Met het huisnummer van Gretel op zak reed ik naar haar huis. Ondertussen sms'te ik Peter dat het wat later werd. Nooit sms'en en autorijden! Ik knalde bijna tegen een boom en de zak vol resterende erotische spulletjes vloog door de auto. Het duurde even voordat ik alles weer bij elkaar gegraaid had, waarna ik me ervan verzekerde dat er echt niks meer onder mijn stoel lag. De Barrel moest binnenkort weer voor een apkkeuring en ik kon me niets gênanters voorstellen dan een automonteur die mij met een brede grijns de autosleutels plus andere zaken zou overhandigen.

Dat Gretel een kennis van mevrouw Ronsmakers was verbaasde mij in alle opzichten. Gretel had de beschaving uitgevonden, ze sprak deftiger dan Beatrix en had haar huis ingericht met een doordachte mengeling van modern en antiek. Ze pakte me bij de arm en trok me de eetkamer binnen.

'Kijk, hier gaat het nou om.' Ze wees naar een grote lege plek aan de muur. Er zat een wat grauwe rand rondom het heldere wit.

Ze ging zitten en gebaarde naar mij dat ik hetzelfde moest doen.

'Tot gisteren hing hier een prachtig *piece of art*! Van een heel bekende schilder!' zei ze op verontwaardigde toon.

'Wat is ermee gebeurd?'

'Mijn man heeft het verkocht. Hij kreeg een astronomisch

hoog bod en dat kon hij niet weigeren.'

'Wat is nu precies het probleem?' Ik probeerde zo vriende-lijk mogelijk te blijven maar ik merkte dat ik mijn taks aan ra-riteiten wel bereikt had.

'Over twee uur staan er gasten voor mijn deur en dan is het de bedoeling dat we hier gezellig gaan eten, maar dat kan nu dus niet.'

'Waarom niet? De eettafel staat er toch nog?'

Ze keek me geërgerd aan. 'Zo'n lege plek aan de muur is een teken aan de wand. Geldnood! Je ziet het wel vaker. Heel verdrietig vind ik dat.'

'Maar u kunt het toch uitleggen.'

'En denk je dat ze ons geloven? Er moet iets aan die muur komen te hangen. Binnen twee uur.'

Ik had thuis nog wel wat eigen werk op zolder liggen, maar dat ging ik haar niet meteen vertellen. Zorgelijk keek ik haar aan. 'Het loopt al tegen vijven, waar denkt u dat ik zo snel zo'n groot formaat schilderij vandaan haal?'

'Weet ik veel.' Ze begon al een beetje paniekerig te doen.

'Ik heb al geprobeerd om iets van boven hier neer te han-gen, maar wat hier hing was zo groot. Je blijft die akelige ran-den zien. Het moet gewoon groot zijn! Je moet me helpen, het is echt belangrijk.'

'Ik doe mijn best, maar makkelijk en goedkoop zal het niet zijn.'

Zo snel als ik kon racete ik naar huis. Mijn moeder zat op de bank te telefoneren en had me niet binnen horen komen. Ik wilde net mijn kop om de hoek steken met de mededeling dat ik zo weer weg was toen ik haar hoorde zeggen dat alles vol-gens plan verliep.

Verbaasd vroeg ik me af waar ze het over had en net toen ik besloot dat het helemaal niet erg was om haar gesprek af te luisteren, hing ze op en liep ze al neuriënd de kamer uit, waardoor ze bijna tegen me op botste.

'Hoi mam, ik ben even thuis. Ik moet wat pakken van zolder en daarna ben ik weer weg.'

Ze keek me verschrikt aan alsof ze betrapt was, maar ik bleef er niet te lang bij stilstaan en nam met een paar treden tegelijk de trap naar boven, waar ik in een hoekje van de zolder mijn schilderijen had neergezet. Ik pakte de grootste eruit en bekeek hem voldaan. Een meesterwerkje als je het mij vroeg. Met moeite kreeg ik het geval in mijn Barrel geschoven en voorzichtig reed ik naar Gretel. Ik was supernieuwsgierig hoe ze erop zou reageren.

De reactie van Gretel sprak boekdelen. 'O, kind, wat prachtig! Wat is het?'

'*Naakte man springt over sloot.*' Ik verzon het ter plekke.

Gretel hield haar hoofd helemaal scheef. 'Nou, dat zie ik niet, maar ik vind het mooi. Echt prachtig. Van wie is het?'

'Het is van een opkomende ster. U mag het even in bruikleen hebben, maar u moet er echt voorzichtig mee zijn.'

'Ja natuurlijk, dat spreekt voor zich.'

'U bent toch wel goed verzekerd, hè?'

'Ja, ja, natuurlijk. Wat denk jij dan? Maar van wie is het?' Ze stond bijna met haar neus in het schilderij mijn initialen te lezen. 'Kijk, hier staat wat. L U D S. Luds? Wat een aparte naam.'

Ik zuchtte even. Blinde kip! Er stond toch echt LvdS. Lieke van der Steen.

'Dus die Luds is een opkomende ster?'

'Ja, die gaat het helemaal maken.'

'Misschien willen we het wel kopen.'

'Dan moet ik informeren of dat kan. Het zal niet goedkoop zijn maar ja, dan heeft u ook wat.'

Even later reed ik gierend van de lach in mijn auto naar Peters huis. LUDS!

De relatie tussen Peter en mij had zich tot nu toe slechts ontwikkeld op het roze bureau van Suus. Ik was nog maar één keer bij Peter thuis geweest en toen waren we rechtstreeks zijn slaapkamer ingedoken en daarna had hij mij midden in de nacht weer naar huis gebracht. Ik had dus geen idee hoe zijn huis eruitzag.

Het viel wat tegen. Het was kaal en met veel kunst ingericht. Typisch een te groot appartement dat door een mannelijke vrijgezel bewoond werd. Het ontbrak er aan leven. Zo knus als het bij Bram was, zo kil en zakelijk was het hier.

De keuken was één grote showroom van keukendesign; stoomapparatuur, ingebouwde espressomachine met heel veel metertjes, magnetron en oven op ooghoogte en natuurlijk de dubbele koelkast waar door de week alleen maar een half pakje melk en een fles champagne in bivakkeerden. De achtpits Boretti glom me tegemoet. Of Peter had een hulp in de huishouding die begreep waar het begrip poetsen voor stond of hij hield niet zo van kokkerellen. Ik vermoedde allebei.

Peter probeerde me onmiddellijk richting slaapkamer te dirigeren. Helaas had de erotische tupperwareparty bij mevrouw Roosmakers bij mij tot gevolg gehad dat ik even een halfjaartje niet meer hoefde. Daar kwam nog bij dat ik stiekem helemaal vol was van het feit dat ik wellicht de eerste Luds verkocht had.

Peter was een tikkeltje teleurgesteld maar deed of hij het begreep. Hij zette een muziekje op, schonk een glaasje wijn in en ging dicht naast me zitten op de trendy bank terwijl ik me ondertussen afvroeg wat Bram aan het doen was.

'Zullen we sushi bestellen?' hijgde hij in mijn oor.

'Nou, ik heb niet zo veel zin in rauwe, dooie vis. Wat dacht je van een lekkere kroket?'

'Kroket!' Hij keek me verbaasd aan, alsof ik iets vies zei.

'We kunnen ook spareribs laten aanscooteren.'

'Aanscooteren?'

'Ja, die jongens van de Sparerib Company rijden op van die fantastische scooters. Ze zijn echt binnen een mum van tijd bezorgd. Alsof ze permanent rondrijden met een bak vol vlees op de bagagedrager. Ik wil trouwens ook een fles spa.'

'Een fles spa?' Ik keek hem verbaasd aan. 'Laat jij die jongens aanrukken op hun brommertjes voor een fles spa?'

'Een Vespa, Lieke. Een Vespa!' Hij sprak het overdreven articulerend uit en keek me aan of ik een alien was.

'Maar jij zou toch koken,' praatte ik er snel overheen.

'Ja, ik maak er een heerlijke frisse salade bij. Je kunt niet alles zelf doen.' Hij begon tot mijn afgrijzen aan mijn oorlel te likken.

'Peter, sorry, maar ik vind het echt niet sensueel als iemand in mijn oor zit te kwijlen. Wat dacht je van een pizza?'

'Vind ik zo gewoon.'

'Die jongens hebben toch ook een leuke scooter!'

'Ja, maar dat is toch anders.'

'We kunnen ook...'

'Weet je dat ik heel warme gevoelens voor je heb?'

'Ja, dat merk ik, Peter.'

'Ik zie meer in onze relatie. Ik denk dat we het naar een heel ander level moeten tillen.'

Ik keek hem verbaasd aan. Voor het eerst sinds mijn scheiding wilde iemand mij een niveautje hoger hebben. 'Je bedoelt...?'

'Meer commitment. Meer één. Meer ons. Meer *together all the way*.'

'Wil jij samen in een...?'

'Op termijn. Nu nog niet. We moeten de tijd nemen. Eerst maar eens ontdekken of...'

Zijn hand kroop langzaam onder mijn rok omhoog. Ik duwde hem weg. Hoewel het idee van samen één mij erg aanlokkelijk voorkwam, zag ik nog wel wat beren op de weg. 'Als jij meer wilt op termijn moet je je wel realiseren dat ik niet al-

leen ben. Ik heb een dochter.'
'Die is van harte welkom.'
'En mijn moeder?'
Hij begon te zuchten. Zijn hand zocht weer een weg naar boven.
'Je weet niet waar je aan begint. Mijn moeder woont bij me in.'
'Ik vind jou zo spannend dat ik zelfs je moeder op de koop toe neem.'
'En Bram?'
Zijn hand bleef slap ergens in de buurt van mijn kruis liggen. 'Bram?'
'Je weet wel. Mijn buurman.'
'Je wilt je buurman ook meenemen?' Zijn stem klonk schor. Zelden had ik meer verbazing in iemands ogen gezien.
Ik realiseerde me opeens dat ik een volstrekt foute opmerking had gemaakt. Peter wilde me een treetje op zijn ladder laten stijgen, hij wilde zelfs samenwonen! Nu nog niet, maar op termijn. En ik haalde Bram erbij. Ik had een neus voor de verkeerde tekst op het verkeerde moment. Net toen ik me wanhopig afvroeg hoe ik me hieruit moest redden, ging mijn mobieltje.
Merel.
'Hoi mam. Ik sta hier bij de conciërge met mijn mentor. Wil je me komen halen?'
'Wat is er aan de hand? Je hebt toch een schoolfeest? Ben je ziek? Ben je gevallen? Wat is er?'
'Er is niets aan de hand. Dat wil zeggen niets met mij, maar ik heb iets gedaan en daar zijn ze hier niet zo blij mee.'
Ik ging rechtop zitten. Met grote ogen van schrik keek ik Peter aan. 'Wat heb je gedaan?'
'Een paar heupflaconnetjes wodka naar binnen gesmokkeld.'
'Wat?' De paniek maakte plaats voor ergernis. Ik sprong

omhoog van de bank maar was even vergeten dat Peters hand nog ergens tussen mijn dijen lag. Hij kon hem nog net op tijd terugtrekken.

'Ik kom er meteen aan.' Ik hing op, mompelde iets tegen Peter over dochters en dat hij die van mij heus niet in zijn huis wilde en rende zijn appartement uit.

Met een noodgang, die mijn oude Barrel eigenlijk helemaal niet aankon, reed ik naar Merels school waar de mentor met een zuur gezicht samen met Merel in het hok van de conciërge op mij zat te wachten.

Merel keek verveeld om zich heen. Ik zag mezelf zitten twintig jaar geleden. Alleen ging het toen om een pakje sigaretten. Heupflaconnetjes wodka waren vele malen erger, besloot ik ter plekke.

Ik gaf de mentor een hand en vroeg me af wat hij van me dacht. Was het me aan te zien dat ik me zo-even nog aan mijn oor had laten lebberen en dat de warme hand van mijn minnaar tussen mijn dijen had gelegen? Zo'n moeder die volstrekt bezig was met zichzelf zodat haar dochter alle ruimte had om zich te storten in het illegaal importeren van alcoholische dranken in de aula van de school.

De mentor keek mij streng aan. 'Wij nemen dit ernstig op, mevrouw Van der Steen.'

'U heeft groot gelijk! Anders ik wel.'

'Wist u hiervan?'

'Nee, uiteraard niet. Denkt u nou heus dat ik mijn dochter met flessen wodka naar een schoolfeest laat gaan?'

'Drinkt u zelf wodka?'

Ik begon me een beetje ongemakkelijk te voelen door dit kruisverhoor. De strenge blik en doordringende vragen werden wat mij betreft aan de verkeerde gericht.

'Nee, ik drink geen wodka.'

'Hoe komt uw dochter dan aan wodka?'

'Geen idee! Zullen we het eens aan haar zelf vragen?' Ik

voelde een behoorlijke woede opkomen richting meneer de mentor. Alsof ik mijn dochter met een kratje wodka naar een schoolfeest stuurde. Ik haalde diep adem; het laatste wat mij op dit moment moest overkomen was dat ik dit ventje ging aanvliegen.

'Oké, wat is hier aan de hand?'

Tot mijn stomme verbazing stond Bram in de deuropening.

'Bram?' vroeg ik verbaasd.

'Merel stond op mijn voicemail. Ik zat midden in een bespreking, maar dit leek me belangrijker.'

Nog veel verbaasder keek ik Merel aan. Het moest niet veel gekker worden. Ze had dus eerst naar Bram gebeld! De mentor vulde snel de hiaten in Brams kennis en tot mijn volgende verbazing werd Bram kwaad. En niet een beetje kwaad maar woedend. Ziedend.

'Shit, Merel. Wat is dit voor geklooi! Hoe kom je aan die rotzooi?'

'Van de vader van Pien.'

'En wat was je ermee van plan?'

'Niets, het was niet voor mij. Het was voor iemand anders.'

'Voor wie?' Hij sprak kortaf en keek Merel boos aan.

Merel zond een hulpeloze blik mijn kant op maar ik zei niks.

'Voor wie?' vroeg Bram nogmaals, maar nu dwingender.

'Voor Rutger.'

'En waarom neemt Rutger dat zelf niet mee?'

'Omdat zijn vader zijn hoofd er afhakt als hij betrapt wordt.'

'En wat denk je dat ik ga doen?'

Merel keek benauwd rond. De mentor wilde wat zeggen, maar Bram viel hem in de rede.

'Merel gaat nu mee naar huis en dan zullen wij het verder thuis afhandelen.'

'Ja maar...' riep de mentor.

'Niks ja maar. U denkt toch niet dat ik accepteer dat Merel dit soort ongein uithaalt?' Bram pakte Merel bij de arm en sleepte haar nog net niet de school uit. Op mijn te hoge hakken wiebelde ik erachteraan en zag nog net dat Bram Merel bij hem in de auto zette. Achterin! Voor straf.

'Shit, shit, shit,' riep ik, terwijl ik mijn Barrel startte en naar huis reed. In de verte zag ik de rode achterlichten van Brams auto. Ik gaf nog een extra dot gas.

Met een wit gezicht stond Merel naast Bram op mij te wachten. Ik had medelijden met haar, ze zag er zo eenzaam en verslagen uit.

'Ik denk dat jullie samen even moeten praten,' zei Bram. 'O ja, en deze dame moet je bellen in verband met de televisieuitzending van Harry Benz. Het kan vanavond nog.' Hij overhandigde me een briefje met een telefoonnummer, waarna hij over de drempel van zijn eigen voordeur stapte.

'Bram was woedend, mam,' zei Merel even later toen ze met een kopje thee en een wit smoeltje naast me op de bank zat.

'Ik had ook niet echt van je verwacht dat je dit soort dingen zou doen, Merel. Ik ben eigenlijk wel teleurgesteld.'

'Dat zei Bram ook al.' De tranen stonden haar in de ogen.

Dit was weer typisch zo'n moment waarop ik me realiseerde dat ik een softe trut was. Ik kon het niet over mijn hart verkrijgen om Merel nog meer op haar donder te geven. Ze zat erdoorheen en het leek me zo wel genoeg. Ze had haar lesje wel geleerd.

'Weet je wat Bram zei?'

Ik schudde mijn hoofd.

'Dat hij het nog had kunnen begrijpen als ik het voor mezelf had meegenomen, maar dat ik zo stom was om mijn reputatie op het spel te zetten voor zo'n stom joch als Rutger, begreep hij niet.'

Ik knikte weer. 'Daar heeft hij wel gelijk in.'

'Hij vertelde me over stomme mutsen die met koffers vol drugs de grens over gaan en vervolgens voor jaren achter de tralies verdwijnen. Je hele leven naar zijn mallemoer. En over loverboys die meisjes gebruiken. Meisjes die zo stom zijn om niet in de gaten te hebben dat zo'n jongen je gewoon gebruikt. Rutger is eigenlijk wel een lul, mam. Om mij zo'n risico te laten lopen! En ik ben ook wel een enorme trut om me te laten gebruiken. Ik ga naar bed. Welterusten.' Ze gaf me een zoen. Ik keek haar na. Ze had haar lesje geleerd. Of beter: Bram had haar een levensles geleerd. Ik zuchtte diep en pakte het briefje dat ik van Bram had gekregen uit mijn broekzak en zonder er verder bij na te denken draaide ik het nummer dat erop stond.

'Karin,' blafte een dame door de telefoon.

'Met Lieke van der Steen. Sorry dat ik u stoor op zaterdagavond. Het gaat over de uitzending van Harry Benz. Ik heb uw nummer van Bram gekregen en hij zei dat ik vanavond nog kon bellen.'

'Wij van de media doen niet aan weekend. Wij werken vierentwintig uur per dag.'

'O,' zei ik, en wist niet of ik onder de indruk moest zijn of het buitengewoon stompzinnig moest vinden om jezelf een zalig weekend te ontzeggen. 'Ik heb begrepen dat wij in de uitzending van Harry Benz mogen komen. Ik ben van Personal Whatever.'

'Ja, het lijkt ons wel een leuk item. Wij hadden in gedachten dat een paar personals iets gaan doen met Harry op de boulevard of zo.'

'Of zo?'

'Ja, weet ik veel. Jullie zitten in de personal business. Wat doen jullie zoal?'

'We kunnen meneer Benz aankleden, hem van dieetadviezen voorzien, met hem gaan trainen. Heeft hij trouwens een hond?'

'Een teckel, Mercedes.' Ze zei het met veel afkeuring.

'Die kunnen we ook aankleden. Benz en Mercedes in het nieuw. Wat dacht u daarvan?'

'Dat lijkt me een goed idee. En dan moeten die dames van jou ook nog iets doen met de HopHopper.'

'Juist ja, de HopHopper.'

'Een soort van skippybal nieuwe stijl. We willen daar een leuk filmpje omheen maken.'

'Onze personal trainer, Cato, bedenkt wel wat.'

'Prima, overmorgen om twee uur zijn de opnames en dan kom jij donderdag in de uitzending om het filmpje toe te lichten.'

Ik slikte even. Overmorgen om twee uur. Dat was snel! Nog geen halfuur later had ik Cato, Tess, Nynke en Feline op de hoogte gebracht. Ze waren dolenthousiast om iets leuks te gaan doen met Harry, zijn teckel en de HopHopper en beloofden me dat ze het mooiste promotiefilmpje ooit zouden gaan maken.

Helaas kon ik er zelf niet bij zijn. Ik had een afspraak met mevrouw Gestellekens, die me verordonneerd had om te komen. Het was me niet helemaal duidelijk wat ik daar precies moest gaan doen, maar aangezien we het ons niet konden permitteren om een opdracht te laten lopen, wilde ik die niet afzeggen.

Nerveus over het feit of ik de opnames wel alleen aan de dames kon overlaten, besloot ik dat loslaten de enige juiste weg was en nam de verstandige beslissing om het allemaal over me heen te laten komen zonder dat ik het tot in de puntjes had geregeld.

30

Het eerste wat ik die maandagochtend deed was mijn collega's sms'en om ze heel veel succes te wensen met Benz en Mercedes. Daarna besloot ik iets op te lossen wat me al een tijdje dwarszat. Sinds de komst van mijn moeder had ze nog geen enkele keer iets huishoudelijks gedaan. Ik gunde haar van harte een fijne oude dag, maar het was hier geen hotel. Meestal stond de ontbijtboel nog op tafel als ik aan het eind van de dag thuiskwam. De wasmand puilde uit, mede door de hoeveelheid heupslips ter grootte van een hoeslaken die mijn moeder eraan toevoegde, maar ze had nog geen een keer een was gedraaid. Moeders schoof aan en deed helemaal niets! Hoewel, dat was niet helemaal waar. Volgens mij haalde ze af en toe een stofzuiger door het huis, maar het kon ook zijn dat Merel dat deed. Ze had ooit een keer geroepen dat ze een stofzuiger wel een kickend ding vond, waarop ik had geantwoord dat ze deze risicoloze kick veel en vaak mocht toepassen.

'Mam, zullen we nog even samen een kopje koffie drinken voordat ik naar mijn werk ga?'

Ze knikte verbaasd.

Ik liep naar de keuken en zette ondertussen de ontbijtbordjes in de afwasmachine, de boter en jam in de koelkast en haalde met de kruimeldief de beschuitkruimels van tafel. Ze bleef zitten en keek toe terwijl ik bezig was. Ik merkte dat het goed was dat ik het probleem ging oplossen want het irriteerde me mateloos.

'Mam,' zei ik even later terwijl ik in mijn koffiekopje roerde, niet goed wetend hoe ik het moest aanpakken. 'Ik vind het heel gezellig dat je hier bij mij en Merel woont, maar ik zou het ook prettig vinden als je me zou helpen met wat huishoudelijke dingen.'

Ze keek me wazig aan.

'Ik bedoel... ik heb het druk met mijn werk. Ik kan het niet allemaal alleen doen. Begrijp je dat?'

'Daar hebben we toch een purser voor? En anders moet de kapitein maar nieuw personeel aannemen. Gaan we binnenkort weer aan wal?' Ze keek me glazig aan.

Ik weet niet wat er gebeurde maar ik werd woedend. Zo'n redeloze niet te stuiten woedeaanval. Zo'n moment waarop de woorden je mond uit rollen zonder dat je het wilt. Als vanzelf, met veel venijn. Ik haatte het.

'Houd nou alsjeblieft eens op met dat stomme gesodemieter en gedraag je normaal!' Ik had de woorden nog niet uitgesproken of ik schaamde me kapot. Ze was dement. Ze kon er niets aan doen. Hoe durfde ik. Al die jaren had ze voor mij gezorgd en nou was ik er te beroerd voor.

Ze keek me schuldig aan. Haar ogen stonden opmerkelijk helder. Ze draaide wat aan de trouwring rond haar vinger. 'Zeg maar wat ik moet doen, Lieke.'

Ik wist even niet wat ik moest zeggen.

'De was moet je me niet laten doen. Ik wil de boel nog wel eens laten verkleuren, maar strijken is geen enkel probleem. Ramen zemen kan ik ook nog wel en afstoffen is ook een prima taakje voor mij, maar dan wil ik wel zo'n leuke swiffer.'

Ik slikte even. Op een trap ramen zemen leek me geen goed plan. Voor hetzelfde geld donderde ze van het trapje af en waren we nog verder van huis. Strijken? Maar als ze dan het strijkijzer aan liet staan? Voor je het wist stond het huis in de fik.

'Zullen we een rooster maken? Dan krijgt Merel ook taakjes. Dat lijkt me wel zo eerlijk en ze is er tenslotte groot genoeg voor,' zei ik zo enthousiast mogelijk.

'Dan moet Bram ook wat doen!'

'Bram?'

'Ja, die is hier toch ook altijd?'

'Bram woont hier toch niet. En Bram doet al zo veel!'

'O ja? Het enige wat ik hem hier zie doen is stofzuigen.'

Mijn ogen rolden bijna uit mijn kassen. Stofzuigde Bram mijn huis? 'Vind jij het normaal dat Bram bij ons stofzuigt?' Ik voelde weer een oncontroleerbare woedeaanval opkomen.

'Waarom zou hij hier niet stofzuigen? Volgens mij vervult Bram de functie van parttime echtgenoot.'

Het kwam er op een uitermate venijnige manier uit. Iets wat mijn moeder zo fantastisch kon. Haar ongenoegen laten blijken over iemand in een discussie die over iets heel anders ging; namelijk over haar eigen luie gedrag. 'En heb jij daar soms moeite mee?' vroeg ik op een vals toontje. Ik was er weer in getrapt. Ik wilde een gesprek voeren over haar. Niet over Bram en mij.

'Ja, daar heb ik moeite mee. Parttime hier, parttime daar. Hij lust er wel pap van!'

Verbaasd keek ik haar aan. Wat was dit nu weer voor een dwaze opmerking. 'Ik zal een rooster maken.' Dat was het enige wat ik zei.

Nog in de war over het gesprek dat ik met mijn moeder had gevoerd en enigszins bezorgd of het wel allemaal goed zou gaan met de dames en het promotiefilmpje, reed ik veel te hard naar Bussum. Ik was zo in gedachten verzonken dat ik uiteraard niet opmerkte dat een verkeersagent met een lasergeval in de berm stond. Voor ik het in de gaten had, werd ik een parkeerplaats op gedirigeerd waar een groepje agenten in opleiding mij stond op te wachten. Dit alles onder begeleiding van twee oudere agenten met jaren ervaring.

'Zo mevrouwtje. U weet dat u hier maar vijftig mag?'

'Shit, vijftig!' De tranen sprongen me in de ogen. Het laatste wat ik erbij kon gebruiken was een belachelijk hoge boete voor één momentje van onoplettendheid. Dat en het feit dat het nog maar viel te bezien of er aan het eind van de maand nog een salaris in zat, waren voldoende om mijn humeur behoorlijk te verknallen.

'Uw papieren graag.'

Ik rommelde wat in mijn tas. 'Eh... die zitten in mijn andere tas en die ligt thuis.'

'U weet wat de boete is voor rijden zonder de benodigde papieren?'

'Nee, dat weet ik niet, maar ik neem aan dat u het wel weet?' Het kwam er behoorlijk agressief uit en het groepje in opleiding schoof nieuwsgierig wat dichterbij.

'Wilt u even uitstappen?' Gedwee stapte ik uit via de passagierskant. Verbaasd keken ze me aan. 'Ja, sorry, net vanochtend kapotgegaan,' loog ik. 'Gaat klas 3b me nu fouilleren?' Ik probeerde een glimlach op mijn gezicht te toveren, maar ik had eigenlijk vreselijk de pest in.

Zonder verder iets te zeggen drentelden ze met z'n allen rond de Barrel. Op zoek naar kleine onvolkomenheden, zoals ruitenwissers met te veel afwijking naar links en achterlichten die niet voldeden aan de juiste kleur rood. Ik zuchtte en realiseerde me dat het in de papieren ging lopen.

Er werd wat gemompeld en over en weer opmerkingen gemaakt en ondertussen stond ik ongeduldig af te wachten. Een jonge knul van amper achttien mocht de bon schrijven en liet me weten dat ik er met vijfhonderd euro nog goed van afkwam.

'Wat?' riep ik paniekerig uit. 'Vijfhonderd euro.' Vloekend frommelde ik de bon tot een prop die ik richting hoofdagent smeet en uit pure frustratie trapte ik tegen een lantaarnpaal. Wat pijnlijk is met open sandaaltjes.

Met een bloedende teen stapte ik in de auto, en ik hoorde de hoofdagent nog net tegen het groepje zeggen: 'Wat jullie hier zien, is het typische en herkenbare gedrag van een inwoner van de Gooi- en Vechtstreek. Wen er maar vast aan.'

Pislink scheurde ik de parkeerplaats af en even later zat ik gedeprimeerd achter mijn bureau. Voor mij lag een stapel onbetaalde rekeningen. Was dit nou mijn lot? Een beroerd liefdesleven, een helse moeder, bloedende tenen en rode cijfers? Ik leek wel gek ook om deze halffailliete tent draaiende te houden met als enige genoegdoening een roze bureau waarop ik me af en toe gretig liet nemen door Peter. Die overigens wel met mij wilde samenwonen. Zij het op termijn! Zonder Bram!

Het gerinkel van de telefoon haalde mij uit mijn sombere gedachten.

'Met Gretel van Straeten. Ik bel over de Luds.'

'En? Beviel het?'

'Nou, het heeft wel wat stof doen opwaaien. Mijn man vond het maar niks...'

Ik slikte even. Dat kon er ook nog wel bij. 'Wanneer wilt u dat ik hem kom ophalen. Vandaag nog?' vroeg ik uit mijn humeur.

Volgens mij hoorde ze niet wat ik zei want ze ratelde maar door. 'Maar onze etertjes, die heel veel verstand van kunst hebben, waren er helemaal wég van. Tja... en nu wil mijn man het schilderij dus houden. Uit pure kift. Maar ik vind het prima want ik vind het schilderij geweldig. Dus hoeveel moet het kosten?'

Ik was te verbaasd om te antwoorden.

'Bent u er nog? Hoeveel moet het kosten?' vroeg ze weer.

'Dat moet ik even overleggen. Daarover bel ik u straks terug.'

Er is maar een dunne grens tussen mateloze ellende en uitbundige vreugde. Zo diep neerslachtig als ik zo-even achter mijn bureau had gezeten, zo juichend rende ik nu door de vertrekken van Personal Whatever. Verbaasd gadegeslagen door Nadja, die mij even daarvoor nog depressief en hinkelend binnen had zien komen.

In de kamer van Karlijn plofte ik neer op een van de grote stoelen die rond de vergadertafel stonden. Ik had geen idee hoeveel ik ging vragen voor mijn schilderij. Hoeveel kon je met goed fatsoen vragen voor een authentieke Luds?

Ik sprong weer op en holde naar Suus' kamer waar ik mijn mobieltje uit mijn tas graaide en Roos ging bellen. Dit moest ik met Roos bespreken.

'Roos is er niet,' zei Felix, haar man.

'Waar is ze dan?' vroeg ik ongeduldig.

'Naar het ziekenhuis. Over een uurtje is ze wel weer terug.'

'Wat is er aan de hand?'

'Niks bijzonders. Vertelt ze je zelf wel. Moet ik zeggen dat je gebeld hebt?'

'Nee, laat maar.'

Vertwijfeld vroeg ik me af met wie ik nu moest overleggen? Bram? Nee, die moest ik maar even met rust laten. Hij had het al zwaar genoeg met ons. Peter? Nee, als ik hem vertelde dat ik mannelijke naakten schilderde zou hij over vijf minuten hitsig op kantoor verschijnen. Klaar voor weer een ronde op het roze bureau. En ik had wel even wat anders aan mijn hoofd.

'Nadja, wat vraag ik voor een schilderij?'

Ze stak haar keurig gestylede hoofd om de hoek van de deur en keek me nietszeggend aan. 'Ik weet niet waar het over gaat, maar het is verstandig om altijd overal veel geld voor te vragen. Dan kan je altijd nog zakken.'

'Dank je, Nadja!' Ik pakte de telefoon en draaide het nummer van Gretel van Straeten.

'Mevrouw van Straeten, ik heb even overlegd. De kunstenaar kan maar moeilijk afstand doen van zijn schilderij dus...'

'O, maar wij willen het schilderij erg graag houden. Denkt u niet dat er een mogelijkheid is om toch tot overeenstemming te komen?'

'Het is een van de eerste werken. En nogal dierbaar, ziet u.'

'Interessant, een van de eerste werken...' Ze hijgde een beetje van opwinding.

Ik nam een diepe hap adem. 'Het moet tienduizend euro gaan kosten.'

Het was even stil aan de andere kant van de lijn. Ik vertrok mijn gezicht tot een angstige grimas en liep nerveus heen en weer. Wat had ik gedaan? Mijn hand overspeeld, dat op zijn minst. Duizend euro was allang mooi geweest. Wat zeg ik?

Honderd euro. Meer was deze *Naakte man springt over sloot* niet waard.

'Oké, ik ga ermee akkoord. Het is veel geld, maar we gaan ongetwijfeld nog veel horen van deze Luds en dan is het lang niet gek om een van zijn eerste werken in je bezit te hebben.'

Ik ging languit op de grond liggen, deed mijn ogen dicht en riep alleen maar: 'Dank je wel, dank je wel, dank je wel!' Toen ik mijn ogen weer opendeed, keek ik recht in het bezorgde gezicht van Nadja, die voorovergebogen naar mij stond te kijken. 'Niets aan de hand, ik ben alleen maar heel erg blij.'

Hoofdschuddend trippelde ze weg op haar hoge hakken terwijl ze iets mompelde als: 'Weer eentje rijp voor Schotland.'

31

Tienduizend euro! Dat betekende een nieuwe outfit voor Merel plus iPod en voor Bram dat fantastische gebloemde keukenschort van die achterlijk dure ontwerper wiens naam ik even vergeten was.

En voor mezelf? Een weekendje met Roos. Dat ging ik doen! Zo snel mogelijk. Merel kon wel bij Pien logeren en mijn moeder kon eens fijn van de gelegenheid gebruikmaken om het hele huis schoon te maken. Ik mijmerde voor me uit, in gedachten zag ik mezelf al met Roos in een heerlijk hotel zitten, uitbundig shoppen en lekker eten. Maastricht, Rotterdam, Groningen of toch maar Barcelona?

Veel tijd om daarover na te denken kreeg ik niet want Nadja drentelde weer binnen en zette een kop koffie voor me neer op mijn bureau. 'Je gaat toch zo meteen naar mevrouw Gestellekens? Je weet dat ze een klein labradortje heeft gekregen en dat ze niet weet hoe ze die zindelijk moet krijgen? Daarnaast is ze nogal depri. Je kent het wel, van dat energieloze. Over een week is het verjaardagspartijtje van Megane, haar acht jaar oude dochtertje. Ze weet niet wat ze moet gaan doen. Ze was echt in paniek! Én een hond erbij én een kind jarig!'

'Hoe weet je dit allemaal?'

'Tja... ik mag dan niet kunnen typen...' Ze keek me lachend aan. 'Ik denk dat ze even moet shoppen of van interieur moet veranderen om weer wat energie te krijgen.'

Verrast keek ik haar aan. 'Nadja, je bent fantastisch!'

Voor de zekerheid trommelde ik nog wat gegevens van mevrouw Gestellekens uit de computer. Zodat ik goed voorbereid was. Uiteraard was het dossier met een grote x gemarkeerd. Daarnaast had Karlijn nog niet zo lang geleden een duur advies gegeven over de verbouwing van een badkamer, was Bernadette, de gewezen mental coach, er ook al eens op bezoek geweest en had ze al een drietal personal shoppers versleten. Hier moest ik dus nog een klusje uit kunnen halen, al was het me nog niet duidelijk over welke boeg ik het moest gooien.

De familie Gestellekens woonde in een prachtig groot huis in Laren. Mevrouw Gestellekens keek me droevig aan terwijl ze tussen twee bordestrappen onder een immens grote kroonluchter stond. Ik vroeg me af hoeveel herrie het zou geven als dat ding naar beneden kwam.

Ik kreeg een slap handje en futloos sjokte ze voor me uit naar de minstens zo imposante woonkamer waar een oudere versie van mevrouw Gestellekens op de bank zat. Haar moeder. Ze was even over uit Malta.

De moeder keurde me geen blik waardig en zuur kijkend nam ze een slokje van haar thee. Ze had allemaal kleine rimpeltjes rondom haar mond. Afschuwelijk. Ik vond dat het ergste teken van ouderdom. Dat, en levervlekken op je handen.

Gebiologeerd staarde ik naar het gerimpelde pruilende mondje dat ze tot een zuinig rondje had samengeknepen. Het was net alsof er een soort van anus zweefde tussen haar kin en neus en ik kon er mijn ogen niet van afhouden. Kon ik dit zien te voorkomen bij mezelf? Viel dit alleen maar met extreme hoeveelheden botox te corrigeren of zou een vrolijke glimlach ook al het verschil maken?

'Thee?'

'Graag.'

'Ik heb begrepen dat u een kleine pup gekregen heeft?' Ze knikte en ik vroeg me af waar het beestje was. 'Een van onze personals, Tess, is fantastisch met honden. Mocht u het willen dan kan ik haar natuurlijk vragen om eens langs te komen.'

'Dat zou fijn zijn. Ik ben heel erg tevreden over Personal Whatever. Altijd al geweest.'

'Dat is heerlijk om te horen. Dat doet me echt goed. Dat is ook onze doelstelling. Als onze cliënten tevreden zijn, zijn wij tevreden.' Wat een bullshit, Lieke! Ik kreeg bijna braakneigingen.

Ze wenkte me en ik volgde haar naar de enorme keuken. Uit het dossier had ik begrepen dat ze hier eens vier uur lang met Karlijn had gezeten om te sparren over de kleur van de keukenkastjes. Vier uur lang hebben ze zitten nadenken of het nou groen of toch grijsgroen moest worden. Het denken had een factuur van 600 euro opgeleverd en was per omgaande betaald. Ik zag dat het uiteindelijk toch lichtgeel was geworden.

Ze zuchtte diep en keek me weer met van die droevige ogen aan. 'Ik word eerlijk gezegd een beetje moe van mijn moeder. Dat zit maar op de bank thee te drinken en er komt geen zinnig woord meer uit. Ik heb haar al winkel in, winkel uit gesleept. Gebakje hier, gebakje daar. Sherry'tje zus, sherry'tje zo. Maar nu weet ik het allemaal niet meer.'

'Een bingo, zou dat wat voor haar zijn?'

Als door een adder gebeten, zo verschrikt keek ze naar me op. 'Dat lijkt me toch niet iets voor mijn moeder.'

'U weet niet half hoe ze daar van opknappen.'

'Nou, als u denkt dat zo'n spelletje helpt om de verveling te doorbreken,' zei ze onzeker.

'Absoluut. Ik ga het regelen.' Ik knikte haar bemoedigend toe alsof vanaf nu al haar zorgen als sneeuw voor de zon zouden verdwijnen. 'Dus u heeft uw moeder te logeren, een pup erbij en ik heb gehoord dat uw dochtertje binnenkort acht wordt. U zult het wel zwaar hebben.'

'Ja. Volgende week is Megane jarig en dat is ook zoiets.' Ze begon weer te zuchten en moeilijk te kijken alsof het leven in deze villa een enorme opgave was. 'Vlak na haar zevende verjaardag ben ik al begonnen met de voorbereidingen voor haar achtste verjaardag. Je kunt er niet vroeg genoeg mee beginnen. Ik wilde haar een onvergetelijk cadeau geven en samen met Karlijn heb ik een badkamer voor haar ontworpen. Als je acht wordt, ben je daar wel aan toe. Wil je hem zien?'

Ik knikte. We liepen de imposante trap op en sloegen vervolgens rechts af. Aan het eind van de lange gang waren twee deuren. Een ging naar de slaapkamer van Megane en daarnaast was een nieuwe badkamer gebouwd.

Met de deurklink in haar hand bleef ze stilstaan. 'Zoiets doe ik echt nooit meer. Dit is zo'n gedoe! Het moet natuurlijk wel geheim blijven. Als zo'n kind weet wat ze krijgt, is het ook niet meer leuk. Maar ga jij maar eens een badkamer laten bouwen onder schooltijd!' Ze zwaaide de deur open en ik wist niet wat ik zag.

'Mooi, heel mooi,' zei ik en keek om me heen.

De enorme badkamer was helemaal in lila uitgevoerd. Met goudkleurige accenten. Er stond een lila bubbelbad, een lila minitoilet en een enorme wastafel op kleuterhoogte. Verder was er nog een douche met massagestralen die het kind waarschijnlijk tegen de glazen deuren aan zou doen blazen en overal lagen witte handdoeken met de naam Megane erop. Een roze opmaaktafel maakte het geheel af. Het stond vol met wel dertig verschillende soorten parfum en een borstel die met pareltjes was ingelegd.

Het was prachtige kitsch, maar over twee jaar zou Megane te groot zijn voor een miniplee, te lang voor een wastafel op kleuterhoogte en zou de kleur lila tot haar meisjesperiode behoren en had ze vast een voorkeur voor lichtoranje. Kortom, deze badkamer was geen blijvertje.

'Mooi hè, helemaal Karlijns idee.'

'Die Karlijn toch,' mompelde ik.

'Nou, dit project was in ieder geval zo *time-consuming* dat ik er helemaal nog niet aan ben toegekomen om het verjaardagsfeestje van Megane te organiseren en dan ook nog die hond!'

Ze liep weer voor me uit, de trap af naar de woonkamer. Waar haar moeder nog in precies dezelfde houding zat. Het kwam me bekend voor. Ik had er thuis ook zo eentje.

Mevrouw Gestellekens ging overdreven zuchtend zitten. 'Ik heb ook zo weinig energie om iets leuks te bedenken. Alles is ook al gedaan! Ging Merel laatst met de Van Rooyens naar Disney Parijs voor de verjaardag van Pleuntje, moest dat ordinaire stel van hier om de hoek dat even dunnetjes overdoen. Een extra lang weekend! Gelukkig was Megane niet uitgenodigd, maar ik heb gehoord dat ze de hele dag met van die grote lolly's en zuurstokken hebben rondgelopen en natuurlijk amper hebben geslapen in de Prinsessenkamers. Dus ik zeg tegen mijn man, dan gaan wij toch met tien van die kids naar de echte Disney. Gewoon een weekend. Vond hij niks. Was ook *bad timing* van mij om dat net voor te stellen op het moment dat de beurs behoorlijk in punten was gezakt. Zelfs een weekendje Chamonix zat er niet in. Kijk, dan is voor mij de fun er ook wel even vanaf.'

'U kunt toch ook iets eenvoudigers gaan doen. Iets wat er wat minder inhakt, budgettair gesproken dan.'

'Joh, dat is allang geen issue meer. Kwestie van op het juiste moment instappen, kan mijn man goed. Dus dat beursdipje is hij allang weer te boven. Maar ik ben er wel klaar mee! Ik hoef al niet meer met die kids naar Florida. Dus toen kwam ik op het geweldige idee van een ballenbad. Leuk in thema met het verjaardagscadeautje van Megane. En dan niet zo maar een kuipje met balletjes, maar echt een enórme ballenbak. Leuk toch? Het zwembad leek me daarvoor heel geschikt. Dus ik overleggen met de poolboy. Kijk, dat hele zwembad moet dan natuurlijk wel leeg en dan moet je het vervolgens volstorten met ballen. Hij zag geen enkel probleem. Dus ik achter ballen aan. Dat is ook nog niet zo eenvoudig. Eindelijk iemand gevonden die ze kon leveren en dan denk je toch nice, dat heb ik voor elkaar en dan krijg je te horen dat het levensgevaarlijk is. Dat de kans reëel, maar dan ook héél reëel is dat er eentje op de bodem komt te liggen met zestigduizend ballen boven zich. Dus exit ballenbad. Kan je weer helemaal opnieuw beginnen! Kijk, je wilt je kind gewoon iets bieden. Iets wat leuk is. Ze wordt maar één keer acht. Snap je dat? Heb je zelf kinderen?'

Ik knikte.

'Nou, dan weet je wel wat ik bedoel.'

Ik knikte weer. En zag Merel en haar vriendinnetjes weer koekhappend voor me. Het leek wel duizend jaar geleden. Plotseling kreeg ik een geniaal idee. 'Mevrouw Gestellekens, waarom gaan wij van Personal Whatever niet een fantastisch oud-Hollands verjaardagsfeest voor uw kind organiseren? Met prachtige jurken, leuke spelletjes. Hoeft geen drie dagen te duren. Drie uur is zat. Aan het eind van de middag komen de moeders. Doe je nog een wijntje en halen we de man van de oesterbar erbij en voor de meiden een kraampje met hotdogs. Liggen ze weer lekker op tijd op bed en zijn ze de volgende dag ook weer een beetje fit op school.'

'Een oud-Hollands verjaardagsfeest.' Ze liet de woorden over haar tong rollen, alsof ze ze wilde proeven. 'Klinkt leuk. Lijkt het u wat, moeder?'

'Wat voor spelletjes?' vroeg ze zuur. Misschien was die bingo toch niet zo geschikt voor haar.

'Koekhappen, een sjoelcompetitie, ezeltje prik,' zei ik enthousiast.

'Een ezel in de tuin geeft wel een hoop rotzooi.' Mevrouw Gestellekens keek me bezorgd aan.

'Komt er dan ook een oud-Hollandse clown?' De moeder van mevrouw Gestellekens keek me misprijzend aan. Wat een afkeuring zat er in die venijnige ogen!

Ik besloot niet te reageren en ging gewoon verder met mijn verhaal. 'Verder gaan we oud-Hollandse liedjes zingen. Er komt een mooie taart. Na afloop krijgen ze een zakje met wat lekkers mee naar huis. Gewoon gezellig, leuk en ongedwongen.'

'Klinkt heel erg origineel. Spelletjes! Goh, is weer eens wat anders dan Disney of een workshop cantharellen zoeken en verwerken. Daar vond Megane trouwens niets aan! Moesten ze allemaal het bos in. Hadden ze uiteindelijk allemaal één cantharel en toen zijn ze gaan koken voor de ouders. Paddenstoelensoepje, parelhoen met knolselderijpuree en een heerlijke truffelmousse. Wij vonden het wel leuk maar die kids vonden het echt niks. En een honger dat ze hadden want ja, die moesten die parelhoen plukken dus die aten niks meer. Het was echt een en al gejank. Nou, dan eet je ook niet lekker meer, hoor. Ja, doe mij maar zo'n oud-Hollands feest.

Moe maar voldaan over het feit dat ik een fantastische opdracht had binnengesleept, stapte ik in mijn oude Barrel. Op kantoor at ik een broodje en sms'te ik weer naar de personals. Of de cameramannen er een beetje leuk uitzagen, of ze morgenmiddag kwamen voor een vlaaisessie en dat ik een geweldige opdracht had binnengehaald.

Ik had de sms'jes nog niet verzonden of mijn mobieltje ging. Roos.

'Hé Roos, wat deed jij in het ziekenhuis?'

'Niks bijzonders. Was het dringend waarvoor je belde?'

'Je zult het niet geloven maar ik heb voor tienduizend euro een schilderij van mezelf verkocht!'

'Doe normaal!'

'Echt. Waanzinnig vind je niet! En nou zat ik te denken dat mij dit wel een mooie gelegenheid leek om fijn met z'n tweetjes een weekendje weg te gaan.'

'Lieke, je kunt me niet blijer maken. Wat heb ik daar een zin in!'

'O, anders ik wel. Deze baan kost me zo veel tijd en energie dat ik nog amper tijd voor je heb.'

'Wanneer gaan we?'

'Wat mij betreft dit weekend. Als Merel tenminste bij Pien kan logeren.'

Ik hoorde wat gegil aan de andere kant. Vreugdekreten. Ik had een weekendje weg hard nodig maar ik geloof Roos ook.

'Waar gaan we heen? Amsterdam, Groningen, Rotterdam, Maastricht, Antwerpen, Barcelona...'

'Middelburg,' viel Roos me in de rede.

'Middelburg?'

'Ja, wanneer komt een mens nou in Middelburg? Typisch zo'n plaats die je altijd overslaat en misschien is dat wel heel erg onterecht.'

'Ik wil alles weten!' riep ik enthousiast tegen Nynke, Cato, Feline en Tess. Met een grote mok koffie en een dik stuk vlaai zaten we met z'n allen rond de grote tafel van Karlijn. Nadja hield stevig haar aantekenboekje vast omdat ze vond dat er van de vergaderingen verslagen gemaakt moesten worden. Helaas kwam ze meestal niet veel verder dan de datum en de namen van de aanwezige personen.

'Het was in één woord geweldig!' zei Cato.

'We hebben ons gek gelachen,' gilde Feline eroverheen.

'En een heel lekkere cameraman,' gierde Tess.

'Wat word jij rood,' zei Nynke tegen mij.

'Opvliegertje. De uitzending is al komende donderdag en dan laten ze het filmpje zien en daar moet ik iets leuks over vertellen. Dus vertel, wat hebben jullie allemaal gedaan?' Kort maar krachtig deden ze verslag van de middag. Ze hadden hond en presentator sportief aangekleed, hadden met de HopHopper over de boulevard van Noordwijk geracet en Nynke had Harry geadviseerd het sapjesdieet te volgen.

Daarna liet ik ze weten hoe het bij mevrouw Gestellekens was gegaan. Het oud-Hollandse verjaardagsfeestje werd met gejuich ontvangen. 'We kunnen nu op zoek gaan naar een Personal Little People Party Organiser maar we kunnen het ook met elkaar regelen,' zei ik enthousiast.

'Laten we het maar zonder zo'n PLPPO doen,' zei Feline, waarop iedereen heel hard begon te lachen.

Cato wilde graag van de partij zijn en de afdeling spelletjes voor haar rekening nemen. Tess zag ook wel wat in een kinderfeestje. Het leek haar een welkome afwisseling van al dat gedoe met die clicker.

'Of ik nou een dobermannpincher moet uitleggen dat hij zijn baasje niet omver mag trekken of een kind moet vertellen dat je geen drie stukken taart naar binnen mag proppen. Veel zal dat toch niet uitmaken.' Ze gebaarde enthousiast met haar handen en stootte daardoor haar koffie om.

Nynke begon te lachen, knipoogde naar Cato en riep dat met verliefdheid ook onhandigheid kwam.

'Verliefd?' riep ik verbaasd. 'Op wie?'

Cato mompelde een naam maar ik kon het niet verstaan omdat Nadja mij vroeg hoe je verliefdheid ook alweer schreef, waarna we weer verdergingen met het plannen van het verjaardagsfeestje.

Feline had nog een vriendin die als docente kinderverzorging werkte en wel voor een paar stagiaires kon zorgen. Kortom, een vlaai later was alles geregeld. Er was een draaiboek gemaakt, de taken waren verdeeld en de kosten berekend. Om vijf uur verliet iedereen weer het pand. Behalve Nadja. Met haar tong een stukje uit haar mond zat ze nog ijverig in haar aantekenboekje te pennen.

'Gaat het, Nadja?' vroeg ik.

'Ja hoor, maar jullie praten zo snel. O ja, ik wil me er niet mee bemoeien, maar misschien moet je eens gaan informeren hoe het met Karlijn en Suus gaat.'

Ik keek haar verbaasd aan. Op een bepaalde manier was ze geniaal.

Christel was blij verrast dat ze wat van me hoorde en opgelucht toen ik haar vertelde dat PW nog wel in zwaar weer zat, maar dat de kansen dat alles goed zou komen toch wel groot waren.

'Karlijn had al een vermoeden dat Suus er een financiële bende van had gemaakt,' zei Christel.

'Nou, dan had ze wel eens mogen ingrijpen.'

'Ja, maar ze had andere dingen aan haar hoofd. Gelukkig gaat het al wel wat beter met haar. Volgens mij heeft ze het heel erg naar haar zin hier in Friesland. Inmiddels doet ze al wat opdrachten en heeft ze een paar huizen ingericht.'

'En Suus?'

'Moeizaam, het zal nog wel even duren voordat die weer normaal kan functioneren.'

Ik zuchtte. 'Wat een gedoe. Wat kunnen sommige mensen er toch een puinhoop van maken.'

'Ja, maar zolang we maar in de gaten houden dat het ons allemaal kan overkomen, kunnen we er in ieder geval wat begrip voor opbrengen.'

Ik zweeg. Ze had gelijk. Er liep een dunne grens tussen het paradijs en het riool.

32

Dood- maar dan ook doodzenuwachtig zat ik donderdagavond om zeven uur in de studio van Harry Benz. Ondanks het feit dat Bram me wel honderd keer had gezegd dat het allemaal heel erg leuk zou zijn, had ik mijn nagels tot op het bot afgekloven. Vooral toen Bram me liet weten dat hij die avond niet zou draaien, dacht ik gillend gek te worden. Wat moest ik in hemelsnaam zeggen? Wat moest ik aantrekken?

Nerveus zat ik te draaien in de stoel van de visagiste. Het lukte me maar niet om het lieve kind te overtuigen dat ik paarse oogschaduw echt niet mooi vond. Zuchtend kwakte ze uiteindelijk het mij vertrouwde bruin op mijn oogleden. Met een nat sponsje veegde ze een behoorlijke hoeveelheid foundation op mijn gezicht en poederde de hele boel overdadig af. Uit angst voor scheuren, durfde ik bijna niet meer te glimlachen.

Er kwam een regieassistente binnen die me nogal bars mededeelde dat het de bedoeling was dat ik alleen maar wat zei als me iets gevraagd werd en vervolgens kwam er een geluidsman die mij een microfoontje opspelde. Het kastje moest ik ergens achter in mijn onderbroek klemmen en ik vroeg me af in welke bilspleet het hiervoor had gezeten.

Uiteindelijk mocht ik naar binnen en moest ik plaatsnemen aan een grote tafel waar Harry Benz al zat, samen met de andere gast. Er was nog even wat gedoe met lampen en microfoontjes en Harry werd nog even droog gedept maar toen begon het toch echt. Mijn razende hart ging nog een versnelling hoger. Ik was opeens heel blij met de opgeplakte laag te bruine foundation omdat mijn verhitte wangen daar onmogelijk doorheen konden schijnen.

Harry deed zijn inleidende praatje, waarna hij onmiddellijk overging op Personal Whatever. Hij stelde me voor, gaf een korte uitleg over de werkzaamheden van PW en vertelde enthousiast over de geweldige middag die hij achter de rug had met mijn dames.

'Laten we naar het filmpje kijken.'

Glimmend van trots keek ik toe hoe Feline samen met Harry in een exclusieve sportwinkel op zoek ging naar een passende outfit voor die middag. Ondanks Felines verwoede pogingen om het op een zakelijk blauw joggingpak te houden, koos Harry toch voor een te schreeuwerig wit trainingspak met roze accenten en goudkleurige biezen. Tess pakte het geweldig op en koos voor Mercedes een bijpassende witte pet en een goudkleurige hondenbikini. Een roze halsband maakte het geheel compleet.

'Zien we er niet prachtig uit?' zei Harry tegen mij.

Ik knikte, maar dacht er het mijne van.

Op de boulevard gaf Tess nog wat adviezen over zonnebrandproducten en de noodzakelijkheid om je daar overvloedig mee in te smeren, waarna Nynke nog even kort aan het woord kwam door te onderstrepen dat sporten en goede voeding onlosmakelijk met elkaar verbonden waren, maar dat een glaasje champagne op zijn tijd echt geen kwaad kon.

Als uit het niets kwam vervolgens Cato in beeld met in haar handen twee felgekleurde glitter skippyballen. Een goudkleurige voor Harry en een roze voor haarzelf.

'Joggen is natuurlijk heerlijk, maar zo af en toe is een andere vorm van bewegen heel wenselijk.' Ze keek serieus de camera in en ik kon een glimlach bijna niet onderdrukken.

'Meneer Benz, gaat u lekker zitten op uw gouden Hop-Hopper en dan gaan wij eens fijn over de boulevard hopsen.'

Enigszins moeizaam ging Harry zitten en het duurde even voordat hij zijn evenwicht had gevonden. Ik vermoedde dat er toen enige uren aan oefening plaats moeten hebben gevonden maar dat alles bleek niet uit het filmpje en zo zagen we Harry en Cato even later professioneel achter elkaar aan gaan. Alsof ze het al jaren deden.

'Heerlijk,' riep Cato, 'en je kunt er zo heerlijk hoog mee hopsen. Doet u dat ook maar, meneer Benz. Dat is goed voor de spieren.'

Harry deed een poging en zette zich zo hard mogelijk af, de bal stuiterde wild terug en door een ongecontroleerde beweging van Harry ging hij nog hoger de lucht in. Dit was het moment waarop de presentator zijn evenwicht verloor, de bal onder hem wegschoot en hij keihard met zijn neus op de grond terechtkwam. Overeind geholpen door de vier dames van PW zagen we hem nog net met een gigantische bloedneus uit beeld strompelen.

Ik probeerde mijn lachen in te houden, maar ik kon het schokken van mijn lichaam niet tegenhouden. Meneer Benz die tegenover me zat, zag spierwit. Met een vertrokken gezicht kondigde hij de muziek aan, waarna wij uit beeld verdwenen en hij ongelooflijk tekeerging tegen de regisseur.

'Jij idioot. Dit zend je toch niet uit! Halvegare. Nu koopt er niemand meer een HopHopper.'

Ziedend van woede raasde en tierde hij maar door. Iedereen begon nerveus om hem heen te drentelen en ik vreesde dat hij elk moment in zijn woedeaanval kon blijven. Ergens begon iemand te schreeuwen dat we zo weer in beeld kwamen en tot mijn stomme verbazing keerde Harry zich met een grote glimlach naar mij toe en zei dat hij zo'n fantastische middag had gehad met mijn dames. Daar bleef het ook bij. Er werd mij niets meer gevraagd.

'En dan ga ik nu over naar mijn volgende gast, mijn goede vriend Henk Boer. Henk, wat fijn dat je er bent.'

'Dat is wederzijds,' brulde de man die naast mij zat met zware stem. Het was een beer van een vent van tegen de zeventig met handen als kolenschoppen.

'Henk, wij zijn al jaren goede vrienden en mogen graag samen een vorkje prikken.'

'En een glaasje kantelen,' voegde Henk eraan toe.

'Ja, maar als het aan de dames van PW ligt, drink ik vanaf nu alleen nog maar sapjes,' zei Harry lachend. 'Mijn goede vriend Henk heeft jarenlang zijn geld verdiend in de non-ferrometalen. Klopt dat, Henk?'

'Dat klopt, Harry.'

Ik keek mijn buurman nieuwsgierig aan. Zijn dure maatwerk streepjespak zat net iets te strak. Hij droeg een opzichtig gouden horloge en een zware schakelarmband. Om zijn dikke ringvinger zat een joekel van een zegelring, die volgens mij niet van vader op zoon was overgegaan maar recentelijk was aangeschaft. Ik vroeg me af wat non-ferrometalen waren, maar je kon er in ieder geval zwaar gouden sieraden van kopen.

'En nu heb jij iets gedaan, Henk, waar ik vreselijk jaloers op ben. Je bent met pensioen gegaan en bent niet met de beentjes over elkaar gaan zitten.'

'Nee, niet bepaald.'

'Zeg maar, Henk. Zeg maar wat je hebt gedaan.'

'Ik heb een dichtbundel geschreven. Dat is altijd al mijn droom geweest en ik heb hem waargemaakt. Vanaf morgen ligt *Gedichten halen uit metalen* in de winkel.'

Ik voelde een lachkriebel omhoogkomen.

'Dat is fantastisch, Henk.'

'Dat is het zeker, Harry.'

'Wil je ons wat voorlezen?'

'Ja, natuurlijk.' Met zijn enorme handen pakte mijn buurman het iele boekje vast, schraapte zijn keel en droeg op gedragen toon voor.

Vijftig jaar in de metalen,
wat overblijft zijn prachtige verhalen.
Stukjes metaal en een hoop lood om oud ijzer,
maakten mij en mijn portemonnee een stuk wijzer.

Maar pas op want rust roest,
vandaar dat ik deze dichtbundel schrijven moest.

Hij keek zijn vriend Harry aan. Een traan pinkte bij zijn oog.
'Mooi, hè?' zei hij emotioneel.
Ik kon er niks aan doen, maar dit was het moment waarop
ik gierend in de lach schoot. De tranen stroomden over mijn
wangen, wat mij verontwaardigde blikken van Harry en Henk
opleverden. Er werd nog het een en ander gezegd maar dat
ontging me totaal. Elke keer als ik weer naar mijn buurman
keek, schokte mijn lichaam van de ingehouden lach. De felle
lichten gingen vervolgens uit. De microfoontjes werden losge-
haald en er ontstond een hoop geroezemoes. Ik liep naar Harry.
'Ik heb niet veel gezegd, meneer Benz.' Hij keurde me amper een blik waardig. 'Ik neem aan dat u dat stukje van uw
valpartij eruit gaat knippen, misschien kunt u dan ook meteen
even mijn lachbui eruit halen. Zenuwen, u kent dat wel.'
'Dit is live, dame. Dan valt er niet veel te knippen.' Boos
draaide hij zich om.
Ik dacht dat ik door de grond ging. Shit, shit, shit!

33

'O, wat is dit fijn!'
'Wat?'
'Weg. Een weekendje weg, weg van huis, weg van werk, weg
van het debacle *First Class* met Harry Benz, weg van alles.
Weg!'
'Lieke, ik rijd net je straat uit! We zijn nog geen minuut on-
derweg.'

'Kun je nagaan. Het voelt nu al heerlijk.'

'Wat gaan we allemaal doen?' zei Roos.

'Shoppen voor non-ferrometalen?'

De bulderende lach van Roos ging door de auto. 'Heb je al veel reacties gekregen?'

'Dat valt gelukkig mee. Bram vond het erg komisch, maar laten we het er maar niet meer over hebben.'

Ik had een fantastisch hotel geboekt en behalve een lange strandwandeling hadden we nog geen idee hoe we dit weekend gingen invullen. Ik was nog nooit in Middelburg geweest en het was eerlijk gezegd niet mijn eerste keus. Maar het was ook wel weer eens wat anders dan Amsterdam of Antwerpen. Het hotel lag midden in het centrum en een lentezonnetje scheen vrolijk over de gracht.

'Gezellig is het hier,' zei Roos. 'Zullen we eerst inchecken of wil je meteen naar de vvv voor een stadswandeling?' Ze gaf me een vette knipoog. Als er iemand mijn afschuw van stadswandelingen kende, was Roos het wel. Ik bepaalde zelf wel waar ik ging lopen in een stad.

'Wat dacht je van een lekkere lunch?' vroeg ik. Ik had inmiddels wel trek gekregen. Behalve een ontbijt en een Mars bij het tankstation had ik nog niks gegeten. Even later zaten we in een gezellige brasserie met uitzicht over een gracht. We keken elkaar tevreden aan. Dit ging een topweekend worden.

'Wijntje bij de salade?' vroeg ik aan Roos.

'Laat ik dat maar niet doen.'

'Oké, ik neem er wel eentje. Het is tenslotte feest.'

Genietend van onze rust aten we zonder iets te zeggen onze salade. Dat konden we goed; samen iets doen, zonder iets te zeggen. Dat en urenlang kakelen. Er was eigenlijk niets wat we niet goed samen konden.

'Hoe is het eigenlijk met de liefde?' vroeg Roos.

'Goed, geloof ik. Peter, je weet wel, die van die wilde nacht en het roze bureau, wil samenwonen. Op termijn.'

'Nou, dat is toch fantastisch. Waarom heb je dat niet eerder verteld?'

'Ik weet het allemaal niet. Het is best gezellig met hem, maar ik vind het ook een... Tja, hoe noem je dat... Hij is wel erg Goois, Roos!'

'Hou maar op,' zei Roos lachend, 'het wordt ook echt niks met jou en de mannen.'

Ik keek haar beledigd aan. 'Nou, dat vind ik ook wat boud geformuleerd. Dus jij denkt dat ik nooit meer een leuke relatie zal krijgen? Dat ik de rest van mijn leven in alle eenzaamheid zal slijten. Mooi is dat.'

'Dat hoor je mij niet zeggen. Hoe zit het eigenlijk met Bram?'

'Bram is fantastisch. Bram hoort bij ons gezin. Hij is er gewoon.'

'Hij is er gewoon. Hij is er gewoon.' Roos deed me na op een manier die me niet zo beviel.

'Ja, hij is er gewoon.'

'Lieke, niemand is er gewoon in je leven. Voel je wat voor Bram?'

'Ja, heel veel.'

'Vind je hem spannend?'

'Ja, ook, soms.'

'Waarom doe je het dan niet met Bram op het roze bureau?'

'Omdat...' Ik had hier geen antwoord op.

'Nou?'

'Omdat je het met Bram niet op een roze bureau doet. Met Bram doe je het onder een bloemetjesdekbed. En daar zijn we nog niet aan toegekomen.'

'Misschien stel je te veel eisen?'

'Misschien vind ik het niet zo belangrijk om te voldoen aan de norm van man, vrouw, 2.3 kinderen, een hond en een verlengde Hummer. Ik ben op dit moment erg gelukkig. Ik houd van Bram, op een bepaalde manier. Ik kan niet zonder hem. Ik moet er niet aan denken dat hij verdwijnt uit mijn leven.

219

We zijn een eenheid, zelfs met die gekke moeder van mij erbij. We hebben iets met z'n allen en dat is goed. Ondertussen frummel ik wat met Peter en als het aan mij ligt ruil ik hem binnenkort in voor een andere Peter. Eentje die ook leuk kan frummelen. Ik hoef even geen vierentwintiguursman. Snap je dat?'

'Nee!' Ze keek me glimlachend aan.

Typisch Roos. Ze begreep er inderdaad helemaal niets van, maar ik was er geen haar minder om.

Na de lunch gingen we naar de vvv. Roos grabbelde wat foldertjes mee en we besloten om voor één keer in ons leven een stadswandeling te maken.

'De eerste en laatste keer in mijn leven, Roos. Ik vind het wat om met zo'n stom foldertje door een stad te sjokken.'

'Je moet alles een keer hebben gedaan in je leven,' zei ze giechelend.

Middelburg was imposant. Prachtige geveltjes, lieve straatjes. Met de overduidelijke plattegrond in onze handen liepen we als echte toeristen door de stad. Vijf minuten later stonden we weer voor de vvv.

'We hadden daar rechtsaf gemoeten, Roos.'

'Hoe kom je daar nou bij? Je moet die plattegrond niet op z'n kop houden. We moesten daar bij dat Health Spa Wellness Center linksaf. Dat staat er toch.'

'Weet je wat wij gaan doen? We gaan gewoon bij dat Health Spa Wellness Center naar binnen.'

Twintig minuten later zaten we giechelend in de sauna.

Rozig maar voldaan van al het gezonde gedoe in de sauna en de bubbelbaden en na ingecheckt te hebben liepen we door het centrum van Middelburg. Op zoek naar een goed restaurant.

'Waar heb jij zin in?'

'Mij maakt het niets uit. Pizza, shoarma, pekingeend, zeewolf, oesters met champagne; ik vind alles prima.'

'Kom,' zei Roos. 'Wat kan het ons schelen. We gaan hier

gewoon naar binnen. Klinkt goed: Het Groot Paradijs.'

'Kan ik u helpen?' vroeg een ober in een onberispelijk zwart pak.

'Een tafeltje voor twee graag.'

'Heeft u gereserveerd?'

'Nee.'

De ober keek ons aan alsof we niet goed wijs waren om zomaar zonder reservering naar binnen te lopen. Hij smoezelde wat met een andere ober en liet ons vervolgens weten dat we geluk hadden dat er net iemand had afgebeld, maar dat we normaal gesproken toch echt een halfjaar van tevoren hadden moeten reserveren.

De ober ging ons voor en wij drentelden bedeesd over zo veel geluk achter hem aan. De tafeltjes waren prachtig gedekt en het zilver schitterde je van de tafels tegemoet. Het was er poepiechic, bomvol en alleen aan het raam was nog een tafeltje vrij. De stoelen werden keurig voor ons naar achteren geschoven en glimlachend keek ik Roos aan. Waar waren we nou weer terechtgekomen?

Ik wierp een blik op de kaart en kreeg bijna een hartverzakking toen ik de prijzen zag. Het enige wat nog een heertje betaalbaar was, was het verrassingsmenu 'creatie van de kok'.

'Zullen we dat menuutje maar nemen?' Ik keek Roos aan en probeerde niet in lachen uit te barsten.

De ober die er weer aan kwam lopen met een mandje warme broodjes knikte goedkeurend. 'Goede keus. Wilt u er een wijnarrangement bij?'

Ik knikte al vrolijk, maar Roos zei dat ze liever een glaasje water had.

'Water?'

De ober maakte zich uit de voeten en ik herhaalde mezelf nog een keer. 'Water?'

'Ik ben zwanger!' fluisterde ze.

'Wat?' gilde ik.

Ze probeerde mijn enthousiasme te dempen met een beweging van haar hand maar dat was zinloos.

'Maar dat is fantastisch,' riep ik veel te hard.

Hoofden draaiden zich om, afkeurende blikken vielen ons ten deel maar ik had niks in de gaten. Ik sprong overeind om haar om de hals te vliegen. Met veel lawaai viel mijn stoel om en nu hadden we de aandacht van het hele restaurant. Ik kuste haar op beide wangen en riep nogmaals dat ik het fantastisch vond.

'Ze is zwanger,' riep ik door het restaurant.

Twee tafeltjes verderop begon een man te applaudisseren. En ergens achterin riep een zestiger: 'Hoera!'

Ik ging zitten en zei zachtjes tegen Roos: 'Het is gelukt! Driewerf hoera!'

'Inderdaad, een hoeraatje voor de dames van het laboratorium mag er wel af. Knap hoor, zoals ze met zo'n heel klein naaldje die trage spermatozoïde van Felix in mijn ongeduldige eicel hebben geprikt. Doe ik ze niet na. Ik krijg nog geen draad in een naald.'

Ik dacht dat ik niet meer bijkwam.

Nadat we eindeloos hadden uitgeslapen en uitgebreid hadden ontbeten besloten we te gaan shoppen in Middelburg. Ik sleepte Roos de ene na de andere winkel in en vertelde haar van alles over ontwerpers, modelijnen en de laatste trends op designebied.

Roos holde verbaasd achter mij aan en schoot vreselijk in de lach toen ik haar een prachtige schoenenwinkel in sleurde om haar een paar van die hippe enkellaarsjes aan te smeren.

'Ongelooflijk, wat ben jij veranderd!' Ze keek me grinnikend aan. 'Je moet wel in een heel goede conditie zijn wil je jouw shoptempo bij kunnen houden.'

Ik keek haar verschrikt aan.

'Dat is een compliment, gek!'

Ik begon te lachen maar vroeg me ondertussen af of ik het wel als een compliment beschouwde. Begon ik al dat gedoe ook al belangrijk te vinden? Ik was inderdaad meer van de mooie dingen in het leven gaan genieten. En ergens vond ik die wonderlijke materialistische wereld van veel te dure spullen ook wel grappig, maar al te serieus moest het toch niet worden.

'O, Roos, kom eens. Hier is een klein winkeltje met allemaal tweedehands rotzooi. Zullen we even kijken?'

We stapten voorzichtig het winkeltje binnen waar de spullen torenhoog waren opgestapeld. In een hoekje zat een oude man van tegen de zeventig de krant te lezen. Hij keek even op, knikte ons toe en riep van achter zijn krant dat we rustig rond mochten kijken.

Het winkeltje was één bizarre verzameling van troep, antiek en kitsch. Twee oude rotanstoeltjes verdwenen bijna onder een verzameling Suskes en Wiskes. In een ander hoekje stond een glazen kastje met sieraden. En daar vond ik de prachtigste ketting die ik ooit gezien had. Allemaal kleine stukjes glas in verschillende kleuren. Het glinsterde me tegemoet.

'Mag ik u wat vragen?' vroeg ik aan de man.

Hij kwam zuchtend overeind en liep moeizaam naar het kastje. Ik wees de ketting aan. 'Mag ik die even bekijken?'

'Ja, die is mooi,' zei hij vriendelijk. Hij pakte hem uit het kastje en hield hem omhoog. De spaarzame lichtstralen die zich een weg tussen de rotzooi naar binnen vochten, deden de ketting nog meer glinsteren.

Ademloos bewonderde ik de ketting. Het was doodstil in het kleine winkeltje. Ergens op de achtergrond hoorde ik een ouderwetse klok tikken.

'Wat moet hij kosten?' hoorde ik Roos zeggen.

De oude man keek naar de ketting en vervolgens naar mij. 'Hij past bij u.' Hij keek me verbaasd aan. 'Nooit eerder iemand gezien die zo bij deze ketting past.' Daarna zweeg hij weer.

'Ik vind hem prachtig,' zei ik. 'Is hij te koop?'

'Doet u hem eens om.'

Ik deed hem om en draaide me naar de man.

'Niet te geloven. Hij past bij u. U bent de vrouw van de ketting.'

'Is hij erg duur?' vroeg ik bedeesd.

'Twintig euro, en dan is hij van u.'

Mijn mond viel open van verbazing. Dat was geen geld! Ik greep onmiddellijk mijn portemonnee en trok er een briefje van twintig uit. Bang als ik was dat hij op zijn aanbod terug zou komen. De oude man keek me glimlachend aan.

'Veertig jaar geleden heb ik deze ketting gekocht van een dame. Een heel mooie, chique dame. Ze was erg verdrietig en vond het moeilijk om er afstand van te doen. Het enige wat ze wilde was dat de ketting goed terechtkwam. Dat ben ik nooit vergeten. Gek genoeg heb ik in die veertig jaar nog nooit eerder iemand gezien die bij de ketting paste. Een dame heeft zelfs eens tweeduizend euro geboden maar ze was zo lelijk, dat kon ik de ketting niet aandoen.'

'Dank u,' zei ik. 'Dank u wel, dat ik deze prachtige ketting mag hebben.' En zonder erbij na te denken, gaf ik de man een zoen op zijn wang.

'Nou, ik geloof dat ik aan een kopje koffie toe ben,' zei Roos toen we buiten stonden en ik zag haar nog net een traan uit haar oog wegpinken.

Nog stil en verbaasd over wat we hadden meegemaakt, zaten we een paar minuten later in een cafeetje aan de koffie. Ik liet mijn vingers over de gladde, glazen kralen glijden.

'Hij brengt me vast geluk, Roos. Denk je ook niet?'

'Als iemand dat verdient, dan ben jij het wel.' Ze pinkte weer een traan weg bij haar ooghoek. 'Hormonen. Raar spul!'

'Hierna gaan we baby-shoppen, oké?'

Roos schudde haar hoofd. 'Nee, daar wil ik nog even mee wachten. Als het drie maanden is, ga ik mijn creditcard geweld aandoen, maar nu nog niet.'

De bezorgde blik in haar ogen ontging me niet. Ik zag haar twijfel of alles wel goed zou komen. Ze hadden zo veel moeite gedaan, dat ze het waarschijnlijk zelf nog niet echt kon geloven. Grappig dat ze vond dat ik het geluk verdiend had. Volgens mij was zij degene die aan de beurt was. Ik keek haar glimlachend aan en ze beantwoordde mijn blik door even kort in mijn hand te knijpen, maar ondanks het gebaar voelde ik haar spanning en zoals ik altijd alles met lachen probeerde op te lossen, deed ik nu ook weer een poging.

'Hé, wil je mijn gekste avontuur bij PW tot nu toe horen?'

Roos' ogen begonnen te glanzen en ze knikte me dankbaar toe.

'Heb ik je ooit verteld van dat kleine vrouwtje dat zich wilde laten oppimpen tot seksbom voor de verjaardag van haar man?'

Roos schudde haar hoofd en er speelde al een glimlach rond haar mond.

Ik vertelde haar het verhaal van mevrouw Langhout die haar man wilde verrassen met een andere IK. Van grijze huismus tot geile vamp. 'Dat was uiteindelijk een heel gedoe, Roos. Een kabouter omtoveren tot sexy blondine bleek in de praktijk nog niet zo makkelijk. Daar kwam nog bij dat mevrouw Langhout een tikkie ordinaire stijl wenste. Dus inclusief jarretels, netkousen en veel te hoge hakken waar ze niet op kon lopen. Verder moest het decolleté ergens bij haar navel eindigen, maar op die plek zat ook een verzameling vetrollen waardoor het er niet op z'n voordeligst uit kwam te zien. Maar goed.'

De glimlach rond Roos' mond was inmiddels overgegaan in licht gegiechel.

'De bedoeling was dat mevrouw Langhout om zeven uur haar man zou verrassen door haar entree in de immense woonkamer te maken. Het cadeautje voor het jarige feestvarken. Daarna zou ze zich omkleden want om halfnegen zouden de gasten voor het feest komen.

Tegen tien voor zeven waren we klaar. We hadden haar in de netkousen gesjord. De push-upbeha een tandje strakker gezet, de blonde pruik met speldjes op het hoofd geklemd en ze was helemaal opgemaakt, inclusief nepwimpers en lange rode nagels. Ze kon zo achter de ramen. Om zeven uur maakte ze haar entree. Ze deed de deur open en heupwiegend liep ze de donkere woonkamer binnen, waarna de lichten aanfloepten en de honderd gasten "surprise" riepen. Een verrassing van de beste vriend van meneer Langhout. Maanden van organisatie waren hieraan voorafgegaan. Het was nog een heel gedoe geweest om het geheim te houden voor meneer en mevrouw Langhout.'

Roos lag gierend van de lach over de tafel.

'Het was een drama, Roos. Een kleine kabouter in een bunny-outfit, aangestaard door honderd gasten in galakleding terwijl in de gang meneer Langhout aan kwam lopen en acuut ademhalingsmoeilijkheden kreeg toen hij zijn vrouw zag. Het was echt zielig. De rest van de avond heeft ze op haar kamer doorgebracht, meneer Langhout heeft voor de zekerheid een nachtje in het ziekenhuis gelegen en de gasten konden allemaal weer naar huis.'

De tranen liepen Roos over de wangen.

'Zie je het voor je? Ingehuurd personeel dat heel zachtjes al die gasten naar binnen loodst terwijl mevrouw Langhout zich ondertussen verkleedt tot superhoer. En meneer Langhout, die in de bibliotheek rustig zit af te wachten tot het halfnegen is en het feest kan beginnen en vervolgens zijn vrouw in de meest sexy kleding omringd ziet door zijn dierbare vrienden?'

'Ik zie het heel goed voor me, Lieke. Je hoeft er echt niks meer aan toe te voegen.' Haar hele lichaam schudde van het lachen.

'En heb ik je al verteld van...'

'Nee, en ik hoef het ook niet te weten ook.' De tranen stroomden nog steeds over haar wangen. 'Alles doet me pijn van het lachen. Kom, we gaan afrekenen en dan gaan we die stadswandeling met bomen doen.'

'Stadswandeling met bomen?'

'Ja, ik heb gisteren zo'n boekje meegenomen van de vvv. Hier, lees maar: stadswandeling aan de hand van bomen.'

Nieuwsgierig keek ik in het boekje. Deze wandeling leidt u langs bijzondere bomen. Zo staat de lindeboom voor liefde en geluk en de eikenboom voor ouderdom. 'Weet je al hoe je wilt bevallen?' vroeg ik aan haar.

Roos keek me verbaasd aan.

'Er is heel veel mogelijk tegenwoordig. Onder water als een walvis of hangend aan een boom als een junglezoogdier. Dat laatste is echt heel hip.'

Gierend van de lach keek ze me aan. 'Ik had gevraagd of je even wilde ophouden.'

34

Ik was totaal uitgerust maar vooral voldaan omdat ik zo'n heerlijk weekend met Roos had doorgebracht. Een weekend waarin we uren hadden gepraat over mijn leven zonder Bas en haar kindje dat over iets meer dan een halfjaar geboren zou worden. Roos had me gevraagd om peetmoeder te worden en het was lang geleden dat ik me zo vereerd had gevoeld.

Tijdens het weekend had ik me gerealiseerd dat mijn leven weliswaar hectisch en bizar was, maar dat ik me gelukkiger dan ooit voelde. Een merkwaardige constatering want de situatie was tenslotte niet echt perfect met een dementerende moeder op zolder, een puberdochter, een buurman die half bij mij inwoonde en een baan die al mijn energie opslorpte.

Mijn cliënten waren lief, hilarisch en triest tegelijk en ik genoot dagelijks van de uitdagingen die het gekke PW mij bood. Daarnaast voelde ik een enorme trots. Trots, omdat het ernaar uitzag dat PW er weer financieel bovenop zou komen en ik mijn eerste schilderij voor een hoop geld had verkocht.

Maar wat mij het gelukkigste maakte was het feit dat Bas geen rol meer in mijn leven speelde. Ik was de regisseur over mijn eigen leven geworden. Het was geen perfecte film; sterker nog, het was een bizarre komedie. Maar het was wel míjn film.

Thuis trof ik Merel en mijn moeder aan de eettafel aan. Merel maakte haar huiswerk en mijn moeder was druk bezig met haar puzzel. Merel sprong gillend overeind en viel me om de hals.

'Je bent weer terug. Hoe was het?'

'Heerlijk.' Ik pakte mijn weekendtas en haalde er een cadeautje voor haar uit.

Enthousiast scheurde Merel het papier ervan af en ze slaakte een kreet van vreugde toen ze het lieve setje zag. Een piepklein behaatje met bijpassende slip. 'Ik ga het meteen aantrekken.' En ze rende naar boven.

'Hoe is het hier gegaan?'

'Goed.' Mijn moeder keek opmerkelijk helder uit haar ogen en ik staarde haar aan, niet-begrijpend hoe ze het ene moment zo helder kon zijn en het andere moment zo totaal in de war.

'Wat zit je te kijken?' vroeg ze geïrriteerd.

'Niks. Ik vroeg me alleen maar af hoe je weekend is geweest.'

'Goed, maar dat heb ik al gezegd. Ik heb schoongemaakt. Zoals je zo graag wilde.'

Ik zuchtte en voelde hoe alle energie uit mij werd gezogen.

Het was een gave van mijn moeder; nu nog het talent in mij naar boven zien te krijgen om hier compleet immuun voor te worden.

'Het zit perfect, mam. Kom je even kijken?' riep Merel van boven.

Met twee treden tegelijk nam ik de trap. Merel stond in haar kamer voor haar spiegel te paraderen. Ik moest weer denken aan het piepkleine baby'tje met het roze mutsje en de veel te grote voeten en ik voelde weer dezelfde trots. Maar nu voor deze zelfverzekerde puber met miniborsten en schoenmaat 40.

Ik gaf haar een dikke kus en zei dat ik even met oma ging praten.

'Praten met oma? Ik wens je veel succes!'

Langzaam liep ik de trap af. Een gesprek met mijn moeder. Waarom wilde ik dat eigenlijk? Ik praatte nooit met haar. We deelden elkaar dingen mee. Gaven de stand van zaken door, maar praten deden we niet. Toch wilde ik dat ze wist dat ik moeite had met haar merkwaardige gedrag. Dat ik het lastig vond om haar te plaatsen; het ene moment helder, het andere in de war, en ik wilde weten hoe ze daar zelf over dacht. Met een diepe zucht deed ik de woonkamerdeur open. Mijn moeder zat nog op precies dezelfde plek.

'Dus je hebt een leuk weekend gehad?' Ik wist even niks anders te bedenken.

'Dat heb ik toch al gezegd en ik heb schoongemaakt zoals je zo graag wilde.'

Ze vroeg niet hoe mijn weekend was geweest en ik voelde alweer een lichte irritatie naar boven komen.

'Heb je verder nog iets gedaan? Televisiegekeken? Heb je nog bezoek gehad?'

'Van wie zou ik nou bezoek moeten krijgen?'

'Heb je het hier naar je zin? Bij mij en Merel?'

Ze keek me verbaasd aan. Deze directe vraag had ze niet verwacht.

'Hoe bedoel je?'

'Gewoon. Vind je het fijn om hier bij ons te wonen?'

'Ja.' Ze haalde haar schouders op alsof het haar feitelijk geen zier interesseerde waar ze woonde, als ze maar een dak boven haar hoofd had.

'Vind je dat ik het goed doe?' Ik had de vraag nog niet gesteld of ik vroeg me vertwijfeld af waarom ik hem in hemelsnaam stelde. Aan mijn moeder vragen of ik het goed deed!

'Nee. Ik vind dat je er een zootje van maakt. Gescheiden, alleen met Merel, en die buurman die maar in en uit komt lopen.'

Verbaasd keek ik haar aan, mijn mond halfopen.

'Ik kan er toch niks aan doen dat Bas is weggegaan?'

'Had je maar beter je best moeten doen!'

'Wat?'

'Je hoort me wel. Voor een huwelijk moet je je best doen.'

'Pardon! Volgens mij heb ik heel erg mijn best gedaan. Bas is weggegaan, weet je nog? En alsof jij en papa zo'n leuk huwelijk hadden.' Fout, fout, fout, dacht ik bij mezelf. Dit is onder de gordel.

'Maar we bleven wel bij elkaar!' snauwde ze me toe.

'Heb je eigenlijk wel van papa gehouden? Ooit?'

Ze keek me aan als een kat in het nauw. Plotseling zag ik een verandering in haar ogen en opeens zei ze: 'Ik ga naar mijn hut. Morgen gaan we aan wal, ik heb me ingeschreven voor een excursie.' Vervolgens liep ze met kordate passen naar de deur.

'Ja, dag, hier trap ik niet meer in!'

Met een rood hoofd draaide ze zich om en zei nog even venijnig: 'Ik rotzooide in ieder geval niet met een buurman die er wel pap van lust.' Ze deed de deur dicht en ging naar boven.

Hè??

'En? Heb je lekker met oma zitten kletsen?' Merel keek me lachend aan.

'Nou nee, niet echt. Hoe was jouw weekend?'

Merel vertelde me honderduit over haar logeerpartij bij Pien. Ze waren de stad ingegaan en hadden gewinkeld. Zaterdagavond hadden ze de videotheek leeggehaald en hadden ze de hele avond zwijmelfilms zitten kijken.

Ik streek over haar rode krullen. Ze werd al groot en had een leven zonder mij. Een eigen leven met vriendinnen. Van hoofdzaak werd ik geleidelijk aan bijzaak.

'Hoe was jouw weekend?' Ze keek me vragend aan.

Enthousiast luisterde ze naar mijn verhalen terwijl ze ondertussen mijn prachtige ketting langzaam door haar handen liet gaan.

'Ik heb een geheimpje...' Ik pakte haar bij haar kin en keek haar recht in haar ogen.

'Ik zeg niks...'

'Roos krijgt een baby.'

Juichend sprong ze de bank af. 'Gaaaaaf. Oppasadresje.'

Naadloos ging ze over op haar geldproblemen en dat ze echt wat bij moest verdienen omdat ze anders nooit die übersuper spijkerbroek kon aanschaffen.

Tegen de tijd dat Merel lag te slapen en mijn moeder ongetwijfeld zat te mokken op haar zolderkamer, besloot ik nog even langs Bram te gaan.

Bram zat in een hoekje van de bank een boek te lezen. Zoals altijd als ik bij Bram binnenkwam, viel het me ook nu weer op hoe gezellig het er was. Op de achtergrond speelde een muziekje en op tafel stond een glaasje wijn met wat kaas.

'Hé, wat fijn jou te zien.' Hij sprong overeind en gaf me een zoen. 'Wil je een wijntje?'

Ik knikte en liep achter hem aan naar de keuken waar ik tegen de deurpost bleef hangen en naar hem keek. Hij was groot en eigenlijk wel heel aantrekkelijk.

'Hoe was je weekend?' Hij keek me lachend aan en kneep even ondeugend in mijn wang.

'Geweldig! We hebben zo genoten.' In een notendop vertelde ik hem wat we allemaal gedaan hadden. Van de oude man in het tweedehands winkeltje, het chique restaurant waar Roos me liet weten dat ze zwanger was en van onze mislukte stadswandeling die in de sauna eindigde.

Bram grinnikte. 'Ik wou dat ik erbij was geweest!'

Ik knikte en even flitste het door me heen dat ik dat ook wel leuk had gevonden.

'Bram?'

'Ja.'

'Mijn moeder heeft nu al een paar keer iets raars gezegd. Ik maak me zorgen over haar. Ze doet zo vreemd. Het ene moment is ze helder, het andere totaal in de war. Weet je wat ze over jou zegt? Ze noemt jou de buurman die er wel pap van lust. Alsof jij er honderd vrouwen op na houdt! Dat slaat toch helemaal nergens op. Volgens mij is ze gewoon knettergek.'

Bram keek me doordringend aan, alsof hij iets wilde zeggen maar twijfelde of het wel verstandig was.

'Je moeder is niet dement, Lieke. Ik ging zaterdagmiddag even bij haar kijken of alles goed ging en toen had ze bezoek...'

'Bezoek! Tegen mij zei ze dat ze geen bezoek had gehad!'

'Er zat een vriendin. Die andere grijze heks.'

'Mevrouw Klepel?'

'Ja. Ik hoorde hun gesprek. Het was heel boeiend. Ik hoorde ze zeggen dat het plan naar wens liep. Iedereen trapte erin, volgens je moeder. Mevrouw Klepel gaf nog wat tips over hoe haar zus zich gedroeg en samen bespraken ze de strategie over je moeders zogenaamde dementie. Ik geloof overigens niet dat ze bewust de boel aan het belazeren is.'

'Maar waarom zou ze doen alsof?' zei ik beduusd.

'Je moeder is eenzaam, Merel. Ze kon er niet meer tegen om

alleen in dat huisje te zitten. Althans, zoiets hoorde ik.'

'Dat had ze toch ook gewoon kunnen zeggen. Dan hoef je toch niet zoiets idioots te verzinnen?'

'Klaarblijkelijk wel. Kom, ik wil je wat laten zien.'

Aarzelend liep ik achter hem aan. Hij liep de trap op en ging me voor in zijn slaapkamer waar ik jammer genoeg nog nooit eerder was geweest. Er lag inderdaad een bloemetjesdekbed op het kingsize bed.

'Lieke, ik wil je wat zeggen.' Hij pakte mijn hand en keek me heel serieus aan.

Ik voelde mijn hart als een razende tekeer gaan in mijn borstkas. O, nee hè? Hij ging me toch niet ten huwelijk vragen? Wat moest ik nou antwoorden? Ja, ik vond hem spannend. Nee, ik had er geen bezwaar tegen om samen met hem onder het bloemetjesdekbed te verdwijnen, maar voor de rest wist ik echt niet wat ik wilde met mijn leven!

'Je moeder kan niet alleen fantastisch de boel belazeren, ze is ook nog eens verschrikkelijk nieuwsgierig.' Uit de la van een grote kledingkast pakte hij een fotoboek en sloeg dat open. Op elke bladzijde stond een foto van een dame, mooi en jong. Eronder stond een datum en een paar geschreven regels. Het fotoboek van zijn veroveringen.

'Dit fotoboek stond beneden in de kast. Ik heb je moeder betrapt toen ze erin zat te kijken. Sindsdien bewaar ik het hierboven.'

Ik slaakte een kreet van afschuw. Met grote ogen keek ik hem aan. 'Bram!' Ik wist niet waar ik moest kijken. Zo gênant vond ik het fotoboek.

'Ik houd van vrouwen. Ik kan ze gewoon niet weerstaan.' Er speelde een glimlach rond zijn mond maar zijn ogen twinkelden niet. 'Ik heb heel erg lang getwijfeld of ik wel de juiste persoon ben voor een langdurige relatie. Als je er wel pap van lust – zoals je moeder zegt – dan ben je niet echt geschikt voor het huwelijk. Op een gegeven moment merkte ik dat ik toch wel heel graag een gezinnetje wilde. Vervolgens kwam ik naast jullie wonen en...'

'En?'

'Ik heb jullie eigenlijk gebruikt, Lieke.'

'Gebruikt?' Ik herhaalde domweg wat hij zei maar ondertussen was ik helemaal van de kaart.

'Toen ik hier kwam wonen, zag ik je als iets wat weer veroverd moest worden. Herinner je je nog die keer in de slaapkamer?'

Ik knikte apathisch. Hoe kon ik het vergeten?

'Net toen ik een begin wilde maken om je te verleiden, kwam Merel binnen. Toen gebeurde er iets raars met mij. Op de een of andere vreemde manier wilde ik weten hoe het was om deel uit te maken van een gezin. Ik wilde weten hoe het was om voor een kind te zorgen. Ik hoopte eigenlijk dat het me zou tegenvallen. Dan was dat ook weer duidelijk en kon ik gewoon doorgaan met mijn oppervlakkige leventje vol met eendagsvliegen, maar op een gegeven moment realiseerde ik me dat ik ook echt een gezin wilde. Een vrouw en een kind.'

'Gebruikt?' zei ik weer, de tranen stonden me in de ogen.

'Hooguit voor een paar dagen, daarna werd ik dol op jullie en deed ik het omdat ik niet zonder jullie kan. Ik ben gek op jou en Merel.'

Ik wilde wat zeggen maar ik wist niet wat.

'Vervolgens is er iets gebeurd wat ik nooit voor mogelijk heb gehouden. Ik ben vorige week een fantastische vrouw tegengekomen. Liefde op het eerste gezicht.'

Ik hield me vast aan het grote kingsize bed.

'Ik ben verliefd!' Zijn ogen straalden.

'Verliefd?'

'Ja, smoorverliefd. Helemaal hoteldebotel. En je kent haar.'

'Ik ken haar?'

'Ja, Tess.'

'Tess?'

'Volgens mij ben je een beetje van streek.'

'Een beetje van streek?'

Even later zat ik op de bank. Met nog steeds een ongelovige blik in mijn ogen keek ik Bram aan. Ik kon hem alles vragen. Dat wist ik. Alles. Maar de vraag waarom hij niet smoorverliefd op mij was geworden, durfde ik niet te stellen.

35

Na een slapeloze nacht stond ik op. Zelden had ik me rottiger gevoeld.

Op de automatische piloot kleedde ik me aan en maakte ik me op. Ik kamde mijn haren en poetste mijn tanden en keek verder niet meer in de spiegel. Met een gevoel alsof er een kilo lood in mijn benen zat, liep ik de trap af. Moe, onzeker en behoorlijk depressief.

In de keuken trof ik mijn moeder aan. Ze had de tafel gedekt en voor iedereen een eitje gekookt. Ik wist niet wat ik zag. En dat gold ook voor Merel, die even later binnenkwam, en met een stomverbaasde blik aanschoof aan de keurig gedekte tafel.

'Jongens, goed ontbijten want dan kunnen jullie er de rest van de dag tegenaan.'

Merel keek me vanuit haar ooghoeken verbaasd aan. Ik trok licht mijn schouders op om haar te laten weten dat ik ook niet wist wat er aan de hand was. Ik keek op de klok, zag dat het al bijna halfnegen was en at gehaast mijn broodje op, waarna ik alvast begon om de tafel af te ruimen.

'Laat maar. Dat doe ik wel. Ga maar naar je werk en Merel, hoe laat ben jij thuis?'

'Halfvier.'

'Oké, dan zal ik zorgen dat ik er ben,' zei mijn moeder vriendelijk.

Van totale verbazing zeiden Merel en ik niks tegen elkaar maar onze blikken spraken boekdelen.

'Wat was dat nou allemaal?' vroeg Merel toen we even later buiten stonden.

'Dat leg ik je nog wel uit. Doe je voorzichtig? Ik zie je vanavond.' Ik gaf haar een dikke kus en stapte in mijn oude Barrel.

Op het roze bureau van Suus stond het antwoordapparaat woest te flikkeren. Er waren maar liefst vijf berichten.

De eerste was van mevrouw De Jong, een schat van een vrouw, die het liefst elke avond haar eetkamer, formaat balzaal, vulde met vrienden die ze dan haar eigengemaakte gerechten voorschotelde. Dat deed ze bij voorkeur samen met Nynke, omdat ze dat wel zo gezellig vond. Dan bedachten ze samen allerlei nieuwe gerechten, deden de inkopen en hielp Nynke haar mee met het uitserveren. Aan het eind van de week wilde ze weer een dinertje geven. Of de receptendeskundige tijd had en kon komen om een en ander te bespreken. Een telefoontje naar Nynke was voldoende om haar in de auto te laten springen.

Het tweede mailtje was van Peter. Theo, zijn broer, vond dat er zo langzamerhand wel eens huur betaald mocht worden. Mijn hart sloeg een slag over. Dit kon ik er niet bij gebruiken. Ik mailde onmiddellijk naar Peter terug of de vrouw van Theo daar ook zo over dacht. Ik had het nog niet verzonden of Peter belde.

'Er is niks aan de hand maar het leek me verstandig om het mailtje door te sturen. Voor hetzelfde geld belt Theo jou hierover en dan zou je van niks weten. Theo zit gewoon te zeuren, waarschijnlijk mist hij Suus. Trouwens, ik mis jou.'

'Ja,' zei ik. 'Ik mis jou ook.' Ik had het nog niet gezegd of ik vroeg me af of ik hem miste of de geweldige acties op het roze bureau.

'Zal ik langskomen?'

Het was heel verleidelijk om ja te zeggen en mijn rothumeur over Brams ontboezemingen te vergeten in zijn armen, maar het leek me even niet de juiste weg.

Het derde bericht was van mevrouw Gestellekens. Ze had *First Class* gezien en vroeg zich af of zo'n leuke hondenbikini ook voor een labrador te krijgen was. Daarnaast wilde ze weten of alles geregeld was voor het verjaardagspartijtje van haar dochter. Ik glimlachte. We waren er helemaal klaar voor. Ik belde meteen terug om haar dat te laten weten, maar ze was niet thuis dus ik sprak haar antwoordapparaat in dat alles geregeld was en dat we er woensdag om halfelf zouden zijn.

Het daaropvolgende bericht was van een vriendin van mevrouw Gestellekens. Of we ook voor haar dochtertje een verjaardagspartijtje konden organiseren. Een HopHopperwedstrijd leek haar wel wat, maar dan moesten de kids wel bijpassende helmpjes op. Ik stak juichend mijn arm in de lucht en riep heel hard: 'Yes!' Dit ging de goede kant op en neuriënd liep ik naar het keukentje om voor mezelf een koffie verkeerd te maken.

Met mijn handen rond de grote mok luisterde ik naar het laatste bericht. Het was mevrouw Denbelle. Een niet al te snuggere dame die met een te rijke en te oude Belg was getrouwd en uiteindelijk in Laren was neergestreken. Als ze in een dipje zat wilde ze altijd shoppen. Volgens haar eigen zeggen had ze het zwaar. Héél zwaar! Zelfs op het antwoordapparaat klonk haar gezucht vreselijk dramatisch. Het was allemaal heel erg. Of Feline zo snel mogelijk kon komen.

Nadja kwam binnen en bleef op de drempel van mijn kantoor staan. Met een glimlach op haar gezicht luisterde ze mee.

'Als jij in een dip zit, maken een nieuwe broek of zes paar schoenen je dan gelukkiger, Nadja?' vroeg ik aan haar.

'Ligt eraan wat voor schoenen.'

Een grijns verscheen op mijn gezicht. 'Volgens mij willen we tegenwoordig continu gelukkig zijn. Alsof we er een soort recht op hebben. Als elke dip weggekocht moet worden, wat moeten we dan in hemelsnaam beginnen als we op een dag door echt leed getroffen worden? Echte ellende die zich niet laat verjagen met een prachtig ontwerp van Viktor & Rolf?'

'Er is toch niks mis mee om te proberen zo gelukkig mogelijk te zijn?'

'Geluk kun je niet kopen. Bij mijn sollicitatiegesprek zei Karlijn dat PW gelooft in maakbaarheid. Maar niet alles is maakbaar.'

'Sommige mensen geloven wel degelijk dat geluk en uiterlijk in te kopen zijn, desnoods op afbetaling. Botox in rimpels, gelifte billen, cupje meer of minder en het afzuigen van vet op plaatsen waar we dat niet wensen. Er is toch niks mis mee als dat je voldoening geeft?' zei Nadja.

'Gezien de troostaankopen van de dames en de hoeveelheid weggeslikte pilletjes zijn het rimpelloze hoofd, de volle lippen, de perfecte borsten en de strakke taille niet echt een garantie voor geluk. Dus waarom doen we zo moeilijk en wat is er eigenlijk mis met een kop vol rimpels en een afgezakte kont?'

Nadja keek me aan alsof ik iets heel smerigs zei. 'Lieke, denk je nou echt dat je er gelukkiger van wordt als je grijs, rimpelig en uitgezakt bent?'

'Ja,' zei ik onzeker.

'Als iedereen om je heen het grijze haar verft, de rimpels laat botoxen, dipjes wegkoopt terwijl jij dat als enige niet doet, dan word je toch extra ongelukkig? Een soort van zielige lelijkerd terwijl iedereen om je heen mooi en ogenschijnlijk gelukkig is.'

'Volgens mij word je pas echt gelukkig als het je niet interesseert wat de anderen ervan vinden.'

'Daar heb je een punt, Lieke. Daar heb je echt een punt. Alleen vinden we het nu eenmaal erg belangrijk wat anderen van ons vinden.' Schouderophalend liep ze weg.

'Volgens mij is het gewoon een kwestie van eigen keuzes maken,' riep ik haar nog na, maar ze hoorde me niet meer.

Ik liep naar de gang en bekeek mezelf eens aandachtig in de enorme spiegel. Mijn haren krulden alle kanten op, ik had een bleek smoeltje vanwege het gebrek aan slaap en had in de haast een oud sweatshirt aangetrokken boven mijn hippe skinny met prachtige laarzen. Het was een komisch geheel. 'Nou, als dit mijn eigen keuze is dan belooft het nog wat,' mompelde ik.

Terwijl ik voor de spiegel stond te dralen, ging de telefoon. Ik rende naar Suus' kantoor en was nog net op tijd. Peter!

'Heb je zin om straks te gaan lunchen?'

Ik twijfelde even maar antwoordde uiteindelijk dat het me leuk leek. We spraken af om elkaar om halfeen te ontmoeten bij een restaurant in het centrum van Bussum en toen ik ophing besloot ik dat dit mijn laatste ontmoeting met Peter zou zijn. Ik wilde niet langer instant geluk op een roze bureau, hapklare aandacht die niet langer dan een uurtje duurde, liefde tussen de bedrijven door. Dat moest ik niet langer meer willen.

Omdat ik niet wilde nadenken wat ik tegen Peter ging zeggen, stortte ik mij op de administratie van PW die nodig bijgewerkt moest worden. Ik controleerde de dossiers en de uren van de personals. Deed de betalingen de deur uit en checkte nog een keer wat er de komende weken op het programma stond.

PW was de financiële ellende nog niet te boven maar er was duidelijk een kentering te zien. De inkomsten namen toe en de agenda werd steeds voller. Ik moest glimlachen. Zou het gaan lukken?

Net toen ik me zat te bedenken hoe fantastisch het zou zijn om PW met winst te kunnen overdragen aan een afgekickte Suus en een gelukkige Karlijn met zoon ging de telefoon. Ene Madelief, een vriendin van Gretel van Straeten.

Als een orkaan zo snel ratelde ze door de telefoon. Dat ze

bij Gretel had gegeten en dat die zo'n voortreffelijk diner had klaargemaakt en dat ze zelf totaal niet kon koken en dat ze helemaal onder de indruk was geweest van Gretels nieuwe Luds en dat ze graag met me wilde praten. Of ik kon komen? Meteen!

Madelief woonde in Blaricum. Ik sprong via de passagiersstoel in mijn Barrel en vloekte. Dat voorportier moest ik toch echt een keer laten repareren. Na zes keer fout te hebben gereden omdat ik zo geconcentreerd de aanwijzingen van de routeplanner zat te lezen en daardoor straal voorbij de afslag reed, kwam ik bij het huis van Madelief aan.

Madelief was zo'n dame van onbepaalde leeftijd. Ze kon dertig zijn en een snel en vermoeiend leven hebben geleid maar ze kon ook maar zo een vijftiger zijn met een goede plastische chirurg. Haar lippen waren in ieder geval net iets te vol en haar borsten net iets te groot. Eigenlijk was alles aan Madelief net iets te.

'Glaasje witte wijn?'

'Nee, dank je.' Het was halfelf!

'Thee?' Ze trok er een vies gezicht bij.

Ik knikte en kon een grijns niet onderdrukken toen Madelief terugkwam met in haar ene hand een glas wijn en in haar andere een kopje thee.

'Ik was zo onder de indruk van die Luds die bij Gretel aan de muur hing. Echt niet te geloven. Wie is die mysterieuze schilder?' Ze keek me aan en plofte ondertussen op de bank neer.

'Dat mag ik helaas niet zeggen.'

'Je vraagt je zeker wel af waarom ik je gevraagd heb om te komen?'

Ik knikte.

'Mijn man trakteert mij elk jaar met Kerstmis op iets bijzonders. Een aantal jaren geleden heb ik nieuwe borsten gekregen.' Ze duwde haar boezem even omhoog om haar woorden kracht bij te zetten. 'Het jaar daarop zijn we naar Mexico gevlogen en daar heb ik heel exclusieve hairextensions gekregen. Ik heb er nog steeds lol van.' Ze woelde liefdevol met haar hand door haar kapsel, dat eruitzag als een pluizig vogelnestje. Maar zij was er blij mee, en wie was ik?

'Het jaar daarop heb ik een nieuwe inrichting gekregen van mijn man. Dat heeft die Karlijn van jouw bedrijf geregeld. Hoe is met haar?' Er verscheen een nijdige blik in haar ogen.

'Goed, haar zoontje Frederik is een maand geleden geboren.'

'Ik hoop dat ze een rotbevalling heeft gehad.' Venijnig keek ze me aan.

'Dat is aardig gelukt.'

'Mijn man heeft iets gehad met Karlijn.' Ze keek me verontschuldigend aan alsof ze haar harde woorden van daarnet wilde verklaren. 'Dat heeft me erg gekwetst. Terwijl ze mijn cadeautje aan het voorbereiden waren, deden ze ook nog heel andere dingen. Je zult wel begrijpen dat mijn man dit alleen maar goed kon maken door mij dit jaar met een fantastisch kerstcadeau te verrassen.'

Ik keek haar verbaasd aan. Het leek me dat je zo'n vent het huis uit zou schoppen met kerstcadeau en al, maar ik hield dit voor me. Nieuwsgierig keek ik om me heen op zoek naar een foto van haar man, maar de enige foto's die er in het huis waren te vinden waren van Madelief en haar kinderen.

'Nou heb ik zelf ook wel eens naast het potje geplast dus al te rancuneus moest ik maar niet zijn, maar ik vond wel dat ik recht had op iets groots. En ik moet zeggen dat Peter aardig uitgepakt heeft met een enorme cheque waar ik een mooi stuk kunst voor mag kopen.'

'Peter?'

'Ja, zo heet mijn man.'

Het zat dus in de naam om het te doen met de meisjes van pw, dacht ik spottend.

'Nou heb ik zelf jaren in de kunst gezeten maar zoiets moois als die Luds ben ik niet vaak tegengekomen. Dus ik wil er eentje kopen. Kun jij dat voor mij regelen?'

Ik knikte en probeerde mijn verbaasde blik te verbergen.

'Is zijn werk te bezichtigen bij een galerie?'

'Het is een zij en nee, op dit moment hangt er geen werk bij een galerie, maar ik stel voor dat ik met een aantal stukken naar u toe kom. Dan kunt u wat bekijken.'

'Dat lijkt me fantastisch.'

'Ik moet u wel waarschuwen. Een Luds is niet goedkoop.'

'Schatje, het is ook niet goedkoop om mijn verdriet af te kopen. En dat heeft mijn man goed begrepen. Ik neem aan dat ik voor twintigduizend euro wel iets kan kopen van deze getalenteerde schilder?'

Ik slikte een paar keer. Twintigduizend euro!

'Zal ik aan het eind van de middag komen met een aantal schilderijen? Dat kunt u op uw gemak een keuze maken.'

'Prima, zie ik je tegen borreltijd.'

Borreltijd! Volgens mij was bij haar de borreltijd al ingegaan.

Precies om halfeen kwam ik aan bij Archibald Schimmelpenninck. Peter zat al op me te wachten. Ik bespiedde hem even terwijl hij aan een tafeltje bij het raam zat. Zijn ogen schoten heen en weer tussen de menukaart en het raam.

'Kan ik u helpen?'

Een serveerster haalde me uit mijn gedachten en misschien was het maar goed ook, anders had ik er nog wel een tijdje gestaan om Peter stiekem te bespieden. Nu ik hem zo zag zitten, twijfelde ik aan mijn plan om dit de laatste ontmoeting te laten zijn. Wat bezielde me eigenlijk? Hij zag er goed uit, was best lief en wilde wat met mij. Op termijn dan.

'Ik heb hier afgesproken. Mijn afspraak zit daar aan het tafeltje,' zei ik tegen de serveerster.

Inmiddels had Peter mij ook al gezien en enthousiast zwaaide hij naar mij. De zorgelijke blik van zo-even verdween en een brede glimlach kwam ervoor in de plaats. Weer sloeg de twijfel toe. Ik had niet verwacht dat hij zo blij zou zijn om mij te zien. Oordeelde ik niet te snel? Moest ik onze relatie niet een kans geven?

'Fijn dat je er bent!' Hij gaf me een kus op mijn wang. 'Hoe gaat het?'

'Fantastisch, je zult het niet geloven maar een paar dagen geleden heb ik een schilderij van mezelf verkocht en nu kom ik net van iemand vandaan die er ook eentje wil kopen. Ongelooflijk, vind je niet?'

'Ik wist niet eens dat je schilderde!'

Met een rood hoofd keek ik hem aan. 'Ja sorry, dat heb ik je ook nooit verteld. Het is ook maar een hobby. Heel af en toe hangt er iets van mij bij een galerie, maar echt verkopen heb ik nooit gedaan.'

'Wat schilder je?'

'Naakten.' Ik wist even niet waar ik moest kijken.

'Van die Rubensvrouwen?' Er verscheen een grijns op zijn gezicht.

'Nee. Mannen. Abstract. Zwart-wit.' Volgens mij stonden inmiddels de rode vlekken in mijn nek.

Zijn glimlach deed inmiddels zijn hele gezicht stralen en zijn ogen begonnen te twinkelen. 'Ik wil graag voor je poseren.'

'Peter, wat ik je zeggen wil is...'

'Schilder je ze nog in een bepaalde houding? Op een stoel, liggend, staand?'

'Nou nee, het schilderij dat ik heb verkocht heet *Naakte man springt over sloot*. Dus als jij het leuk vindt om een keertje of honderd in je blote kont over een sloot te springen dan mag je uiteraard voor mij poseren.'

'Laat maar. Als ik dan toch naakt ben, bespring ik liever jou.'

'Ja, daar wil ik het even met je over hebben.'

'Zeg het eens.' Hij leunde naar voren en pakte mijn hand.

Shit zeg, hoe was het mogelijk dat twee mensen zo ongelooflijk niet op elkaars golflengte konden verkeren.

'Ik denk dat we het niet meer moeten doen op het roze bureau.'

'Is dat omdat het Suus' bureau is?'

'Nee, dat is het punt niet.'

'Ik vind het ook vele malen comfortabeler in de slaapkamer of de badkamer of tegen het aanrecht.' Hij gaf me een ondeugende knipoog. 'Of...'

'Wat ik je eigenlijk wil zeggen, is het volgende: ik denk dat we het sowieso niet meer moeten doen.'

Peter wilde wat zeggen maar op dat moment kwam de serveerster onze bestelling opnemen. Als op de automatische piloot gaf Peter zijn bestelling door, maar hij keek erbij alsof zijn trek als sneeuw voor de zon verdwenen was. Ik hield het bij een kopje koffie.

'Waarom niet?' vroeg hij toen de serveerster weer weg was.

'Omdat ik geen toekomst zie voor ons beiden.'

'Dat hoeft toch ook niet. Zolang het leuk is, is het toch leuk?'

'Ik denk dat het leuker is als er een toekomst in zit.'

'Die heb ik je wel geboden, Lieke, maar jij wilde je buurman meenemen. Sorry, maar daar had ik wat moeite mee. Overigens zie ik nog steeds wel mogelijkheden op termijn.' Hij keek me hoopvol aan.

'Ik zie het niet zo voor me, Peter. Ook niet op termijn. Onze levens zijn te verschillend. Wat jij belangrijk vindt, interesseert mij niet. Jij moet een vrouw hebben die gebruikmaakt van de diensten van PW. Ik werk bij PW omdat ik mijn geld moet verdienen. Ik leef niet het leven van mijn cliënten en volgens mij wil ik dat ook helemaal niet. Ik wil gelukkig zijn met Merel...'

'En Bram?'

'Bram is de liefde van zijn leven tegengekomen.' De tranen sprongen me in de ogen.

'Maak je geen zorgen. Er komt wel weer een nieuwe Bram.'

'Lief dat je dat zegt.'

'Ik ben lief en ik vind jou buitengewoon leuk. Je bent zo anders dan al die anderen. Je bent niet buitengewoon mooi maar ook niet lelijk. Je hebt niet het perfecte figuur maar je hebt een lijf waar ik niet van af kan blijven. Je bent van alles wat, maar bovenal grappig.'

Ik glimlachte en wist niet goed wat ik ervan moest vinden. Van alles wat maar bovenal grappig! Ik nam de laatste slok van mijn koffie en wilde opstaan, maar Peter hield me tegen.

'Ik vind het jammer maar ik heb begrip voor je beslissing. Ik heb bewondering voor de wijze waarop je PW weer nieuw elan hebt ingeblazen.' Hij keek me aan en ik zag respect in zijn ogen. 'Ik heb zo mijn connecties en ik hoor louter goede verhalen over je, maar als je hart niet bij PW ligt, ga dan schilderen als Suus en Karlijn weer terug zijn. Maak er wat van! Als je financiele hulp nodig hebt, ben ik altijd bereid om je te helpen.'

Ik stond op en gaf hem een zoen op zijn wang. Ik wilde weglopen, maar hij hield me tegen en overhandigde mij een visitekaartje.

'Dit kaartje is van een vriend van mij.'

'Vriend?'

'Zakelijke kennis,' zei hij grijnzend. 'Hij heeft net een pand bij mij gehuurd en hij helpt mij bij zakelijke aangelegenheden. Ik weet dat hij op zoek is naar iets moois op de muren van zijn kantoor. Zeg dat ik je gestuurd heb.'

'Dank je!' Ik wierp hem een lieve glimlach toe.

'O, en nog wat. Ik wil ook graag zo'n authentieke Lieke van der Steen aan de muur.'

'Luds. Ik schilder onder de naam Luds.'

'Typisch iets voor jou om zo'n rare naam te bedenken!'

Ik wierp hem een handkus toe en liep de deur van het cafeetje uit.

<h1 style="text-align:center">36</h1>

Rond borreltijd arriveerde ik bij Madelief. De achterbank van de oude Barrel had ik neergeklapt zodat ik de drie laatste Ludsen die nog op zolder stonden, mee kon nemen om te laten zien. Trots en voorzichtig tilde ik mijn werk uit de auto. Mijn hart bonkte van opwinding. Ik was zo benieuwd wat ze ervan zouden vinden.

Madelief en Peter zaten al op me te wachten. Peter voldeed precies aan het beeld dat ik van hem had: zelfverzekerd en arrogant. Casual gekleed in een polo, katoenen rode broek en bootschoenen zonder sokken staarde hij me aan vanaf de bank. Ik werd overduidelijk getaxeerd op mijn bereidheid om de zakelijke contacten uit te breiden naar de privésfeer.

Madelief kuste me drie keer ergens in de lucht naast mijn hoofd terwijl ze uitriep dat ze het zo fantastisch vond dat ik er was. Of ik een wijntje wilde.

Met een glas wijn in mijn handen zat ik even later ingeklemd op de bank tussen Peter en Madelief. Voor ons stonden de Ludsen tegen de tafel.

'Beeldschoon!' herhaalde Madelief wel tien keer.

'Wat stelt het voor?' vroeg Peter en hield zijn hoofd een beetje schuin.

Tja, wat stelde het eigenlijk voor?

'Is dit werk uit dezelfde periode als het schilderij dat Gretel heeft?'

Ik knikte.

'Gretel heeft *Naakte man springt over sloot*. Een van de eerste werken van Luds,' legde Madelief aan Peter uit. 'Zou er een relatie zijn met het werk van Gretel?' Ze keek me hoopvol aan.

Ik kreeg de indruk dat het erg belangrijk was voor Madelief dat er zoiets als een relatie was en besloot haar en mijn portemonnee tegemoet te komen. 'De naakte man speelt altijd een belangrijke rol in de werken van Luds. In dit werk zie je een soort stilstaande beweging. Zie je dit?' Ik liep naar het eerste schilderij en wees op een vlek waar mijn penseel was uitgeschoten. 'Hier zie je en voel je de twijfel van de naakte man of hij zal springen. En uiteindelijk...'

Madelief keek me met grote ogen aan.

Ik hield de spanning er een beetje in '... springt hij niet. Hij doet het niet!'

'Dramatisch zeg!' Geëmotioneerd nam Madelief een slok van haar wijn.

'In dit schilderij zit al het gevoel van de man die wel wil, maar niet kan.'

'Goh,' zei Madelief en keek Peter eens aan.

'Het volgende schilderij heeft een heel andere emotie. De man is verblind door wilskracht en gaat gewoon. Je ziet hier de kracht van de sprong.'

'Haalt hij het?' vroeg Madelief hoopvol.

'Nee, en dat is het mooie van deze *Naakte man springt in sloot*. Een Luds is geen sprookje. Een Luds verbeeldt de keiharde waarheid. De bittere realiteit.'

Madelief knikte en stootte Peter aan. 'Mooi hè?'

'En dan het laatste werk. Dat is mijn favoriet. De naakte man is aan de overkant gekomen. Het is hem gelukt. Dit is zo'n krachtig werk. Je voelt zijn euforie.'

'Ja, inderdaad.'

'Dus het is eigenlijk een vierluik?' zei Peter.

'Dat valt maar te bezien. Een Luds laat zich lezen als een verhaal. Daar komt nooit een einde aan.'

'Ik wil ze alle drie, Peter.'

'Heel begrijpelijk. Er zijn meerdere gegadigden die dat willen maar de prijs is voor de meeste een probleem. Je moet je een Luds wel kunnen veroorloven.'

'En wat kosten die drie?' vroeg Madelief.

'Dertigduizend euro.' Ik zei het zonder blikken of blozen. Alsof het de normaalste zaak van de wereld was.

'Ja, dat zal allemaal wel,' zei Peter geïrriteerd, 'maar dan missen we er toch nog eentje. Dan heeft Gretel net die ene waar hij wel over die sloot springt.'

'Dat is het mooie van een Luds, Peter. Het verbindt mensen. Het is niet erg dat dat ene schilderij bij Gretel hangt, want dat is nou het fijne van een Luds. Dat het niet erg is.'

Peter keek me aan alsof hij vreselijk in de maling werd genomen maar nog voor hij iets kon zeggen, liet Madelief hem nogmaals op zeurderige toon weten dat ze ze alle drie wilde.

Tien minuten later liep ik de deur uit. Ik kon wel gillen van geluk; ik was dertigduizend euro rijker. Toen ik in de auto zat, sloeg opeens de paniek toe. Ik was door mijn Ludsen heen. Stel je voor dat ik gebeld werd door nog zo'n maffe vriendin van Gretel? Dan had ik niks meer. Ik moest als de sodemieter een ezel, doek en verf kopen, zwart en wit. Ik moest aan het werk!

'Dit kun je niet maken, Lieke!' zei ik tegen mezelf toen ik een groot zeil uitspreidde in Suus' kamer. 'Dit is een kantoor, geen atelier.' Zorgvuldig rekening houdend met de lichtinval zette ik mijn ezel in het midden van de kamer en legde ik de kwasten en de verf op een bijzettafeltje.

Net toen ik een oud overhemd van Bas aantrok en mijn eerste streep op het doek wilde zetten, ging de telefoon. Ik vroeg me af waar Nadja uithing en nam uiteindelijk zelf op. Het was mevrouw Prengel. Ik kende haar indrukwekkende dossier maar de dame zelf niet.

'Heeft u voor mij een personal dreivérr?' vroeg ze. Ze deed

248

zo haar best om haar woorden zo perfect mogelijk te articuleren dat het bijna onverstaanbaar werd.

'Een personal what?'

'Een chauffeur!'

'O, een personal driver.'

'Ja, dat zeg ik,' zei ze geïrriteerd.

'Natuurlijk hebben we die,' loog ik. 'Wanneer had u er een gewild?' Ik wist nu al dat ik hier niet meteen een antwoord op kreeg. De dames hadden alle tijd van de wereld en namen over het algemeen ruim de tijd voor een telefoongesprek.

'Nou, kijk, het zit zo. Vorige maand heb ik met de vriendinnenclub een uitstapje gemaakt naar Antwerpen. Een dagje. En nou ja, je weet hoe dat gaat. Taartje met champagne. Lunchen met een wijntje, koffie, borrel, dinertje. Om een lang verhaal kort...' Ze hield even een mysterieuze stilte aan. 'Mijn vriendin Emma heeft dus een jaar ontzegging van haar rijbevoegdheid. Dus misschien is het beter als we ons laten rijden.'

'Dat lijkt me een goed idee. En wanneer had u die chauffeur gewild?'

'Kan zo'n driver overweg met de Touareg van mijn man?'

'Vast wel. En wanneer moet hij...?'

'Morgenochtend om acht uur.'

Ik slikte even.

Twee uur lang belde ik stad en land af om een student te regelen die al meer dan twee jaar een rijbewijs had, over een zwart pak beschikte en bereid was een chauffeurspet op zijn kop te zetten. Voor minder deden de dames het namelijk niet. Uiteindelijk vond ik Jesper. Hij vond het geen enkel probleem om de dames in de Touareg naar Brussel te scheuren. Hij kon zich nu al verheugen op de terugreis met de beschonken dames. Aangezien hij per kilometer werd betaald, liet hij lachend weten dat hij terugging via Groningen. Dat hadden ze toch niet in de gaten. Ik kon een glimlach niet onderdrukken.

Zuchtend ging ik weer aan het werk, maar ik was nog geen vijf minuten bezig of ik werd al weer gebeld. Mevrouw Gestellekens! Of echt alles geregeld was voor de verjaardag van haar dochter morgenmiddag. Voor de zoveelste keer stelde ik haar gerust.

Weer pakte ik de kwast, hield mijn hoofd schuin en besloot de naakte man vanuit de linkerkant van het doek op zijn paard aan te laten komen galopperen. Met een lange veeg gaf ik de snelheid van het paard weer. Net toen ik de snelheid nog wat aan wilde zetten, werd ik weer door het harde gerinkel van de telefoon gestoord.

'Met Nadja, ik ben vergeten te zeggen dat ik vandaag mijn type-examen moet doen, dus ik ben er niet. Doei.' Nog voordat ik wat kon zeggen, werd de verbinding verbroken en ik had me nog niet omgedraaid of de telefoon ging weer.

'Met Annette Pepijn. Spreek ik met Personal Whatever?'

'Spreekt u mee. Wat kan ik voor u doen?'

'Wij zijn net verhuisd en nou zou ik graag wat interieuradviezen willen. Niet dat ik een heel nieuw interieur wil, maar soms kun je met een paar nieuwe dingetjes alles weer een nieuwe uitstraling geven. Ik heb u trouwens gezien bij Harry Benz. Dat vind ik nou zo'n charmante man. Weet u dat kennissen van vrienden van de buren van Gretel van Straeten erg enthousiast zijn over Personal Whatever? Dat wil ik u toch even laten weten. Ik heb Gretel van Straeten zelf ook erg hoog zitten. Ze heeft zo'n goede smaak, heb ik begrepen. Dus ik vermoed dat ik bij u aan het juiste adres ben. Heeft u tijd?'

'Natuurlijk maak ik tijd voor u. Zegt u maar wanneer ik langs kan komen.' Een grote grijns verscheen op mijn gezicht. Ik vermoedde dat ik dit zelf wel kon afhandelen. Een paar poefjes Jan van Gewoon op strategische plekken en mevrouw Pepijn kon ook weer meedoen.

'Overigens hoorde ik op de tennisclub dat Gretel van Straeten een nieuwe schilder heeft ontdekt. Een groot talent. Wij kunnen wel iets nieuws op de muur gebruiken.'

Ik slikte even, mijn hart begon te bonken van opwinding. Dit ging absoluut de goede kant op. Ik maakte een afspraak voor morgenochtend en besloot daarna om de telefoon niet meer op te nemen. Onverstoorbaar werkte ik door aan mijn naakte man op paard. Het schilderij dat ik morgen mee zou nemen naar mevrouw Pepijn.

Om zeven uur kwam ik doodmoe thuis. Het schilderij was af en alles wat op het antwoordapparaat stond had ik afgewerkt. Ik had me helemaal rot gewerkt. Terwijl ik de sleutel in het slot stak, overviel mij een vreselijke vermoeidheid. Ik hoopte dat er nog iets in de koelkast stond dat snel opgewarmd kon worden. Ik had helemaal geen zin om te koken. Ik had eigenlijk helemaal nergens meer zin in. Het harde werken, de financiële stress van PW en de zorg voor Merel en mijn moeder begonnen zo langzamerhand hun tol te eisen.

Als ik zo doorging met hard werken, weinig slapen en me veel zorgen maken, zou ik niet bepaald rimpelloos richting veertig glijden. Met verfvlekken op mijn handen, licht grijzende haren en vooral heel erg zonder man. Ik zuchtte even diep. Dat was geen toekomst om je op te verheugen, maar ik probeerde er niet al te lang bij stil te staan. Ik moest denken aan de woorden van Peter. Waar lag mijn hart eigenlijk? Wat wilde ik het liefst? Ik had geen idee.

Ik deed de deur naar de kamer open en tot mijn verbazing zag ik dat de tafel gedekt was en ik rook de heerlijkste geuren die uit de keuken kwamen. Mijn moeder lachte me vriendelijk toe.

'Ah, daar ben je al. Kom, dan gaan we lekker eten.'

Verbaasd ging ik zitten. Ik keek eens om me heen. Mijn moeder had gekookt en het hele huis was schoon. De tranen schoten me in de ogen. Wat had ik hier een behoefte aan. Iemand die even voor me zorgde!

Ik ging zitten en Merel schonk een glaasje wijn voor me in.

'Ik heb samen met oma gekookt, mam.' Haar gezicht glun-
derde.

'Ja, die kleindochter van mij is al een hele dame.' Mijn moeder gaf haar een vrolijk tikje tegen haar kont.

Ik grijnsde en dompelde mezelf onder in het warme fami-
liebad.

37

Mevrouw Pepijn had haar intrek genomen in een soort ge-
schakelde doorzonwoning. De nieuwbouwwijk was een paar
jaar geleden tot stand gekomen en het resultaat van een samenwerking tussen gemeente, projectontwikkelaars en vast-
goedboeren. Mede dankzij exorbitante etentjes was het proces
van besluitvorming aanzienlijk versneld en binnen een mum
van tijd hadden de heipalen erin gezeten. Het was zo'n typisch
ongelukkige-gezinnengetto waar het echtscheidingspercentage
ver boven het gemiddelde lag.

Afhankelijk van de snelheid waarmee de echtelieden uit elkaar wensten te gaan, kon je hier nog wel eens een huis sco-
ren onder de marktwaarde. En dat was precies wat mevrouw
Pepijn had gedaan. Voor de deur stond een Mitsubishi cabriolet
in een rare kleur.

Met overdreven hoge gilletjes heette ze me welkom. Op de
bank keek haar man lijdzaam toe hoe ze op alle belangrijke
details van het huis wees. Elk stoeltje en elk kastje had zo zijn
verhaal en ik moest het allemaal aanhoren. Het had weinig zin
om hier interieuradviezen te geven want er zou niets het huis
uit gaan en er paste ook niks meer bij. Zelfs geen poefje Jan
van Gewoon.

'En wat vindt u ervan?' vroeg ze, toen ik eindelijk even

mocht bijkomen op de bank.

'Het is prachtig. Helemaal af.'

'Zei ik het niet, Henk. Ik heb je toch gezegd dat de interieurconsulent van Personal Whatever dolenthousiast over onze inrichting zou zijn.'

'Behalve dan dat ik vind dat u een ander tapijt moet hebben. Deze berber kan echt niet meer. Een mooi handgeweven kleed doet wonderen.'

'O,' zei ze teleurgesteld.

'En hoeveel gaat dat kosten?' vroeg Henk bezorgd.

'Daar moeten we even voor gaan shoppen en dan kom ik met een prijsindicatie. U zei dat u ook wat aan de muur wilde?'

'Ja, inderdaad. Wij willen graag gebruikmaken van die talentvolle schilder. Deze muur hier bij de eettafel kan wel een kleurtje gebruiken. We zaten zelf te denken aan lichtgeel.'

Sprakeloos keek ik haar aan. Wat dacht zij nou?

'Is dat een probleem?'

Ik zei nog steeds niets.

'Of is lichtgeel soms uit? U moet het maar zeggen, hoor.'

'Mevrouw, wij leveren exclusieve diensten. We zijn geen aannemersbedrijf.' Zonder nog wat te zeggen, liep ik de deur uit en ik betrapte mezelf erop dat ik een snob was geworden. Een beledigde snob!

Mopperend reed ik de straat uit en ik lette even niet goed op waardoor ik in een labyrint van kleine hofjes terechtkwam die allemaal de naam van een potplant hadden meegekregen en eenrichtingsverkeer hadden. Na een halfuur was ik kotsmisselijk van alle drempels en had ik het Spaans benauwd omdat ik vreesde hier nooit meer uit te komen. Uiteindelijk was een bereidwillige bewoner op een fiets zo aardig om mij geduldig richting hoofdweg te helpen.

Zuchtend reed ik naar Personal Whatever. Ik had zwaar de pest in over deze verloren ochtend, die ik liever schilderend had doorgebracht. Ik moest weer denken aan de opmerking die Peter had gemaakt. Lag mijn hart dan toch bij het schilderen? Keuzes maken! Daar draaide het om in het leven. Ik zuchtte diep. Wat wilde ik eigenlijk?

'Zolang ik maar niet de keuze maak om in zo'n planmatig ontworpen verdwaalhof te gaan wonen met een saaie vent, dan zal het allemaal wel goed komen,' mompelde ik chagrijnig.

Het lampje van het antwoordapparaat knipperde weer woest. Als dit zo doorging, moest ik nog een Nadja inhuren. Ik drukte op de knop en luisterde naar het blikkerige geluid. Een drietal oude klanten sprak ongeduldig hun boodschappen in, een paar nieuwe klanten vroegen vriendelijk of ze teruggebeld konden worden, Peter wilde me dringend spreken en als laatste hoorde ik de stem van Christel. Of ik haar even terug kon bellen.

Ik deed het onmiddellijk, benieuwd als ik was wat ze te vertellen had over de afwezige directrices van Personal Whatever.

'Hoi Christel, met Lieke. Je stond op mijn antwoordapparaat.'

'Ja, dat klopt. Hoe gaat het met je?'

'Prima, en hoe is het in Friesland?'

'Goed, we zijn alweer druk bezig met de voorbereidingen voor het nieuwe zeilseizoen. Maar daar heb ik je natuurlijk niet voor gebeld.'

'Nou, het lijkt me anders best leuk om van de zomer een zeilcursus te volgen met mijn dochter.'

'Je bent van harte welkom. Voor vrienden hebben we een aantrekkelijke korting.'

'Wat lief van je!'

'Ik geloof dat ik wel eens wat terug mag doen. Ik realiseerde me eigenlijk pas later dat het wel een hele opgave moet zijn geweest om zo plotseling de verantwoordelijkheid over PW te krijgen.'

'Ja, dat was wel even schrikken en al helemaal toen bleek dat het bijna failliet was,' zei ik grinnikend. 'Hoe gaat het met Suus en Karlijn?'

'Goed, Karlijn is wel toe aan een terugkeer.'

Ik slikte even. 'Wanneer komt ze weer terug?' vroeg ik zachtjes.

'Over twee weken. Ze moet nog wel een au pair regelen. Weet jij nog wat? Het zou mooi zijn als er toevallig ergens eentje vrijkomt.'

'Over het algemeen zijn die niet op voorraad leverbaar,' antwoordde ik nuchter.

Christel begon te grinniken. 'Sorry, het zijn de woorden van Karlijn.'

'Waarom neemt ze niet een Friese au pair?' zei ik. 'Hoeft ze ook geen invoerrechten te betalen.'

Christel begon keihard te lachen.

'En Suus? Komt Suus ook terug?'

'Suus is een ander verhaal. Ze is blijven hangen aan een verslavingsarts. Erg verliefd, dus die zie ik nog niet terugkomen.'

'Lijkt me heel verstandig, want als ik het zo hoor is ze nog steeds niet beter.'

'Hoezo?' vroeg Christel verbaasd.

'Volgens mij blijft ze nog steeds aan van alles en nog wat hangen: lijntjes coke, huurbazen en nu weer verslavingsartsen.'

Ik hoorde Christel zachtjes grinniken aan de andere kant van de lijn.

'Maar goed, Karlijn is er dus helemaal klaar voor?' vroeg ik.

'Ja, volgens haar eigen zeggen kan ze er weer helemaal tegenaan. Frederik zit goed in de kleren en voor zichzelf heeft ze een te gekke cabrio aangeschaft.'

Goois bloed kruipt waar het niet gaan kan, dacht ik en hield deze tekst wijselijk voor me. Ik hing op en had de indruk dat

255

Christel er absoluut geen probleem mee had dat Karlijn weer deze kant op ging.

Met gepaste tegenzin belde ik Peter op. Ik had hem natuurlijk ook kunnen negeren en zijn verzoek op het antwoordapparaat langs me heen kunnen laten gaan, maar naar alle waarschijnlijkheid zou hij dan morgen weer op mijn antwoordapparaat staan.

'Hoi Peter, je had gebeld?'

'Wat klink jij depri.'

'Moe.'

'Moet ik even langskomen voor een *energy boost*?'

'Nee, dank je.'

'Is heel goed voor je schilderwerk. Het kan heel inspirerend werken!'

Ik had geen enkele behoefte om *Naakte man ligt op Lieke* te schilderen en het irriteerde me dat mijn boodschap in het cafeetje klaarblijkelijk niet tot hem was doorgedrongen.

'Daar hebben we het over gehad, Peter. En die fase zijn we gepasseerd. Waarvoor belde je?'

'Morgenochtend ben ik bij die vriend, over wie ik je vertelde.'

'Die zakelijke kennis met die lege muren,' zei ik spottend.

'Ook goed. Maar misschien is het verstandig als ik je introduceer.'

'Morgen ben ik bezig met een verjaardagspartijtje. Ik neem zelf wel contact met hem op.'

'Op de een of andere manier heb ik het gevoel dat je dat niet gaat doen.'

'Dat is dan toch mijn zaak.' Ik begon uit mijn humeur te raken. Waar bemoeide hij zich mee?

'Ik heb er mijn redenen voor om het belangrijk te vinden dat je het wel doet.'

'Volgens mij hebben wij afgesproken dat we allebei onze eigen weg gaan. Ik heb er redenen voor om het belangrijk te vinden dat jij je daaraan houdt.'

Het was onaardig, het was bitchy en Peter had beter verdiend maar ik kwakte de hoorn erop. Chagrijnig pakte ik een nieuw doek en met vliegensvlugge halen van mijn kwast schilderde ik een woest tafereel. Binnen twee uur had ik een drieluik. Peter 1, 2 en 3. Opstand, val en ondergang. Ik bekeek het resultaat vanaf een afstandje. Lang niet gek. Een echte Luds!

38

Ik had nooit geweten dat een moeder zo hysterisch kon doen over een verjaardagspartijtje van haar dochter. Toen we aankwamen was mevrouw Gestellekens helemaal in de stress en het was nog maar twaalf uur. Ze had de hele nacht niet geslapen en het ergste was nog wel dat ze niet wist wat ze aan moest trekken, waarop we eerst maar eens met z'n allen door haar oversized inloopkast gingen en een praktisch verjaardagsensemble uitkozen.

'Dat staat u nu echt leuk, zo'n fuchsiakleurig pakje,' zei Feline vriendelijk.

'Die had ik vorig jaar al aan bij de housewarmingparty van mijn buurman,' antwoordde ze snibbig.

'Uw buurman komt toch niet?' zei Cato.

'Zijn dochtertje wel!'

Uiteindelijk viel haar keus op een lila ensemble, dat vreselijk vloekte bij de nieuwe badkamer van Megane, maar aangezien we nog veel te doen hadden, hield ik mijn mond.

We negeerden vervolgens haar zenuwachtige gehijg in onze nek en werkten onverstoorbaar door terwijl haar moeder dit alles op de achtergrond gadesloeg.

'We hebben nog twee uur de tijd. Dan pas worden alle kinderen gebracht. Dus we hebben tijd zat,' zei ik streng tegen haar.

'Nee hoor, ze komen mee uit school. Het is woensdagmiddag.'

Verbaasd draaide ik me naar haar om. 'Ik heb de uitnodigingen van de drukker gehaald. Er stond toch echt op de uitnodiging dat ze hier om twee uur gebracht moesten worden.'

'Dat vond Megane niet zo gezellig. Dus ik heb alle moeders gebeld dat we ze meenemen vanuit school.'

'Alle twintig kinderen?'

'Ja, natuurlijk.' Ze keek me aan alsof ik een heel domme vrouw was.

'Hoe lang is het lopen van school naar hier?'

'Lopen?'

'Ja, hoe had u anders twintig kinderen mee willen nemen naar huis? Op het dak van de auto?'

'O, daar heb ik helemaal niet aan gedacht. En nu?'

'Hoe lang is het lopen?' vroeg ik weer.

'Minstens een kwartier! Dat kunnen die kinderen echt niet, hoor. Die worden altijd gehaald en gebracht.'

'Cato,' gilde ik. 'Wil jij vijf taxi's regelen?'

'Nou zeg, ik krijg bijna de indruk dat ik met je had moeten overleggen!' Ze keek me verontwaardigd aan. 'Het is wel de verjaardag van mijn eigen dochter, hoor!'

'Is alles voor de lunch geregeld?'

'Lunch?'

'Ja, twintig kinderen komen straks met een taxi uit school. Ze hebben honger. Wij hebben een verjaardagstaart en hotdogs geregeld. Geen lunch!'

'Daar heb ik niet bij nagedacht. Ik heb het ook zo druk. Zo'n verjaardag is echt...!!!'

'Tess, bel jij de plaatselijke patatboer. Om halfeen komen

we patat en twintig kroketten halen!' riep ik op afgemeten toon.

'Patat en kroketten?!' riep mevrouw Gestellekens verontwaardigd. Zelden had ik iemand met meer afkeuring zien kijken.

'Is daar iets mis mee?'

'Ik zat zelf te denken aan een soepje en broodjes zalm, ossenworst, brie. Dat soort werk.'

'Dat is ook prima. Als u dat binnen nu en een halfuur kunt regelen.'

'Laat maar!' Ze beende met woeste passen weg en ik hoorde haar nog net mompelen dat de dames van PW hun zaakjes wel eens wat beter voor elkaar mochten hebben.

'Heb je heel even voor mij?' vroeg Tess.

'Ja, wat is er?' Ik keek haar niet aan. Het was niet aardig, maar ik wilde die verliefde schittering in haar ogen niet zien.

'Heb jij er moeite mee dat Bram mijn vriendje is?'

'Waarom vraag je dat?' Ik keek haar nog steeds niet aan.

'Je blaft me zo af en dat lijkt me niet terecht.'

Ik zuchtte. 'Sorry, ik was kortaf omdat ik gek word van die hysterische muts die hier de boel in de soep laat lopen. Maar om eerlijk te zijn heb ik er heel veel moeite mee dat Bram een vriendin heeft. Maakt niet uit wie het is. Het is heel kinderachtig maar het voelt niet fijn dat Merel en ik nu de tweede plaats innemen.'

'Dus het heeft niets met mij te maken?'

'Nee, maar mocht je een enkele reis Timboektoe willen dan betaal ik wel mee,' zei ik lachend.

Ze pakte mijn hand. 'Ik vind het lief dat je zo eerlijk bent, maar heb je je wel eens gerealiseerd dat ik degene ben die jaloers moet zijn?'

'Hoe bedoel je?' vroeg ik verbaasd.

'Het valt maar te bezien wie er hier de eerste of de tweede plaats inneemt. Bram houdt van ons alle drie. Dat is heel bijzonder, het wordt tijd dat we dat eens gaan inzien.'

Verbaasd keek ik haar na terwijl ze wegliep. Halverwege draaide ze zich nog even om. 'Hoeveel zei je? Duizend kroketten?' Ze wierp me een handkus toe.

Om kwart voor één stroomde het huis vol met een kudde verwende apenkoppen, die op de patat afvlogen alsof het een zeldzame lekkernij was.

'Lekker,' riep er eentje. 'Dit krijg ik thuis nooit.'

'Patat is anders wel arbeidersvoedsel,' riep een klein meisje dat geheel in witte merkkleding was gestoken.

'Wie zegt dat?'

'Mijn vader. Hij heeft een restaurant.'

'Dat is niet waar. Je vader is ergens directeur van. Dat zegt mijn moeder. En mijn moeder zegt ook dat jouw vader een enorm lekker ding is.'

'Dat is niet mijn vader. Dat is de vriend van mijn moeder. Mijn echte vader heeft een restaurant. In Amsterdam. Met sterren. Hij zegt dat patat arbeidersvoedsel is en als hij dat zegt dan is dat zo.'

'Nou, dan wil ik later als ik groot ben arbeider worden.' De jarige keek verrukt om zich heen en propte een handvol patat in haar mond. 'Is dat lang studeren, mam?'

'Zo is het wel genoeg!' riep mevrouw Gestellekens paniekerig.

'Wat voor sterren komen er in zijn restaurant? Zangers en acteurs?' vroeg een meisje met vlechtjes en een lief gezichtje.

'Jongens, als jullie de patat ophebben, mogen jullie even lekker buiten spelen,' riep ik. En met net zo veel gegil als ze binnen waren gekomen, stormden ze allemaal naar buiten. Binnen vijf minuten stond het meisje in het wit weer binnen. Huilend. Ze was met haar DKNY-jurkje in de rozenstruik blijven hangen.

Ik was nog maar net klaar met haar te troosten of het tweede slachtoffertje kwam jankend binnen. Kleddernat. Ze was door het meisje met het lieve gezichtje nogal hardhandig in het kroos van de vijver gegooid. Ik wierp een blik naar buiten om tot mijn verbijstering te constateren dat ze elkaar vakkundig aan het afslachten waren.

'Jongens, komen jullie binnen? Dan gaan we een videootje kijken.'

Duwend en trekkend om de beste plaatsen voor de televisie ploften ze in de woonkamer neer. Aangezien ik het druipende kind schone kleren wilde aandoen, riep ik tegen de jarige dat ze een filmpje mocht opzetten. Er ontstond een levendige discussie maar de jarige riep resoluut dat de dvd van *Air Bud* echt gaaf was en er al in zat. Klaarblijkelijk was het interessant, want nog geen minuut later was het doodstil in de kamer en maakte ik van de gelegenheid gebruik om het natte kind van droge kleren te voorzien. Nog nabibberend bracht ik haar naar de woonkamer. Met grote ogen zaten de negentien meisjes te kijken.

'Zie je dat??' riep een van de bijdehandjes.

Ik wierp een blik op de televisie. Naakte lichamen krioelden over elkaar en het duurde even voordat ik in de gaten had dat dit de volwassen editie was van *Air Bud* die meneer en mevrouw Gestellekens in de dvd-speler hadden laten zitten. Zonder er al te veel woorden aan vuil te maken, en alsof het de normaalste zaak van de wereld was, wisselde ik de dvd's om.

'Kijk daar heb je eindelijk *Air Bud*,' riep eentje uitgelaten. 'Ik wil later twintig honden, geen kinderen en ook geen man.'

Ik zuchtte gelaten.

Na de dvd was het tijd voor de cadeautjes. Dat Megane een nieuwe badkamer had gekregen was in ieder geval binnen de vriendenkring doorgedrongen. Grootverpakkingen doucheschuim van Dior, bodylotion van Chanel, badparels van Estée Lauder en glitterolie van Lancôme werden van cadeaupapier ontdaan, steevast gevolgd door de opmerking van de gevers dat het uiteraard geruild kon worden.

Daarnaast waren de Nintendo Wii-spelletjes razend populair en ook die werden na een ongemeend dankjewel achteloos in de hoek geworpen. Er was niet veel wat Megane kon bekoren en bij het negentiende cadeautje begon ze te zuchten dat het wel een gedoe was. Het laatste cadeautje werd al niet meer uitgepakt.

Tegen vijf uur konden ze me opdweilen. De oesterman had de tijd van zijn leven met de moeders die zich aan de champagne en oesters laafden terwijl de kinderen ondertussen de tent afbraken en elkaar met hotdogs om de oren sloegen.

'Zestien valse dobermannpinchers zijn een eitje vergeleken bij deze mini-secreten,' mopperde Tess. En zelfs Cato riep verontwaardigd dat een wettelijk verbod op voortplanting in sommige gevallen geen kwaad zou kunnen.

Tegen zeven uur hadden we iedereen uiteindelijk zover gekregen om het huis te verlaten, behalve dan de oesterman. Met een glaasje champagne zat hij op de bank verlekkerd naar mevrouw Gestellekens te kijken.

Op de een of andere manier zat het me toch niet lekker wat de tere kinderzieltjes op de televisie hadden gezien en het leek me wel zo netjes om mevrouw Gestellekens op de hoogte te stellen. Mocht een moeder haar daarover aanspreken, dan wist ze in ieder geval waar het over ging.

Met een rood hoofd keek ze me aan. 'Goh, ik hoop maar dat ze niemand herkend hebben.'

Ik keek haar vragend aan.

'Vrienden van ons organiseren wel eens wat.'

Ik wist niet wat ik hierop moest zeggen. Tess en Cato stonden naast me en heel zachtjes hoorde ik het gegrinnik van Cato. Ik wist dat het nog een fractie van een seconde zou duren voordat ze gierend van de lach en met haar benen gekruist naast mij zou staan. Zo snel mogelijk, terwijl ik nog riep dat ik de factuur wel zou opsturen, duwde ik de al hinnikende Cato voor me uit en pas toen ik de deur achter me dichtdeed, kon ik opgelucht ademhalen.

Terwijl ik mijn autootje startte, hoorde ik het gierende gelach van Cato vanaf de achterbank. Naast mij zat Tess met een rood hoofd van de ingehouden lach.

'Sateetje bij Moeke Spijkstra?' vroeg ik, en deed net alsof er niets gebeurd was.

Het was druk bij Moeke maar gelukkig was er nog een tafeltje voor drie personen. Pas toen we eindelijk zaten, werden we ons bewust van een afgrijselijke vermoeidheid.

'Zijn jullie ook zo doodop?' vroeg Tess.

'Ik ben helemaal kapót. Wat een monsters,' riep ik uit.

'Misschien moeten we toch maar een Personal Little People Party Organiser aanstellen,' zei Cato. Er speelde een flauwe glimlach rond haar mond.

'Wie weet vindt Karlijn het leuk om erbij te doen?' zei ik.

'Hoezo?' vroegen Cato en Tess tegelijkertijd.

'Over twee weken komt ze weer terug.'

Het werd even helemaal stil. 'Dat had je nou niet moeten zeggen.'

'Hoezo?' vroeg ik verbaasd.

'Sinds jij de touwtjes in handen hebt, is het een verademing om bij PW te werken. Het is er zo veel gezelliger en prettiger geworden.'

'En professioneler,' voegde Tess eraan toe.

'Oordeel nou niet te snel. Misschien is Karlijn wel heel erg veranderd door de komst van Frederik.'

'Geloof je het zelf?'

Ik wist niet zo goed wat ik hierop moest zeggen, maar ik wist wel dat ik me verantwoordelijk voelde voor deze lieve vrouwen die bereid waren geweest om PW door een lastige periode te helpen. Dankzij hun inzet had PW weer bestaansrecht. Daar hadden ze veel tijd in geïnvesteerd. Belangeloos. Het minste wat ik kon doen was ervoor zorgen dat dit goed tot Karlijn doordrong. PW bestond uit dit clubje dames. Het was mijn taak om te zorgen dat dit niet werd vergeten.

Tegen tien uur kwam ik thuis. Merel lag al in bed en mijn moeder keek naar een of ander datingprogramma.

'Ging alles goed, mam?'

'Ja hoor, ik heb lekker samen met Merel gegeten. Ze heeft een nieuw vriendje. Wist je dat?'

Ik schudde mijn hoofd.

'Hij heet Job.'

'Leuke naam,' zei ik glimlachend. 'Hoe oud is hij?'

'Heel oud volgens Merel! Wel zes maanden ouder. Hij is veertien. Nog maar net.'

Ik keek haar glimlachend aan.

'Ben jij niet eenzaam, Lieke?'

'Hoezo?' vroeg ik verbaasd. Haar vraag overviel me.

'Ik had er op jouw leeftijd niet aan moeten denken om zonder man door het leven te moeten gaan.'

'Misschien was dat in jouw tijd ook heel anders. Ik heb mijn werk, een sociaal leven en zo heel af en toe is er een man. Ik heb het prima naar mijn zin,' zei ik heel overtuigend, maar ik wist zelf wel beter.

'In mijn tijd was het inderdaad anders. Ik werkte niet en mijn sociale leven bestond uit de contacten met andere moeders. Je vader was de constante factor in mijn leven. Maar het gaat nu even niet om mij maar om jou. Het enige wat ik wil zeggen is dat het niet onbelangrijk is om je ogen en oren open te houden. Je bent in de bloei van je leven. Je ziet er fantastisch uit en er is geen enkele reden waarom je niet nog een keer helemaal opnieuw kunt beginnen. Ik zou het best leuk vinden om nog een keer oma te worden.' Ze stond op. Het ging wat moeizaam. 'Misschien moet je gaan internetdaten?'

'Dat lijkt me nou echt helemaal niks.'

'Dat is juist hartstikke leuk. Ik doe het zelf ook.'

Ik keek haar geschokt aan.

'Echt, je komt heel erg leuke en interessante mannen tegen op het net. Waarom geef je het geen kans?'

'Omdat die leuke veertiger met krullende haren en internationale baan, sportief en goedgekleed, over het algemeen tachtig is met een plakkerig toupetje, nooit verder is gekomen dan de trein naar Leeuwarden, een hartstochtelijke passie heeft voor korfballen en de hele dag in een joggingbroek rondloopt. Je wordt daar belazerd waar je bij staat, mam. Daar ga ik mijn tijd niet in stoppen.'

'Aha! Je wilt dus wel een man!'

Ik zuchtte. 'Ik sta er niet afwijzend tegenover. Als ik de ware tegenkom, dan herken ik hem echt wel!'

'Lieve schat, één ding: er bestaat niet zoiets als de ware.'

'Mam?'

'Ja.'

'Waarom heb je gedaan alsof je dement was?'

'Ach kind, de dingen gaan zoals ze gaan.'

Ik keek haar aan en ik wist dat ik met dit antwoord genoegen moest nemen. Wanneer en of ik antwoord kreeg op mijn vragen bepaalde mijn moeder en niet ik. Dat was altijd zo geweest en ik was bang dat dat altijd zo zou blijven.

Vermoeid stond ik op en even vroeg ik me af of ik nog een wijntje zou halen bij Bram, maar ik besloot om toch maar naar mijn bed te gaan. Diep in mijn hart was ik ook bang dat hij met Tess op de bank lag te knuffelen. Een situatie die ik nog even niet aankon.

Zoals altijd voordat ik naar bed ging, pakte ik mijn mobieltje om te kijken of er nog nieuwe berichten waren. Ik had één bericht. Van Roos. Om mij te vertellen dat alles goed was gegaan met de echo.

Shit!!! Dat was ik helemaal vergeten. Vandaag zou ze naar het ziekenhuis gaan om een echo te laten maken. Hoe kon ik

zo onattent zijn? Het was al te laat om te bellen en snel sms-
te ik een berichtje naar haar.

Fijn dat alles goed is! xx *Lieke.*

39

De dagen die volgden vlogen voorbij. De telefoon rinkelde voor
mijn gevoel van 's ochtends vroeg tot 's avonds laat. Ik was
blij dat ik Nadja had, die het allemaal keurig voor me afhan-
delde. Ik had het ene na het andere intakegesprek met nieuwe
klanten en werd overstelpt met vragen over de mysterieuze
Luds. Ik maakte idioot lange dagen en tussen de bedrijven door
stond ik met een kwast in de hand het ene na het andere doek
te schilderen. Maar ik was niet de enige die het druk had.

Feline, de personal shopper, had haar handen vol aan alle
opdrachten. De lente hing in de lucht en iedereen was de winterse outfits helemaal zat. Luchtige vrolijke voorjaarskleding
moest er komen. Rokjes, bloesjes, jasjes, nieuwe schoenen en
accessoires werden aangeschaft alsof het broodjes kaas waren.

De confrontatie met het winterse vetlaagje was voor de
meesten ook dusdanig confronterend dat Cato inmiddels ook
al helemaal volgeboekt zat. Joggend ging ze over de hei, zwom
ze op en neer met amechtig hijgende vijftigers in hun privé-
zwembaden en liet ze haar clientèle in fitnesskelders kilome-
ters fietsen en roeien.

Daarnaast werden we overspoeld met vragen over de beste
klinieken om rimpels weg te werken, billen te liften, tailles te
fatsoeneren, oogleden op te trekken en boezems te vergroten.
Het leek wel alsof plotseling iedereen te lang in de spiegel had
gekeken en de grauwheid van de winter van zich af wilde
schudden met plastisch geweld. Half Blaricum liep met een

zonnebril op om de blauwgevlekte oogleden te verhullen en de andere helft liep met een stramme botoxgrijns over straat.

Naast het bezig zijn met het uiterlijk was het ook voor vreemdgaan het juiste moment. Tess had, naast een cursus haptonomie voor de trouwe viervoeter, ook een aantal workshops massagetechnieken voor mens & hond gevolgd en was in een tijdsbestek van een maand zo overweldigend populair geworden in het Gooi dat haar agenda uit zijn voegen begon te barsten.

Volgens Tess werden de meeste ontboezemingen gedaan tijdens de hotstone massage. Zonder enige gêne vertelden de dames over hun nieuwste veroveringen, die vreemd genoeg binnen de inner circle plaatsvonden.

Op ons laatste werkoverleg voor de komst van Karlijn had Tess deze escapades voor de grap in een powerpointpresentatie verwerkt. Ingenieuze lijnen in allerlei kleuren konden je binnen een fractie van een seconde inzicht geven in wie er met wie een buitenechtelijke relatie had.

'Kijk,' zei Tess enthousiast, 'als je de blauwe lijn volgt dan kun je zo zien met wie meneer De Bont – overigens de echtgenoot van de dame bij wie het liften van de billen een totaal fiasco is geworden – allemaal op de hei zoent.'

'Die wonen allemaal bij hem in de straat,' zei Nynke verbaasd.

'Precies! Leuk hè, dit systeem. Hij zoent afwisselend met drie vrouwen. Op maandag, woensdag en donderdag. Je kunt de klok erop gelijkstellen.'

'De Bont is toch dat onooglijke mannetje met een dik buikje en kalend hoofd?' vroeg Cato.

'Ja, die.'

'Zijn vrouw heeft zo'n yorkshireterriër, die ze voor veel geld heeft gekocht maar die niet helemaal raszuiver is. Hij staat een beetje te laag op zijn pootjes waardoor hij bijna met zijn buikje over de grond schuift. Het is echt geen gezicht. Het arme schepsel is niet vooruit te branden.'

'Klopt en daar baalt meneer De Bont ontzettend van, want hij wil natuurlijk de hele tijd dat hondje op de hei uitlaten. Ik heb nog geprobeerd het arme beestje te leren lopen, maar dat was kansloos,' zei Tess. 'Vervolgens ben ik nog urenlang bezig geweest om mevrouw De Bont te overtuigen dat het voor zo'n hond ook niet echt een lolletje is om gekleed in een Burberry-hoodie en met een Racing-zonnebril de straat op te gaan, maar dat vond ze onzin. Het kan natuurlijk heel goed door die rare pootjes komen dat het hondje niet kan lopen, maar volgens mij schaamt dat beestje zich ook in zo'n belachelijke outfit en weigert het daarom om ook maar een stap te zetten.'

'Wist je trouwens dat al die vrouwen op een even nummer wonen?' Feline keek ons trots aan alsof dat gegeven een heel nieuwe dimensie gaf aan het vreemdgaan van De Bont.

Ik schoot keihard in de lach. 'Jongens, wat ga ik jullie missen!'

Het werd opeens helemaal stil.

'Hoezo missen?' zei Feline verontwaardigd.

'Houd je ermee op?' vroeg Cato.

Ze keken me allemaal geschrokken aan en ik wist even niet wat ik moest zeggen. Vanaf het moment dat ik had gehoord dat Karlijn weer terugkwam, had ik bijna elke nacht wakker gelegen. Ik had zo veel bereikt met PW en met het team. Niet alleen was PW er financieel weer aardig bovenop, maar de enorme collegialiteit en het plezier dat we samen hadden, waren uniek. Ik zag me dat niet samen doen met Karlijn.

Karlijn en Suus hadden een heel andere stijl. De wijze waarop ik PW leidde kon ik niet opdringen aan Karlijn. Het was haar bedrijf en ik zou degene moeten zijn om me aan te passen. Het was in alle opzichten verstandiger om het stokje aan Karlijn over te dragen. Twee kapiteins op één schip werkte niet en ik wilde er alles aan doen om te voorkomen dat we elkaar de tent uit zouden vechten.

Ik wist dat ik een enorm risico nam, maar ik had besloten om verder te gaan met schilderen. Een halfjaar zou ik mezelf de tijd geven en als het niet lukte, zocht ik wel weer een andere baan. In korte bewoordingen legde ik dit aan de dames uit.

'Ik vind het geweldig dat je doorgaat met schilderen en ik weet ook zeker dat je het helemaal gaat maken, maar kun je het schilderen en PW niet combineren?'

'Ik ben van plan om aan Karlijn te vragen of ik hier zolang mag blijven en de kamer van Suus mag gebruiken. Dan kan ik haar tussendoor toch nog een beetje helpen.'

'Gelukkig,' zuchtte Tess. 'Dan kunnen we nog gewoon komen voor een kopje koffie.'

'De vraag is alleen hoe lang we nog in dit pand mogen blijven. Suus had een goede overeenkomst met de verhuurder,' zei ik spottend en gaf een knipoog, 'maar aangezien zij nog niet terug is, kan het zomaar zijn dat we binnenkort naar iets anders moeten uitkijken. Maar goed, dat is meer iets voor Karlijn om te beslissen.'

'Ik denk dat er een hoop gaat veranderen als Karlijn terugkomt,' zei Feline en de teleurstelling over mijn vertrek was hoorbaar in haar stem.

'Zo moeten we niet gaan denken,' zei ik streng. 'Ik weet zeker dat Karlijn onder de indruk zal zijn van de ontwikkelingen die PW heeft doorgemaakt. Maak je geen zorgen, ik ga niet meteen weg. Jullie zijn niet zomaar wat freelancers die bijklussen bij PW. Jullie hebben ervoor gezorgd dat het nu zo goed gaat met het bedrijf. Ik zal hier nog lang genoeg rondlopen om dat aan Karlijn duidelijk te maken. Jullie zijn het hart van Personal Whatever. En dat moet je nooit vergeten!'

Er barstte een applaus los.

Rond halfzeven was ik weer thuis. Merel stond gezellig met mijn moeder in de keuken en al keuvelend waren ze bezig om het avondeten klaar te maken.

'Hoi, zijn jullie lekker aan het koken?' riep ik enthousiast. Merel vloog me meteen om de nek alsof ze me jarenlang niet had gezien en schuldig realiseerde ik me dat ik er inderdaad weinig was de laatste tijd. Hele avonden schilderde ik en overdag nam PW mij totaal in beslag.

'Heb je me gemist, lieverd?' vroeg ik.

'Ja, maar ik snap het wel, hoor. En ik ben ook hartstikke trots op je. Mijn moeder: directeur van het hipste bedrijf in het Gooi en ook nog eens schilderes! Jammer alleen dat je van die vieze handen krijgt.'

Verschrikt sloeg ik een blik op mijn handen. Zwarte vegen op mijn vingers en uitgedroogde nagels van de terpentijn.

'Vanavond lekker in de uierzalf zetten en dan met handschoenen aan naar bed,' zei mijn moeder.

'Hoe weet je dat toch allemaal?' zei ik lachend.

'Dat zijn Klaartjes wijsheden,' zei ze grinnikend, 'die weet je nu eenmaal!'

'Vroeger moest ik over mijn handen plassen als ik wratten had en nu moet de hele boel weer in de uierzalf.'

'Gadver, wat smerig. Over je handen pissen.'

'Plassen, Merel,' corrigeerde ik haar.

'Daar wordt het niet minder vies van,' zei ze lachend.

Ik glimlachte, haar vrolijkheid werkte aanstekelijk.

'Blijft Pien gezellig mee-eten?' vroeg ik, toen mijn moeder me vier borden in mijn handen drukte.

'Nee, Bram,' zei mijn moeder.

'Bram?' vroeg ik verbaasd.

'Ja, Bram. Toen ik hier kwam, at Bram vijf keer per week mee. Het lijkt me logisch dat hij mee-eet. Vind je het niet goed?'

Mijn moeder keek me onderzoekend aan en het irriteerde me. Ik merkte dat ik niet zo veel zin had om Bram te zien en ik vroeg me af of het aan de combinatie Bram-Tess lag of dat zijn escapades op het liefdespad mij er bewust van hadden gemaakt dat ik mijn leven nog niet helemaal op orde had. Ik vond het al een hele stap dat Bas geen enkele rol meer in mijn leven speelde, maar veel verder dan dat was ik nog niet gekomen.

Ik had het nog niet gedacht of Bram stapte binnen met een grote bos bloemen. Heel even schoot een pijnscheut door mijn lichaam. Ik had het gevoel dat de magie van onze vriendschap verbroken was. Hij gaf me een knipoog alsof hij wilde zeggen dat er wat hem betreft niets veranderd was.

Hoe moet ik reageren, vroeg ik mij vertwijfeld af. Kom op, Lieke! Jij bent degene die kan bepalen hoe de dingen lopen. Je bent gewoon gekwetst dat jij niet de vrouw van zijn dromen bent, maar hoe had je gereageerd als jij die vrouw wel was geweest? De vraag is maar of je uiteindelijk iets met Bram had gewild. Bram is een goede vriend. Misschien wel iets meer dan dat. Wees blij dat je dat hebt. Ik keek Bram aan en gaf hem een vette knipoog terug. Met zijn lippen vormde hij een kus. Het was goed zo.

'Hoe gaat het met je?' vroeg hij belangstellend. Hij was nog steeds even groot en even leuk zoals hij daar nonchalant tegen de deurpost van de keuken stond geleund. Zijn armen losjes over elkaar, een T-shirt en een hippe spijkerbroek. Bram had alles wat ik belangrijk vond in een man. Lang, grappig en vooral niet al te veel met zichzelf bezig.

'Goed. Met PW gaat het hartstikke goed. We krijgen steeds meer cliënten en daarnaast staat de telefoon roodgloeiend met vragen over de mysterieuze Luds.'

Bram begon te lachen. 'Heb je al bekendgemaakt wie er achter de schilder Luds schuilgaat?'

'Nee.' Ik begon te giechelen en hij keek me glimlachend aan, zijn ogen twinkelden. Het was die glinstering in zijn ogen die ik zo bijzonder vond. Die glimlach, die heel licht twee kleine kuiltjes in zijn wangen trok. Die wenkbrauw, die net een tikkeltje spottend omhooggetrokken werd. Ja, ik vond Bram leuk, maar het was prima zo! Ik gunde Bram een leuke vrouw. Dankzij Bram was Bas naar de achtergrond verdwenen en was er weer ruimte voor een eventueel nieuwe liefde. Nu of in de toekomst. Morgen of over tien jaar. Ik had geen haast.

'Kom,' zei ik en pakte Bram bij zijn arm en trok hem mee naar de gedekte tafel. Als vanzelfsprekend stak hij zijn arm door de mijne. Ik wierp hem een glimlach toe en was mijn moeder intens dankbaar dat ze hem had uitgenodigd. Ik had een knop omgezet en dat gaf me de ruimte om weer met Bram om te gaan zoals we vroeger deden. Als vrienden. We klonken met de glazen en als vanouds zaten we weer met elkaar aan tafel.

'Waar is de puzzel?' vroeg Bram.

'Ik heb de zon onder laten gaan in de prullenbak,' zei mijn moeder op zure toon.

Merel schoot in de lach, waarna ze honderduit begon te kletsen over haar nieuwe liefde, Job. Bram wilde alles weten. Van schoenmaat tot haarkleur, van cijferlijst tot banksaldo van zijn vader.

Het laatste was het startschot voor Merel om hem absoluut het hemd van het lijf te vragen over Tess. Van cupmaat tot heupbreedte, van carrière tot babywens.

Ik luisterde toe.

40

Met een eitje, een uitgeperste sinaasappel, versgebakken croissantjes, een bakje yoghurt met fruit en een doosje paaseitjes stond ik de volgende ochtend om acht uur voor Roos' deur.

Slaperig deed ze in haar roze duster open. Ze zag er vermoeid en grauw uit maar toen ze mij zag, met in mijn armen een truttig rieten mandje met ontbijtspullen, brak er onmiddellijk een glimlach door op haar gezicht.

'Wat ben je toch een idioot!' zei ze grinnikend.

'Ik heb je vreselijk verwaarloosd dus het leek me dat je wel een ontbijtje hebt verdiend!' zei ik schuldbewust.

'Ach lieve schat, ik weet toch dat je het heel erg druk hebt!'

'Ja, maar toch, je liefste vriendin verwaarlozen! En ook nog eens tijdens haar zwangerschap! Foei!' Ik zette het ontbijt op tafel en stak een kaarsje aan. 'Zo, tast toe. Voor jou.'

Roos wierp een blik op het lekkers, riep vervolgens sorry en rende zo snel mogelijk naar de wc. Toen ze even later met een bleek smoeltje weer terugkwam, keek ze me zo zielig aan dat ik opstond en haar in mijn armen nam.

'Joh, ben je zo misselijk?'

'Al weken. Er komt geen eind aan. Echt Lieke, dit is afschuwelijk.'

Zonder erbij na te denken, pakte ik mijn mobieltje en belde mijn moeder. 'Mam, wat moet je volgens Klaartjes wijsheden doen bij ochtendmisselijkheid?'

'Niet over je handen plassen.'

Ik begon te giechelen. 'Dat scheelt alweer, maar wat helpt wel?'

'Gember.'

'Oké.'

'Gember, Roos. Dat moet je gebruiken, dan gaat de ochtendmisselijkheid over. Echt waar, dat zegt mijn moeder en die heeft het weer van ene Klaartje.'

'Gemberkoekjes, werkt dat ook?'

'Vast wel, maar dan zou ik voor de zekerheid wel grote hoeveelheden nemen.'

'Baat het niet, dan schaadt het niet.' Zuchtend liet ze zich in een stoel zakken. 'Goed, we hebben het nu over mij gehad. Ik ben dus misselijk, maar hoe is het met jou?'

'Gaat wel. Bram heeft een vriendin. Ze heet Tess. Ze is een collega van mij. Ik geloof dat het echte liefde is.' En ineens stroomden de tranen over mijn wangen.

'Ach, lieve schat.' Roos overhandigde mij een servetje. 'Hier, neem een kopje thee en een eitje. Een eitje is goed voor je.'

'Wie zegt dat?' snufte ik.

'Wat dacht je van die stomme Klaartje!'

Het was een heel grappige opmerking maar helaas niet voldoende om mij aan het lachen te maken en ik voelde alweer een nieuwe lading tranen aankomen.

'Hield je dan toch van hem?'

'Nee.' Ik schudde mijn hoofd om mijn woorden kracht bij te zetten.

'Nou dan?'

'Maar het had zo mooi kunnen zijn!'

Roos keek me aan, een glimlach rond haar mond. 'Ja,' zei ze. 'Ja, dat zou zeker mooi zijn geweest.'

Tegen tien uur kwam ik aan bij PW. Het lampje van het antwoordapparaat knipperde alweer heftig en met een kopje koffie luisterde ik alle berichten af. Een smekend verzoek om een nieuwe garderobe, uitgezocht door Feline, een sessie met Cato op de trilplaat wegens blubber aan de bovenarmen, een vraag over een chocoladeworkshop met Nynke met een daaropvolgende driedaagse sherrykuur omdat de bikini niet meer lekker zat, een paniekerige smeekbede of Tess onmiddellijk kon komen: Monique, de chihuahua van de familie Grutteveld, was gek geworden. Het gezin zat al drie dagen opgesloten in de keuken. En er zat weer een berichtje bij met een verzoek om informatie over een Luds. Ik glimlachte. Het laatste bericht was van Peter. Of ik hem alsjeblieft terug wilde bellen. Ik drukte hem achteloos weg. Even geen zin in.

Ik keek om me heen. Nog twee dagen en dan zou Karlijn weer haar intrek nemen. Ik wist niet wat ik ervan moest vinden en liep doelloos door het kantoor van Suus. Een glimlach speelde rond mijn mond en zachtjes streek ik over het foeilelijke roze bureau. Ik trok de laatjes open en pakte mijn spulletjes eruit. Aantekenpapiertjes, foldertjes en een aantal visitekaartjes. Thom Steenbergen, adviseur vermogensverdelingen. Achteloos gooide ik het kaartje in de prullenbak. Het ging stukken beter met PW maar nog niet zo goed dat er vermogen viel te verdelen over diverse beursfondsen.

Ik trok het volgende laatje open en worstelde mij door een stapel papieren, bestaande uit aantekeningen van vergaderingen, schetsen van ideeën, reclamemateriaal, haastig genoteerde telefoonnummers en half afgemaakte administratieve rompslomp die in ieder geval niet in dit laatje thuishoorde.

'Chaos, Lieke, chaos! Dat is een invaldirectrice van PW niet waardig.'

Net toen ik aan het derde laatje wilde beginnen, ging de telefoon weer en ik besloot hem niet op te nemen, maar het antwoordapparaat zijn werk te laten doen.

'Lieke, met Peter. Waarom bel je niet even terug?'

'Omdat ik daar geen zin in heb,' riep ik met lange uithalen terug, zonder dat hij mij kon horen.

'Doe mij een plezier en ga even bij Thom Steenbergen langs. Het zou toch zonde zijn als hij binnenkort iets anders aan de muren heeft hangen.'

Het was even stil alsof hij hoopte dat ik alsnog zou opnemen en gek genoeg hield ik mijn adem in. Alsof ik bang was dat hij erachter zou komen dat ik hier gewoon naar hem zat te luisteren.

'Lieke?'

Ik bleef stokstijf zitten.

'Doe het nou even.'

Ik blies hard mijn adem uit, boog me naar de prullenbak en viste het kaartje eruit. 'Vooruit dan maar!'

Bussum kende aardig wat panden die de moeite van het bewonen waard waren en Thom Steenbergen had zich in zo'n dergelijk pand gevestigd. Het was typisch een pand van Bonkers & Bonkers. Prachtig opgeknapt, imposant en chic.

. Ik wilde niet al te lang mijn tijd verdoen met deze zaken-vriend van Peter en met enig ongeduld drukte ik op de bel. Een harde zoem gaf aan dat het de bedoeling was dat ik naar bin-nen moest komen en aangezien ik geen idee had waar ik moest zijn, liep ik de grote hal in.

'Ja, en nu?' mompelde ik tegen mezelf. Er kwamen wel vijf deuren uit op de hal en ik had geen idee welke deur ik moest hebben.

'Zoek je iemand?' Een zware stem deed me opschrikken.

Een lange man van rond de veertig keek me onderzoekend aan. Groot en breedgeschouderd staarde hij naar mij en ik voelde me net een klein meisje dat op het punt stond om iets ongeoorloofds te gaan doen.

'Eh, ik zoek Thom Steenbergen.'

'Dat ben ik.'

'Ik ben Lieke van der Steen. Peter Bonkers heeft mij ge-stuurd.'

Hij bleef nog steeds in de deuropening staan, losjes met een hand steunend tegen de deurpost.

'Waarvoor?'

Ik zuchtte even, net iets te hard, en keek geïrriteerd om me heen. 'Peter stond wel twintig keer op mijn antwoordapparaat. Jij hebt lege muren en die moet ik opvullen.'

Een grijns verscheen op zijn gezicht. 'Kom verder.'

Aarzelend betrad ik zijn kantoor. Ik had inmiddels al aar-dig wat kantoren vanbinnen gezien en de meeste waren sma-keloos saai of gedegen efficiënt. Werkplekken waar afleiding vermeden moest worden dan wel bolwerken van trots en ui-terlijk vertoon. Het kantoor van Thom Steenbergen paste in geen enkele categorie. Het was een samengeraapt zootje. Ik keek mijn ogen uit. Een immense pluchen giraffe stond in een hoek van het kantoor en ik kon niet anders dan erop aflopen en er zachtjes met mijn hand overheen strijken.

'Koffie?'

'Graag.' Ik had bijna een latte macchiato geroepen maar kon me nog net inhouden. Dit was duidelijk geen man die zich bezighield met dergelijke modernistische koffiefrutsels. Hij drukte op een knopje en ik hoorde hem door een intercom roepen: 'Twee nescafé graag.'

Een paar minuten later kwam een oude dame in Schotse rok en met grijze haren binnen. Op een ouderwets dienblad stonden twee mokken, Delfts blauw met een spreuk erop, een potje suiker en een kannetje melk.

'Dit is Trees, ze is al vijftien jaar mijn secretaresse.'

Ik knikte even naar Trees. Ze was een verademing na al die Nadja's.

'Dus jij zoekt iets voor aan de muur?' vroeg ik.

'Ja, ik ben hier twee weken geleden ingetrokken en dit pand heeft van die typische Bonkers & Bonkers-muren. Lekker strak gestuct, geen vlekje te zien. Een beetje erg wit als je het mij vraagt.'

'Het is anders wel een mooi pand.'

'Absoluut, ik verwacht ook niet anders van Peter.'

'Waar ken je hem van?'

'Voornamelijk zakelijk. Ik beheer een gedeelte van zijn vermogen en zoek voor hem passende projecten.'

'Wat voor projecten?' Ik stelde de vraag maar wist nu al dat het antwoord mij niet interesseerde. Ondanks het feit dat hij me nog niet eens zo onsympathiek leek, had ik het niet zo met de dollarscene. Het was ongetwijfeld heel knap hoe deze mannetjes wisten hoe ze van geld nog meer geld moesten maken, maar het kon mij niet boeien.

'Ik noem het gewoon goede doelen, maar hier in het Gooi noemen ze het liever *charity*.'

'Goede doelen?' vroeg ik verbaasd. 'Ja, ik ondersteun de vermogenden bij het zoeken naar passende goede doelen.'

'Gaaf.'

'Ja, retegaaf, zou mijn zoon zeggen.'

Ik begon te lachen. 'Dat zegt mijn dochter ook.'

'Übergeil?'

Ik knikte.

'Superflex?'

'Nee, maar wel grutjes om de vijf minuten.'

'Veertien?'

'Dertien.'

Hij keek me net iets te lang aan.

'Welke muur?'

'Uh?'

'Voor welke muur zoek je iets?'

'Die daar. Bij het zitje.'

Ik liep ernaartoe. Twee fraaie rookstoelen stonden naast een beeldschoon gefineerd tafeltje. Een prachtig houtsnijwerk stond in de hoek. Op de marmeren schouw stond een koperen beeld van een paard. De andere muur was van onder tot boven gevuld met boeken. Ik ging zitten en staarde langdurig naar de muur. Keek nog een paar keer rond en liep toen zonder wat te zeggen naar de deur waar ik me omdraaide en mompelde dat ik erop terug zou komen, waarna ik vervolgens het pand uit liep.

Rechtstreeks en in hoog tempo reed ik naar Hobbykelder Vaane waar ik verschillende doeken, paarse, oranje en groene verf kocht plus een setje nieuwe kwasten. Als in trance reed ik naar PW waar het antwoordapparaat weer heftig flikkerde, maar ik besteedde er totaal geen aandacht aan.

Ik zette alle spulletjes neer, maakte koffie en belde mijn moeder dat het wel eens heel laat zou kunnen worden. Daarna pakte ik een bureaustoel, ging zitten en staarde wel vier uur lang naar het witte doek. Toen begon ik en werkte achter elkaar door aan wat later een keerpunt in de periode Luds zou worden en waar ik vreselijk veel geld mee ging verdienen.

Ik weet niet precies wat mij inspireerde, ik weet ook niet

waarom ik opeens felle kleuren gebruikte in plaats van het gebruikelijke zwart en wit. Ik weet alleen dat ik onverstoorbaar doorwerkte met een gedrevenheid en een intens plezier zoals ik dat nooit eerder had ervaren.

De hele nacht schilderde ik door en om negen uur stapte ik in de auto met mijn nog halfnatte schilderij. Ik had mijn te grote schildershemd nog aan, mijn haar hing schots en scheef in een speld en mijn gezicht zat onder de verfvlekken.

In hoog tempo reed ik naar het kantoor van Thom Steenbergen waar ik ongeduldig op de bel drukte. Deze keer deed Trees open. Ze keek me verbaasd aan, wilde wat zeggen maar hield slechts uitnodigend de deur open. Zonder wat te zeggen liep ik door, zo het kantoor van Thom Steenbergen in.

'Dit moet het worden, Thom. Dit past hier.' Ik zette het schilderij tegen de muur, ging zitten in een van de rookstoelen en begon te gapen.

Het laatste wat ik zag was dat Thom met open mond naar mijn werk zat te kijken. Hij zal ook nog wel wat gezegd hebben, maar dat heb ik niet meegekregen want ik viel als een blok in slaap.

41

Roos keek me aan. Verbaasd en zachtjes grinnikend. 'Dus jij bent zomaar in slaap gevallen bij een wildvreemde voor wie je een schilderij moest maken?'

'Ja. Vier uur later werd ik wakker met een deken om mij heen en een kussentje in mijn nek. Mijn opdrachtgever zat gewoon aan zijn bureau te werken en zijn secretaresse was bezig de boekenkast af te stoffen.' Ik zei het alsof het de normaalste zaak van de wereld was.

'En toen?'

'En toen wat?'

'Wat vond hij van het schilderij?'

'Dat weet ik eigenlijk niet. Toen ik wakker werd, hing het aan de muur. Ik schrok me helemaal gek dat ik daar al die tijd had geslapen. Ik ben meteen weer weggegaan.'

'En nu?'

'En nu moet ik als de sodemieter aan het werk. Over twee uur komt Karlijn en gaan we haar welkomstfeestje vieren.'

'Die opdrachtgever, wat is het voor iemand?'

'Een of ander vriendje van Peter.' Bij de voordeur draaide ik me nog even om. 'Het is echt een fantastisch schilderij geworden. Heel anders dan ik tot nu toe heb gemaakt. Raar hè?' Ik haalde mijn schouders op alsof ik het zelf ook niet begreep en liep weg.

'Hé Lieke, waar kwam je nou eigenlijk voor?' riep ze me na.

'Nou ja zeg, dat is stom.' Ik hield de plastic zak die ik in mijn handen had omhoog. 'Gember! Drukte mijn moeder me zonet in mijn handen. Voor jou!'

Vanaf Roos reed ik in tien minuten naar kantoor waar ik zo snel mogelijk alle sporen van mijn schilderwerkzaamheden wegwerkte. Een prachtige bos bloemen zette ik op de tafel van het kantoor van Karlijn en op haar bureau zette ik de glazen van Blokker alvast klaar.

Cato zou de hapjes bij de cateraar halen en Tess zou een ruime hoeveelheid ballonnen meenemen. We hadden allemaal wat leuks voor Frederik gekocht en op het midden van de tafel lagen vijf cadeautjes. Tevreden keek ik toe.

Ik voelde me goed. Voor het eerst sinds tijden voelde ik me helemaal goed. Het was prima dat Karlijn de leiding weer op zich ging nemen. Wat ik hier had bereikt was iets om trots op te zijn en het was tijd om een nieuwe uitdaging aan te gaan.

Fluitend liep ik door het pand toen Cato binnenkwam met een grote doos vol lekkere dingen. In haar kielzog volgde Tess met een zak vol ballonnen.

'Kijk, ik heb er zo'n handig pompje bij gekocht,' zei Tess blij. 'Na zes ballonnen zie ik sterretjes en ik heb er honderd gekocht dus als ik die moet opblazen, lig ik in een hoogje.'

'Honderd!!'

'Ja, het is toch feest. Honderd goudkleurige ballonnen om de terugkeer van Karlijn te vieren.'

'Weet Karlijn eigenlijk dat we nog maar met vier freelancers zijn?' vroeg Cato.

'Nee, dat heb ik haar nog niet verteld,' zei ik giechelend. 'Maar als ik haar vertel dat de zakelijke rekening van PW inmiddels weer in de plus staat, zal ze het niet zo erg vinden.'

Met veel lawaai kwamen Feline en Nynke binnen. We waren compleet.

'Lieke, wil je even gaan zitten?' zei Cato.

Verbaasd nam ik plaats. Vier paar ogen keken mij vriendelijk aan.

'Voordat Karlijn komt, willen wij nog even wat zeggen,' zei Cato. 'Wij respecteren jouw beslissing om te stoppen, maar we hopen natuurlijk dat Karlijn hier absoluut niet mee akkoord gaat!'

Ik begon te lachen. 'Ik moet haar inderdaad nog om toestemming vragen om het kantoor van Suus als atelier te gebruiken.'

'Precies,' zei Tess. 'En daarom hebben wij voor jou een afscheidscadeau gemaakt, dat Karlijn moet overtuigen dat jij een groot talent bent en dat het voor haar juist een eer is als jij hiernaast zit te schilderen.'

Nynke en Feline stonden op en gingen naar de gang om even later terug te komen met een enorm groot doek waarop ze naar hartenlust hadden gevingerverfd. Het was een kakelbont geheel van vingerafdrukken en ik schoot keihard in de lach.

'Kijk, als Karlijn dit werk ziet en het vergelijkt met jouw kunstwerken dan zal ze zich ter plekke realiseren dat ze een groot kunstenares in huis heeft. En je weet, voor dat soort snobistisch geneuzel is ze gevoelig. Met een beetje mazzel mag je zelfs haar kantoor gebruiken als opslagruimte,' zei Nynke.

'We vinden het niet leuk dat Karlijn weer de touwtjes in handen neemt, maar we hopen natuurlijk dat zolang jij hier zit te schilderen, jouw positieve invloed nog merkbaar zal zijn op PW.'

Dit was het moment waarop de tranen in mijn ogen schoten. Ik keek wat verlegen om me heen en was blij dat mijn mobieltje overging.

'Met Thom Steenbergen. Ben je alweer een beetje bijgekomen?'

'Eh... ja.'

'Je bent nog iets vergeten.'

'Wat?'

'Je bankrekeningnummer en het bedrag dat ik moet overmaken.'

Ik keek uit het raam en ik zag de snelle cabrio van Karlijn de parkeerplaats oprijden. Ik gaf hem de cijfers van mijn bankrekeningnummer en met de mededeling dat hij zelf maar moest bepalen wat het waard was, hing ik op.

'Daar is ze,' zei ik. Met z'n allen keken we toe. Karlijn stapte plechtig als de koningin uit haar snelle bolide. Zonder om te kijken liep ze naar de voordeur terwijl een jonge, struise blondine halsbrekende toeren moest uithalen om Frederik van de achterbank te vissen. Karlijn stopte en riep wat, waarop het meisje nog meer haast maakte.

Karlijn was geen spat veranderd. Hoe ze het voor elkaar gekregen had weet ik niet, maar ze had haar oude figuur weer helemaal terug. In nog geen drie maanden tijd had ze haar buik weten weg te toveren. Alsof ze hem gewoon in Friesland had achtergelaten. Achter haar aan rende het blonde meisje en droeg de zware Maxi Cosi met daarin een slapende Frederik.

'Zo, jongens, ik ben weer thuis.' Karlijn keek ons voldaan aan. 'Waar is iedereen?'

'Dit is iedereen,' zei ik zo rustig mogelijk maar ik verraadde mijn koele façade door zenuwachtig een weerbarstige krul rond mijn vingers te draaien.

'O!' Het was het enige wat ze zei, waarna ze me streng aankeek en met vragende ogen om uitleg vroeg.

'Mevrouw, waar zal ik...?'

'Zet het daar maar in het hoekje neer,' zei ze tegen het kind, dat precies deed wat haar werd gevraagd en braaf naast de Maxi Cosi ging zitten en hem zachtjes heen en weer wiegde. Karlijn liep ondertussen rond en liet haar vinger over de vensterbank glijden. 'Het is hier stoffig. Maken ze hier niet meer schoon?'

'Nadja, als jij nu even een fles chardonnay openmaakt, dan praat ik Karlijn even bij in de kamer van Suus.' Ik ging Karlijn voor en nerveus bedacht ik mij dat dit welkomstfeest wel eens een enorm fiasco kon worden.

'Ga zitten,' zei ik en wees naar een van de stoelen rond de tafel.

'Wat ruikt het hier raar.' Snuffend liep ze door de kamer.

Shit, terpentine en verf. Een heerlijke ateliergeur die helaas niet door iedereen op prijs werd gesteld.

'Karlijn, wat fijn dat je er weer bent!' zei ik zo enthousiast mogelijk.

'Waar is iedereen en waarom ruikt het hier zo raar?' Het kwam er net iets te bitchy uit.

'Karlijn, toen ik hier kwam en jij en Suus binnen de kortste keren de benen namen, werd ik geconfronteerd met een bedrijf dat op het randje van een faillissement verkeerde. Ik heb me de blubber gewerkt om PW van de ondergang te redden.'

Ik voelde een enorme boosheid opkomen over de arrogante wijze waarop deze dame haar rentree had gemaakt. Ik was niet van plan om deze kamer te verlaten zonder dat ik haar had doordrongen van het feit dat ze mij en de vier freelancers wel eens eeuwig dankbaar mocht zijn.

'Nou, nou...' sputterde ze tegen.

'Niks, nou, nou! Je bent gewoon vertrokken en je hebt je postnatale depressie uit kunnen zieken in Friesland terwijl je compagnon bezig was om haar vergiftigde lijf weer clean te krijgen in Schotland. En ondertussen hebben jullie de rotzooi lekker aan een ander overgelaten. En nu kom je hier binnen alsof je geen dag bent weg geweest en ben je verbaasd dat het freelancebestand noodgedwongen uitgedund moest worden. Je komt hier aanscheuren in je cabrio terwijl ik op mijn knieën moest om van de Mini af te komen en mezelf mocht vernederen bij de bankdirecteur.'

Ik was inmiddels opgestaan. Mijn hoofd was rood geworden van woede. Ik wilde nog veel meer zeggen maar ik sloeg helemaal dicht en het enige wat ik nog uit kon brengen was een woest: 'Wat ben jij een ongelooflijk stomme trut!'

Met een minachtend wegwerpgebaar met mijn hand liep ik de kamer van Suus uit. Ik had het er helemaal mee gehad. Met grote boze passen liep ik naar de andere kamer waar de dames stilletjes aan een glaasje witte wijn zaten en er uit de hoek van de kamer een zacht gepruttel uit de Maxi Cosi kwam.

'Oké jongens, laat het feest maar beginnen,' riep ik, maar niemand reageerde en stilletjes schoof ik aan.

Ik vermoed dat we minstens een uur zo aan tafel zaten. Zwijgend, met als enige geluid het gepruttel van Frederik en het onverstaanbare Friese gemompel van de au pair. Tegen de tijd dat we de tweede fles openden, kwam Karlijn binnen. Aan het hoofd van de tafel bleef ze staan. 'Ik heb met mijn advocaat gebeld.'

Ik slikte even. Ook dat nog!

'En met Suus.' Ze keek streng de tafel rond. Na een korte adempauze ging ze verder. 'Suus voelt zich gelukkig in Schot-

284

land. Ze komt waarschijnlijk niet meer terug. Ik heb vorige week een fantastisch aanbod gekregen van een vriend om voor hem te komen werken. Dat heb ik in eerste instantie afgeslagen omdat mijn werk hier lag. De vraag is alleen of dat nog zo is. Personal Whatever is veranderd en ik denk dat er voor mij geen plek meer is. Ik heb met mijn advocaat overlegd en hij heeft mij geadviseerd om het bedrijf op te heffen.'

Ik voelde de anderen verstijven. Cato pakte geschrokken mijn arm beet.

'Een andere optie is dat Suus en ik het bedrijf aan Lieke overdoen. Ik zou er graag een hoop geld voor willen vragen, maar ik vrees dat ik er geen cent voor krijg. Als je het wilt overnemen moet je contact opnemen met mijn advocaat.' Ze overhandigde mij een kaartje van ene mr. Frenkel en zonder verder nog wat te zeggen, verliet ze het pand. Achter haar aan drentelde de Friese au pair, zeulend met de Maxi Cosi met daarin een brullende Frederik.

Alsof het afgesproken was stonden we tegelijkertijd op en liepen we naar de grote balkondeuren. Zonder een woord te zeggen keken we toe en zagen Karlijn van de parkeerplaats wegscheuren.

42

Nog ondersteboven van alle emoties stapte ik in mijn auto. Nadat iedereen was weggegaan was ik nog even door het pand gelopen. De sfeer was euforisch geweest, maar ik had een einde aan het feestje gemaakt. Ik wilde naar huis en eens rustig nadenken. Ik wilde praten met Roos, Bram en mijn moeder. Ik wilde met hen overleggen wat wijsheid was. Ik overzag het niet meer.

Wat moest ik met Personal Whatever? Ik wilde schilderen, maar als ik PW niet overnam werd het bedrijf opgeheven en hadden de anderen geen werk meer. Ik voelde me verantwoordelijk voor Feline, Cato, Tess en Nynke. Shit, wat moest ik doen?

Zuchtend startte ik de auto. Eerst maar eens naar huis. Ik wilde net de parkeerplaats afrijden toen mijn mobieltje ging. Mijn moeder.

'Lieve schat, Bram heeft van een collega drie kaartjes gekregen voor een theatervoorstelling. Hij heeft ons uitgenodigd. Vind je het goed als ik met Merel en Bram meega?'

'Eh, natuurlijk.'

'Dan gaan we nu weg. We eten wel wat in Amsterdam. Vind je dat niet vervelend?'

'Eh, nee. Ga maar lekker. Geniet ervan.'

Ze had nog niet opgehangen of ik liet moedeloos mijn hoofd op het stuur vallen. Oké, met Bram en mijn moeder kon ik vanavond dus niet overleggen. Ik besloot Roos te bellen of zij zin had om even wat te gaan drinken.

In plaats van Roos kreeg ik Felix aan de telefoon. Roos lag even op bed. Dat deed ze de laatste tijd vaker. Ze was moe, misselijk en nog eens moe. Of het belangrijk was?

Ik reed mijn auto achteruit en zette hem weer neer op de parkeerplaats. Ik liep het pand van Personal Whatever weer binnen en deed de lichten aan, legde het zeil weer op de vloer en zette al mijn verfspulletjes klaar en trok mijn oude verfhemd aan.

'Misschien kom ik al schilderend tot een goed inzicht,' mompelde ik tegen mezelf.

Zonder erbij na te denken, pakte ik de zwarte verf. Mijn penseel gleed over het doek. Ik deed een paar passen naar achteren en keek met mijn hoofd schuin naar het doek. *Naakte man zwemt met dolfijn.* Of zoiets. Geconcentreerd en met mijn tong uit de mond zette ik de ene na de andere veeg op het doek.

'Nee hè!' riep ik uit de grond van mijn hart toen het geluid van mijn mobiel indringend mijn rust verstoorde.

'Met Lieke,' bitste ik.

'Met Annelies de Jong van de Rabobank Gooi en Vecht-streek. Ik wil u even zeggen dat er telefonisch twintigduizend euro op uw rekeningnummer is gestort.'

'Eh...'

'Het bedrag is telefonisch gestort door de heer Steenbergen en hij vroeg mij u nog iets mede te delen.'

De dame hield even stil en ik ging heel voorzichtig op een stoel zitten omdat al het bloed uit mijn benen wegtrok. Twin-tigduizend euro!

'De heer Steenbergen vroeg om...' Ik hoorde haar diep adem-halen aan de andere kant van de lijn. 'Het is wel een beetje een ongebruikelijk verzoek en normaal gesproken doen we dit niet, maar de heer Steenbergen is een goede klant van ons.'

'Twintigduizend euro?'

'Ja, dat is gestort. Dat en het verzoek of u vanavond om acht uur bij hem op kantoor komt dineren.'

Ik hoorde de bankdame zuchten van opluchting. Ze had het gezegd. Het was duidelijk dat het haar moeite had gekost, ze was van de rentetarieven, niet van de romantische mededelin-gen.

Verbaasd hing ik op en zonder me ook maar te bewegen bleef ik zeker een halfuur lang op de stoel zitten. Het enige wat er door mij heen ging was het voor mij duizelingwekken-de bedrag van twintigduizend euro dat nu op mijn bankreke-ning stond.

Om acht uur stond ik bij Thom Steenbergen voor de deur. Even had ik overwogen om niet te gaan. Ik had zo veel aan mijn hoofd en het laatste waar ik zin in had was een dinertje met een mij volstrekt onbekende, maar ik realiseerde me ook don-ders goed dat het vreselijk onbeleefd zou zijn om niet op te komen dagen. Bovendien was ik ook wel benieuwd naar deze man.

Ik had hem de keuze gelaten hoeveel hij wilde betalen voor mijn schilderij en het minste wat ik kon doen was hem persoonlijk bedanken voor het astronomische bedrag.

Met een grote glimlach op zijn gezicht deed hij de deur open. 'Kom verder. Leuk dat je er bent.' Hij ging me voor en hield uitnodigend de deur van zijn kantoor open. Er scheen een diffuus licht en het voelde er warm en prettig aan.

Achter in de hoek van het kantoor waar het zitje stond, was een tafel gezet met daarop allerlei hapjes en lekkere dingen. Ik keek hem verbaasd aan. Hij was er dus klakkeloos van uitgegaan dat ik wel zou komen.

'Wil je wat drinken?'

'Heb je witte wijn?'

'Uiteraard. Wist je dat twee op de drie vrouwen een voorkeur heeft voor witte wijn?'

'Laat me raden: dat heb je proefondervindelijk vastgesteld.'

'Ja,' zei hij verbaasd. 'Hoe weet je dat?'

'Gewoon,' zei ik met een glimlach rond mijn mond. 'Dat is een mannending.'

Vragend keek hij me aan, maar vroeg verder niks en overhandigde mij een glas wijn.

'Ik wil je nog bedanken voor het enorme bedrag.' Het kwam er sober uit zoals ik het zei.

'Het is het waard. Het is het meer dan waard.'

Ik ging zitten in een van de rookfauteuils en wist even niet meer wat ik moest zeggen. Mijn hoofd zat vol en ik had totaal geen tekst, maar het scheen hem niet te deren. Ik nam een slok van de wijn en voelde de vermoeidheid van de afgelopen dagen door mijn lichaam trekken. Niet weer in slaap vallen, Lieke, hield ik mezelf streng voor. Je maakt jezelf volstrekt en voor eeuwig belachelijk als je weer in slaap valt. Op de een of andere manier voelde ik toch de sterke behoefte om me niet voor eeuwig belachelijk te maken bij deze man.

Ik keek hem eens goed aan. Ik schatte hem een jaartje of veertig. Bij zijn slapen werd hij al een beetje grijs. Hij was groot en breed. Gek, dat ik dat toch altijd zo aantrekkelijk vond in een man. Er was een lichte waas van stoppels te zien op zijn kin en wangen. Stoer maar net niet onverzorgd. En om zijn pols droeg hij een eenvoudig horloge met een bruinleren bandje. Er was geen ring om zijn vinger te zien.

Hij was eenvoudig gekleed in een oude trui met daaronder een T-shirt en een spijkerbroek. Aan zijn voeten droeg hij gympen. Hij zag er niet uit als iemand die zomaar even twintigduizend euro overmaakte voor een schilderij. Klaarblijkelijk viel er veel geld te verdienen met het zoeken naar goede doelen, dacht ik spottend.

'Vertel eens iets over die goede doelen waar jij naar op zoek gaat,' zei ik in een wanhopige poging om een gesprek te beginnen.

'Wat wil je weten?'

'Alles!'

Hij begon heel hard te lachen. 'Dan zit je hier morgen nog!'

'Dan rukken we wel een ontbijt aan,' zei ik en begon te glimlachen. Zijn volle lach werkte aanstekelijk.

'Oké,' zei hij. 'Het is allemaal zo'n veertien jaar geleden ontstaan in een klein stadje in Nigeria. Ik was daar met mijn toenmalige vrouw. We waren op vakantie. Er was een marktje waar praktisch niks te koop was en de armoede om ons heen was schrijnend. Ik weet nog dat mijn vrouw terug wilde naar het hotel. Ze trok de benauwende sfeer van de armoede niet. En ik moet eerlijk toegeven dat ik er ook moeite mee had. We liepen eigenlijk net weer terug toen ik klagelijk gehuil hoorde. Het kwam uit een doos. Ik weet nog dat ik stokstijf bleef staan. Volgens mij heb ik zeker tien minuten alleen maar staan kijken. Van een afstandje keek ik naar die doos waar dat gehuil uit kwam. Ondertussen trok mijn vrouw maar aan mijn arm. Ze wilde weg.'

Gebiologeerd luisterde ik naar zijn verhaal.

'Het gekke was dat er helemaal niets gebeurde. Voorbijgangers wierpen een blik in de doos, trokken hun schouders op en liepen weer door. Het was bizar, een soort rare film. Ik liep naar de doos en daarin lag een heel klein kindje. Zonder kleren. Er was wel een dun dekentje maar dat lag niet meer over hem heen. Het ventje was nog geen paar dagen oud en huilde hartverscheurend. Er lag een papiertje naast zijn hoofd, maar ik kon uiteraard niet lezen wat erop stond.'

Hij keek me aan. Het was net alsof hij door me heen keek. 'Ik zal het nooit meer vergeten.' Hij zei even niets meer en ook ik hield mijn mond.

'Mijn vrouw zat ondertussen aan mij te trekken. Ze wilde weg en ik moet eerlijk toegeven dat ik op dat moment ook het liefst weg wilde rennen. Doen alsof ik het niet gezien had, terug naar mijn hotel. Maar ik kon het niet. Ik heb het kindje opgepakt, in het dekentje gewikkeld en ben op zoek gegaan naar een politiebureau.'

Hij staarde naar een punt in de verte alsof het verleden weer even helemaal terug was. 'Uiteindelijk bleek het kindje te vondeling gelegd. Een wanhopige poging van de moeder om het kind een betere toekomst te bieden. Vanuit de dorpen trekken de mensen naar de dichtstbijzijnde stad in de hoop dat hun kind daar meer kansen heeft, niet wetende dat de arme stedelingen niet eens de moeite nemen om het kind af te leveren bij een politiebureau.'

'Wat ongelooflijk triest.'

'Die gebeurtenis heeft mijn leven veranderd. Je moet er toch niet aan denken dat je je kinderen niet eens de basisbehoeftes kunt geven. Geen eten, geen huis, geen scholing. Voor ons zijn die dingen zo vanzelfsprekend dat we niet eens weten hoe het voelt als je je kind dat niet kunt bieden. En weet je wat het ergste is? We zien de armoede op televisie en halen gewoon onze schouders op.'

'Weet je hoe het met het kindje is afgelopen?'

'Heel goed. Hij heet Daan en is nu veertien.'

'Heb jij...?' vroeg ik verbaasd.

'Ja, maar dat heeft me uiteindelijk wel mijn huwelijk gekost. Mijn vrouw vond het helemaal niks. In eerste instantie hebben we het kindje afgegeven bij het politiebureau, maar ik kon het ventje niet meer uit mijn hoofd zetten. Na een paar dagen ben ik teruggegaan, tot grote woede van mijn vrouw. Ik heb het adres achterhaald van het weeshuis waar ze hem naartoe hadden gebracht.' Hij keek me peinzend aan alsof hij zich afvroeg of hij nog verder moest vertellen.

'En toen?' drong ik aan.

'Dat beeld van dat baby'tje in die doos heb ik nooit meer kunnen vergeten, maar wat ik aantrof toen ik bij het weeshuis aankwam, staat in mijn geheugen geëtst. Daar ligt de bron van mijn huidige werk. Ik wilde iets doen aan de vreselijke omstandigheden waarin die kinderen moeten opgroeien.'

'En dat baby'tje hebben jullie geadopteerd?'

'Ja, ik wilde het en ik heb mijn vrouw geen keuze gelaten.'

'Was dat het einde van jullie huwelijk?'

'Nee, toen nog niet. Je kunt het je misschien permitteren om iemand één keer geen keuze te laten, maar twee keer is domweg te veel van het goede.'

Ik keek hem vragend aan.

'Ik had een goedlopend bedrijf en ik heb zes jaar lang keihard gewerkt met maar één doel: om het naar de beurs te brengen en er vreselijk rijk van te worden. Ik wilde zo snel mogelijk mijn huidige bedrijf opzetten om me alleen nog maar bezig te houden met goede doelen.'

'Daar is toch niks mis mee?'

'Wel makkelijk, vind je niet? Een kind adopteren en vervolgens al je tijd in je werk stoppen. Wie denk je dat er voor

Daan zorgde? Ik was aan het werk. Bezig met mijn missie.'

Ik keek hem aan en op de een of andere manier kon ik hem geen rotzak vinden.

'Wie zorgt er nu voor Daan?'

'Ik, al vijf jaar. Twee jaar geleden hebben we samen een wereldreis gemaakt. Een jaar lang hebben we gereisd en naar projecten gezocht die de moeite waard zijn om te financieren. Daan is terug geweest naar zijn geboorteland en we hebben nog een poging gedaan om zijn echte moeder te achterhalen, maar dat is niet gelukt.'

'Is Daan gelukkig?'

'Ja. Een echte puber. Af en toe lastig en soms aandoenlijk lief.'

'Net als Merel,' zei ik glimlachend.

'Vertel,' zei hij. 'Er is Merel en...'

'Mijn moeder.'

'En Merels vader?'

'Die woont sinds een jaar in Spanje met zijn nieuwe vriendin.'

Hij keek me vragend aan, maar veel meer had ik er niet over te zeggen.

'Waar ken jij Peter eigenlijk van?' vroeg hij.

In het kort legde ik hem uit hoe ik bij Personal Whatever terecht was gekomen. Met een glimlach op zijn gezicht luisterde hij naar mijn verhaal. Van mijn allereerste begin bij PW en de onbedoelde verkoop van de Luds, wat mijn schilderkunst weer nieuw leven had ingeblazen, tot en met het vertrek van Karlijn vanmiddag.

'Ongelooflijk zoals ze binnen kwam zetten met Frederik en de Friese au pair. Na een uurtje was ze weer weg. Suus en Karlijn komen niet meer terug. Het bedrijf wordt opgeheven tenzij ik het ga voortzetten. En dus heb ik een probleem.'

'Waarom?'

'Ik had mezelf voorgenomen om me toe te leggen op het

schilderen. De vraag is maar of ik het schilderen en PW kan combineren. Maar als ik het niet doe dan hebben Cato, Feline, Tess en Nynke ook geen werk meer. Ik kan het niet maken om het bedrijf niet over te nemen.'

'Misschien moet je de oplossing in een heel andere hoek zoeken.'

Mijn ogen dwaalden af naar de muur waar mijn schilderij hing. Pas nu viel het me op hoe mooi het was. 'Wat bedoel je daarmee?' vroeg ik.

'Zijn jullie gelijkwaardig?'

'Hoe bedoel je?' Ik begreep absoluut niet waar hij naartoe wilde.

'Is er een hiërarchie tussen jullie? Ben jij de baas en zijn zij ondergeschikt? Denken ze echt mee met de bedrijfsvoering of doen ze alleen maar hun eigen werk?'

'Nee, wat ik kan, kunnen zij ook.'

'Dan heb je je oplossing.'

'Sorry, maar ik begrijp je niet.'

'Neem PW gezamenlijk over. Ieder twintig procent. De dagelijkse leiding doe je bij toerbeurt. Dat geeft jullie allemaal de mogelijkheid om je ook nog met andere dingen bezig te houden.' Hij keek me lachend aan.

Verbaasd staarde ik voor me uit. Was dit de oplossing? Ik probeerde me voor te stellen hoe dit zou werken. Zouden we dit kunnen? Gezamenlijk PW voortzetten. Het idee was briljant. Als dit zou werken dan zou het fantastisch zijn. Heel langzaam begon er bij mij hoop te dagen. Misschien was dit wel het beste plan ooit!

Opgewonden sprong ik overeind. 'Dit is fantastisch, Thom!' Ik viel hem om zijn nek en ik geloof dat hij zelf ook enigszins verbaasd was over deze actie. Verlegen keek ik hem aan en zei: 'Sorry, dat was misschien wat overdreven.'

Hij glimlachte slechts en trok zijn schouders op.

'Ik ga ze onmiddellijk bellen. We moeten onmiddellijk vergaderen. Ik ben zo nieuwsgierig wat ze ervan vinden.' Met mijn mobieltje al in de hand rende ik naar de deur.

'Hé Lieke?'

Ik draaide me om.

'Laat je me weten wat het geworden is?'

'Ja, absoluut.' Ik liep terug en gaf hem een zoen op zijn wang.

En daar op dat moment gebeurde er iets wat ik niet kon plaatsen. Ook niet goed begreep. Ik geloofde niet in moker-slagen, lichtflitsen, liefde op het eerste gezicht en meer van dat soort flauwekul, maar daar en op dat moment voelde ik een verbondenheid die daadwerkelijk mijn knieën deed knikken.

Ik draaide me niet om, maar liep achteruit naar de deur. En het enige wat ik deed was hem aan blijven kijken. Bizar en niks voor mij.

'Ik bel je!'

Hij knikte slechts.

43

'Oké dames. Sorry, dat ik jullie heb opgetrommeld, maar ik moet wat met jullie bespreken.' Ik haalde even diep adem en voelde hoe de zenuwen door mijn keel gierden.

Het plan leek perfect maar misschien vonden de anderen het helemaal niks! Cato, Feline, Tess en Nynke keken me vragend aan.

'Ik heb zonet met iemand gesproken en die had een heel goed voorstel voor PW.' Weer haalde ik heel diep adem. 'Wat vinden jullie ervan om PW gezamenlijk over te nemen? Ieder twintig procent en bij toerbeurt nemen we de leiding. Op die manier kan PW blijven bestaan en kunnen we de verantwoordelijkheid delen. pw is uit de rode cijfers. Het is nog niet een superflorerend bedrijf, maar we hebben zeker goede kansen.'

Met grote ogen keken ze me aan. Ze zeiden helemaal niks en nerveus begon ik op mijn nagels te bijten. Waarom zeiden ze niks?

'Ben jij bereid om ons zomaar twintig procent te geven?' zei Feline verbaasd.

'Na alles wat jij voor dit bedrijf hebt gedaan?' viel Tess haar bij.

'Ik heb gedaan? We hebben het toch samen gedaan?' zei ik verbaasd.

'Dat is heel lief, maar volgens mij heb jij dit bedrijf op de rails gehouden.' Nynke keek de rest aan, die allemaal knikten.

'Uit het enorme pw-bestand aan freelancers heb ik jullie gekozen om mee verder te gaan. Een klein gezelschap van uitermate gemotiveerde vrouwen. Echt, zonder jullie had ik het niet gered. Dus... wat vinden jullie ervan?'

'Wat vinden we ervan?' vroeg Cato met grote ogen.

'Alsof een droom uitkomt,' zei Tess.

'Helemaal te gek,' zeiden Nynke en Feline tegelijkertijd.

'Oké, dan gaat vanaf nu weer de vrijdagavondborrel in,' riep ik lachend.

Rond een uurtje of twee kwam ik thuis. Met zijn vijven hadden we tot sluitingstijd zitten feesten en ons nieuwe partnerschap met een hoop drank bezegeld. Ik sloop naar de kamer van Merel en gaf haar zachtjes een kus op haar wang. Zoals altijd lag ze weer ineengekropen in een hoekje van het bed. Met een glimlach op mijn gezicht moest ik denken aan Merels reactie als ik haar zou vertellen over de nieuwste ontwikkelingen. Grutjes mam, dat noem ik nog eens een carrière. Ik hoorde het haar zeggen. En morgen mocht ze kiezen waar we naartoe gingen op vakantie. Wat zou ze verbaasd zijn als ze hoorde dat ik weer twintigduizend euro met een schilderij had verdiend! Ik kon het zelf amper geloven. En dat alles had ik te danken aan ene Thom Steenbergen.

Ik fluisterde de naam zachtjes voor me uit en een intens tevreden gevoel kwam over mij. Zonder er verder bij na te denken sms'te ik hem dat het gelukt was. Net toen ik mijn bed inrolde, hoorde ik mijn mobiel piepen. Ik had een berichtje.

Fantastisch! Ik bel je morgen. XTS

Merel zat helemaal uitgelaten aan de ontbijttafel. 'Mam, het was geweldig. Wat een voorstelling. Er werd gedanst en gezongen, het was zo indrukwekkend.'

Ik keek mijn moeder aan en gaf haar een knipoog. Rustig, zoals alleen oma's dat kunnen, knikte ze terug.

'Vertel eens, lieverd, op wie ben je verliefd?' vroeg ze.

Met opgetrokken wenkbrauwen keek ik mijn moeder aan. Het moest niet gekker worden!

'Ik zie het. Die blik en die merkwaardige gloed had je ook toen je Bas voor het eerst tegenkwam. Je bent verliefd.'

'Ik... eh... ik. Wat bedoel je?'

Merel keek me onderzoekend aan. Ze bracht haar gezicht helemaal bij het mijne. Met haar neus tegen mijn wang. 'Oma heeft gelijk. Er is iets met je.'

'Nou jongens, doe niet zo maf. Ik heb hoogstens gisteren te veel gedronken, misschien dat ik daar nog rode wangen van heb.'

'Oké, neem jezelf maar in de maling, maar ik weet wel beter.'

'Er is niks aan de hand, maar er is gisteren wel een hoop gebeurd.' In het kort vertelde ik hun over het verkochte schilderij en de terugkeer van Karlijn. Merel begon te juichen toen ik vertelde dat we met z'n vijven PW over gingen nemen en mijn moeder zei dat ze trots was op haar kunstenaarsdochter met zakelijke aspiraties.

Ik was nog aan het vertellen over ons enorme feest dat tot

in de late uurtjes duurde toen mijn mobiel ging. Ik nam op zonder te kijken wie het was en toen ik de zware stem van Thom hoorde, voelde ik hoe een warme gloed over mijn wangen trok.

Voldaan keek mijn moeder mij aan en ik trok slechts verontschuldigend mijn schouders op.

'Mam, je wordt helemaal rood,' gilde Merel zo hard dat het voor Thom duidelijk te horen was.

'Grutjes,' hoorde ik hem droog zeggen.

'Zeg dat wel,' schutterde ik.

'Ik heb een vraag. Morgen heb ik een liefdadigheidsgala met een veiling. Dat klinkt net zo erg als het is, maar het levert altijd wel een hoop geld op. Ik wil graag nog een schilderij van je kopen. Lijkt me wel een waardevolle bijdrage voor de veiling. Heb je nog iets liggen?'

'Natuurlijk,' zei ik al bluffend en verheugde me er nu al op dat ik straks weer moest gaan schilderen.

'Dat zou perfect zijn. Ik heb nog een vraag. Wil de kunstenares mij vergezellen?'

'De kunstenares is vereerd.'

'Zal ik maar weer naar eigen goeddunken een prijs bepalen?'

'Het zou mij een eer zijn als ik het je mag schenken.'

Het was even stil.

'Ik kom je morgen om vier uur halen.'

Ik klapte mijn mobieltje dicht en ik wist uit verlegenheid niet waar ik moest kijken.

'Zie je wel,' zei mijn moeder voldaan.

'Mam, ik ben zo blij voor je,' zei Merel met stralende ogen.

'Hohoho,' zei ik. 'Wie zegt dat het wederzijds is?'

Ze keken me aan alsof ik debiel was.

Zenuwachtig drentelde ik door de gang van Personal Whatever. Telkens weer draaide ik een pirouette voor de grote spiegel. Ik had mezelf al honderd keer van voren en achteren bekeken. De lange jurk sloot als een tweede huid rond mijn lichaam en ik voelde me bijna naakt, maar ik moest toegeven dat hij mij fantastisch stond. Mijn lange krullerige haren had ik opgestoken en een aantal plukken sprong vrolijk rond mijn hoofd.

Feline had de jurk en de oorbellen uitgezocht en Tess had erop gestaan dat ze me mocht opmaken. Niet te overdadig maar elegant en vrolijk. Ik voelde me rijk en voor het eerst sinds tijden had ik het gevoel dat alles goed zou komen. Ik had lieve vriendinnen met wie ik samen PW zou gaan runnen. Roos had me gebeld dat ze geen gemberkoekjes meer kon zien, vier kilo was aangekomen maar niet meer misselijk was. En Bram had mij vanochtend een lief briefje in de handen geduwd, of ik zijn getuige wilde zijn. Wat kon een mens zich nog meer wensen?

De bel ging, ik wierp nog een laatste blik in de spiegel en ik haalde diep adem voordat ik op het knopje drukte om de deur te openen. Op de grote ezel stond mijn werk dat ik aan Thom ging geven. Misschien wel het beste werk tot nu toe.

En het was het beste werk tot nu toe. In volledige stilte staarde Thom vijf minuten naar het schilderij.

'Lieke, dit is te mooi.' Thom keek me aan en vergiste ik me nou of zag ik tranen in zijn ogen.

Ik keek nog eens kritisch naar mijn eigen werk. Het schilderij ging van zwart langzaam over in paars en oranje. Het straalde droefheid en blijdschap uit. Verdriet en geluk.

Thom liep langzaam op mij af en zonder iets te zeggen nam hij mij in zijn armen en zoende hij mij zoals ik nog nooit eerder was gezoend. Het was alsof de tijd stilstond. Uiteindelijk was het Thom die de betovering verbrak.

'Lieke, ik wil je iets geven. Het is van mijn oma geweest en ze heeft ooit tegen me gezegd dat ik het moet geven aan die ene speciale vrouw. Ze zei dat ik wel zou weten wie dat was.

Ze had gelijk. Vanaf het eerste moment dat ik je zag, wist ik het. Ik weet niet wat de toekomst ons gaat brengen, maar deze armband behoort jou toe.' Uit zijn zak haalde hij een prachtige armband en deed hem om mijn pols.

Ik geloof dat ik wit wegtrok en het scheelde niet veel of ik was flauwgevallen.

'De bijbehorende ketting is helaas...'

'Ik... ik heb de ketting,' stotterde ik.

'Wát?'

'Ik heb hem gekocht in een tweedehands winkeltje in Middelburg. Daar heeft hij veertig jaar gelegen. Waarschijnlijk heeft je oma hem daar toen gebracht. De eigenaar mocht hem alleen maar verkopen aan een vrouw die de ketting waardig was...' Ik keek Thom met grote ogen aan. 'Dit is toch niet te geloven?'

Minutenlang keken we elkaar zwijgend aan, waarna Thom met schorre stem zei: 'Jeetje, die gekke oma...'

'Weet jij waarom ze de ketting heeft verkocht?'

'Ja, mijn oma heeft het mij verteld toen ze mij de armband gaf.' Hij zweeg even en liet zijn vingers zachtjes over de prachtige glazen kralen glijden. 'Mijn moeder was zwanger van mij maar niet getrouwd. Mijn opa vond dat ze het kind moest laten adopteren. Zoals dat ging in die tijd, maar dat wilde mijn moeder niet. Tegen de wil van mijn opa heeft mijn oma ervoor gezorgd dat mijn moeder terechtkon bij mijn oma's zus in Zeeland. Daar ben ik geboren. Mijn moeder is uiteindelijk met een Zeeuw getrouwd, heel gelukkig geworden en ik kreeg de liefste vader die ik me kon wensen. En dat alles dankzij die ketting. Duizend euro kreeg ze ervoor!' Hij grinnikte en schudde zijn hoofd. 'Een heel bedrag in die tijd.'

'Duizend euro?' vroeg ik verbaasd.

'Ja.'

Ik slikte even toen ik het bedrag hoorde en moest denken aan de oude man in het winkeltje en de blik in zijn ogen toen hij zei dat de ketting bij mij paste. Had hij iets gevoeld? Was dat de reden dat hij mij de ketting praktisch cadeau had gedaan?

Zachtjes liet ik mijn hand over Thoms wang glijden. Nooit eerder in mijn leven was ik zo'n bijzonder mens tegengekomen. Ik gaf hem een zoen. 'Kom, we moeten een schilderij verkopen op een liefdadigheidsveiling!'

Die avond ging in een roes voorbij. Ik had het gevoel dat ik op een wolk terechtgekomen was en dat vond ik zelf nog het belachelijkste van alles. Ik, de nuchtere Lieke, was verliefd! En niet zo'n beetje ook.

Toen eindelijk mijn schilderij aan de beurt was om geveild te worden, greep ik Thoms hand beet. 'Hoeveel gaat het opleveren, denk je?'

'Heel veel, let maar op.' En tot mijn stomme verbazing begon hij zelf te bieden en hij hield niet meer op.

'Veertigduizend euro! Wie biedt er meer?' De veilingmeester hield zijn hamer omhoog. 'Eenmaal... andermaal... verkocht! Voor veertigduizend euro is die meneer daar achterin de gelukkige eigenaar geworden van deze prachtige Luds.'

Trots als een pauw stelde Thom mij even later aan iedereen voor als de schilderes van het prachtige doek. Het werd niet alleen de avond van mijn doorbraak, maar het was ook het begin van mijn relatie met Thom.

Rond twee uur 's nachts kwam ik thuis. Op de bank zag ik een hoopje mens liggen, half verscholen onder een dekbed en met een duim in de mond. Ik zette een kopje thee en ging in mijn prachtige jurk in mijn oude prinsessenstoel zitten. Het schijnsel van de oude schemerlamp, die ik met Bram op de rommelmarkt had gekocht, verspreidde een warme gloed.

'Ben je weer thuis, mam?' lispelde Merel slaperig.

'Ja, zal ik je naar bed brengen?'

'Mam?'

'Ja.'

'Kom eens hier.'

Ik liep naar haar toe en ging naast haar zitten op de bank. 'Wat is er?'

'Ik wil zien of je verliefd bent.' Met haar neus bijna op mijn wangen keek ze me aandachtig aan.

'En?'

'Ja, heel erg.'

Ik begon spontaan te blozen.

'Mam, houd je nu helemaal niet meer van papa?'

'Jawel, schat, voor Bas is er altijd een speciaal plekje in mijn hart.'

'En Bram?'

'Hoe kan je nou niet van Bram houden,' zei ik lachend. 'Voor Bram heb ik een heel speciale plek gereserveerd.'

'Jij hebt een hoop ruimte in je hart.'

Ik keek haar grijnzend aan. Ze krulde zich nog een keer op als een poes en stak tevreden haar duim weer in haar mond en deed haar ogen dicht.

'Mam?' zei ze even later.

'Ja.'

'Is er dan nog wel plek voor mij?'

Ik keek haar ontzet aan. 'Merel toch, jij hebt nooit een plek in mijn hart hoeven te veroveren. Van jou houd ik onvoorwaardelijk.'

'Dat klinkt mooi, mam. Onvoorwaardelijk. Ik weet niet wat het is, maar het klinkt mooi.' Ze zuchtte diep en viel vervolgens als een blok in slaap.

44

'Goed opletten, hè! Over een paar maanden moeten wij.'

Ik giechelde en keek om me heen. Achter mij zaten Merel en Daan naast elkaar. Merel in een prachtige jurk en Daan ietwat ongemakkelijk in het pak. Naast Daan zat mijn moeder te glunderen. Ze had haar grijze haren laten wassen en watergolven en met haar tas op schoot keek ze toe. Twee banken verderop zat Roos met op schoot de vier maanden oude Lieke. Een pracht van een baby met blonde krullen en guitige kuiltjes in haar wangen. Felix zat er trots naast. Cato, Feline en Nynke zaten op de derde rij met papieren zakdoekjes in hun handen. Ze waren er helemaal klaar voor. Peter zat, met een grote grijns, tussen hen in.

'Neemt u, Bram Bertold Klaas-Jan Johannes van der Wensink, Tess Maria Louise Broekhuizen tot uw wettige echtgenote?'

Merel boog zich naar mij toe. Ze kwam haast niet meer bij van het lachen. 'Wist jij dat Bram zo veel gekke namen had, mam?'

Ik schudde mijn hoofd en voelde een lachkriebel opkomen.

'Hoeveel namen heb jij?' fluisterde ik.

'Thom. Meer niet. Dus dat gaat lekker snel,' zei hij net iets te hard.

De zware puberlach van Daan gonsde door de kerk, gevolgd door de hoge giechel van Merel.

Ik straalde. Dit was rijkdom.